[法]
西蒙娜·德·波伏瓦
著

沈珂
译

青春手记

VI

❧

上海译文出版社

Cahiers de jeunesse
1926-1930
VI

趁人不备盗取秘密，这是最卑鄙的事。

我常常会因为自己言多必失而苦恼，若有人读这些手记，

无论是谁，我永远不会原谅。

这是一种丑陋恶劣的行为。

请遵守这一提醒，尽管如此郑重其事有些可笑。

Simone de Beauvoir

一九二八年九月二十七日星期四

我回到巴黎。这不仅意味着新的一年开始，而且是一个新的循环的开始，在我看来就是循环。抽屉里放着这三年来的笔记、回忆和信件。于是我投入真正的生命历程中，青涩的笔记中总结的整个学习生涯，结束了。每天，我想要简短地记录下时间的流逝，为了我自己，也为了雅克。或许记下来的再也不会是一些令人伤心的争辩、情感上的纠结，而只是每天发生的一些简单的故事，以及时间带来的或欢愉或沉重的馈赠。

我，已经成长了三岁，清晰地知道我对世界、对自己的期待是什么，无比渴望好好活着，我成为全新的我，就仿佛没有经受过那些痛苦，仿佛对一切一无所知。我，平静又热情，面对这一年的任务，面对期待和承诺过要完成的事，那么不遗余力，那么美好！充实而又充满期待的这一年，孤单的上一年，自信又生机勃勃的第一年，同样是那么珍贵。

从形而上的角度说，我和几个月前是一样的，相信思想，相信思想带来的道德价值，相信它的创造力。世界依托于我爱的意志，

1

这种意志需要我的智慧作为引领。而且我知道自己什么都不懂，但或许根本不需要懂得什么，活着就好。

从智识的角度说，我充满激情，更多的是爱，而不是好奇。我意识到自我的全部力量，相信一种"天才"的存在，能在一部作品中大放异彩，但今年的计划是听凭自己，继续自我充实，因为我还没有时间创作。我的兴趣在于我自己，在于我的生活，如同初生一般。

从情感的角度说……啊！我爱了你这么长时间，爱你恍如昨日，你来到我面前，对我说："你愿意把我当作你的朋友吗？"初回巴黎的日子对我而言，是一场漫长的朝圣，去我能强烈感受到你的存在的地方——夜夜美妙的沉沦，和两年前我要去见你的前夜如出一辙。这不是分分秒秒的热切，甚至连抬手捂住喷薄而出的泪水都不能，也不是平静的遗忘，不能说背叛，而是打造了一种短暂的孤独，而是你友善的存在，不会让人感到压抑，与你亲近的、长时间的交谈，记忆犹新的往日，让现下变得充满香气、味道，不会消散、遗失在时间的长河里。就是我们两个人，在巴黎过着属于我们的生活，因此巴黎变得如此温柔，曾经的日子围绕着我，那么生动，如同就在眼前。

秋日的卢森堡公园依然郁郁葱葱，繁花盛开，满园的栗树为公园披上了一层泛着金光的红棕色；圣米歇尔大道笼罩在灰白、寒冷的夜色中，白天渐渐隐去，没有悲伤，你们带领我走向他……现在，屋子里拉起的窗帘也没有将我与他阻隔开，那间屋子有你的书房，我熟悉其中的味道，它和里面的书正在等待你的归来，我也一样，等着你。多好啊，被生活的种种环绕，能清晰地感受到自己内心强烈的爱、跳动着的心、嗓子口奇怪的小振颤，甚至还有因为这份爱而出现的、略与平常不太一样的呼吸方式。

我想念莎莎，内心无比柔软，我也在心里感受到她的存在①。我把这一年送给你，雅克，它一定会是美好的一年，这是我的愿望，而且我不会悲伤……

我习惯性地走上了雷恩街，走上了波拿巴街，那里波提切利风格的小人正在古老的商店橱窗里对着我微笑，正对着"窄门"——塞纳河散发着一股泥沼的味道。金黄的树丛里发出窸窸窣窣的声音，拂过我的欢乐，我走过河上的桥，穿过旋转木马，伴随我的是无比的得意，因为相信自己的生活、相信你的生活，相信我们必定会胜利，相信我们内心的充盈，相信我们会在这个既定的世界里构建自己的王国。生命之花绚烂绽放。莫里斯·舍瓦利耶在阿波罗号上与巴黎告别②。当我走进亮着红灯的红色房间，经过冷清的吧台前无人问津的高脚凳时，我明白……明白了自己很晚才弄清楚的这部分世界与我自己的联结是多么的紧密，当大幕落下，管弦乐队的头几个音符响起，有多少赞美、泪水和疲劳永远深情地停留在前排半空的座位上，而这个染着头发、化过妆的女人，我不知道会不会激起其他人淫秽的念头，某些东西总是不能兑现，而这些东西的消失又会让人重新许下一些承诺。舞者穿着粉色的羽毛裙，身姿柔软灵活，她经过时，戴着草帽，嘴唇很奇怪地突出，我仿佛觉得眼前的形象是一个短暂的、无法触碰的梦，你的灵魂在向我的灵魂致敬，最外在的一个轮廓，却蕴藏着深层的含义，带着一点点悲伤，出于瞬间感到的无用。我想诉说一切：几乎不动的双腿有规律的颤抖，似乎要付出一切同时又要保留一切的姿态，这种完美的懒散……"我要是小姐……"关于小象的故事是这么说的："我的小汤

---

① 这个月，西蒙娜·德·波伏瓦回到了加涅潘。——原注
② 他离开巴黎去好莱坞拍摄《璇宫艳史》(1929)。——原注

姆……"还有戏仿，英语歌曲，她微笑中带着的戏谑。完美。还是你向我展示了这一切，我并不是特别看重，巴黎的灵魂已经被这些歌曲改变了，由此，我也重新发现了你，似乎你身上弥足珍贵的一部分被我识破了，而任何其他都远远未加以表达。我走在蒙马特街区的大道上，对着莫里斯柱微笑。我在莉莉姨妈窄小的公寓里，尽情地释放着自己的快乐，不停地亲吻孩子们的脸颊，这和我在圣奥古斯丁广场上，在车灯的光彩里，沿着富瓦将军街时，内心升腾起一种怯怯的、孤零零的幸福如出一辙。马勒泽布大道沉浸在一片光芒四射、载歌载舞的气氛中，巴黎的情侣们从我身边经过，我温柔地看着他们，并不羡慕，这是这一瞬间最生动的体现，一个小矮人在皇家街的角落里卖紫罗兰——"这对您来说太贵了……"他看着我的书包，怯生生地说着，后来又叫住我。我花了五法郎，满怀都是象征我放肆快乐的紫色香气。韦伯餐厅和马克西姆餐厅里有一群有钱人，我从他们面前经过，唱着歌，心中被生活的财富填满，这是他们这些人不会知道的。在杜伊勒里花园上空看不见的夜色中，月亮戴着米色的面纱，饶有兴致地看着协和广场，汽车交错着飞驰而过。黑漆漆的塞纳河上波光粼粼，无与伦比的美丽。一排排的树木在夜色中，像轻纱一样使得路灯和汽车车灯的蓝光若隐若现。巴黎，总有着相似又全新的吸引力，被爱包围的巴黎，在这里别人的生活充满着神秘和力量，你的领域那么辽阔，以至于走在其中便是活在你的内心。读了史蒂文森的《在南海上》，没什么兴趣。马拉美翻译的爱伦·坡的诗简直太美了。

九月二十八日

今天这样的日子，好像未来还会有，无穷无尽。天蒙蒙亮，我坐公交车去了国家图书馆。我读了爱德华·凯尔德[①]的书和雷努维叶[②]关于康德的论述，凯尔德的书很有意思。柜台上有各种形状的小面包，圆的、弯的、扁的、长的，还有咖啡。回来的时候，有点沉闷，有点潮湿，有点因与自己如此相似而变得温柔。我抄了爱伦·坡的几首诗。我借了托马斯·曼的《特里斯坦》[③]，说不清楚是不是有趣，其实我之前读过了。准确地说，已经有好几个星期，它们无法让我露出一个微笑、一种眼神，让我伸出手去。夜晚与两年前冬日里的夜晚一样，那时我多么爱他。晚上学习。我看着你们，必须要重新拾起的学习，没有欢乐。这份半忧伤中几乎带着一丝甜甜的味道。

九月二十九日

和昨天一样。清早，出发的时候很开心，读康德、雷努维叶（阿默兰的《雷努维叶的体系》、米约的《雷努维叶》），中间休息了两次，一次吃了些点心，一次从国家图书馆走到圣热娜薇耶芙图书馆。不间歇地学习九个小时之后，脑袋有点糊涂。傍晚，我的身边走过一些情侣，这一刻的神秘让他们变得格外让人感动。街角的咖啡馆，小酒吧，突然让我萌生了一个短暂的、强烈的念头，去一个吵吵嚷嚷的地方过一个热烈的夜晚，这样才能掩盖我们内心的孤单。昨晚临睡前读了季洛杜的《可悲的西蒙》，他的文字还萦绕在我的脑中，让我浮想联翩。我想象着在那一个个明亮宽敞的房间

---

① 爱德华·凯尔德，《康德的批判哲学》（1889）。——原注
② 夏尔·贝尔纳·雷努维叶（Charles Bernard Renouvier, 1815—1903），法国哲学家，主张回归康德的批判哲学。——原注
③ 1903 年出版的短篇小说。——原注

里，有着多么美妙的友情……史蒂文森的《退潮》在等我，可我兴致寥寥。默西尔小姐邀请我周一见面，照片令我想起了假期。我重读了《戴锁链的孩子》①，从文学层面上看，不行，让人受不了。我重读，只是为了其中的一两个句子，这倒确实是一种抚慰："她与所有的年轻女孩一样，一心想做个可怜的家庭主妇""你什么都没读过——你，你读得太多了。"哦！我们两个人。没什么比这样以"你"相称更加令人感到宽慰的了——"雅克，你……"我喜欢以"你"相称。我不愿成为一心只想做家庭主妇的女孩，我想成为你的女性朋友，你的朋友。这些日子一天天地过去，我那样地爱你，日复一日，我不再痛苦。我记得你。我没有勇气径直朝你走去。我停在空无里，我内心的空无。为了填补这个空无，但又不想直视它，我与生活中的伙伴说话，我知道我的生活是存在的。我不太相信我知道的东西，因为若没有经历过，是无法真正认识生活的。

亨丽埃特在我们的房间里挂满了裸体的男人和女人像。

你曾坐在这把椅子上。你对我说——这样的眼神，这样的微笑——"好，你会成为什么样的人？"我看着这把椅子，我处在遗憾的入口：这场梦成真过吗？

晚上，我躺在床上，又开始读《多米尼克》②。

九月三十日

我起得很晚，因为一直陷在梦境里，无法醒来。我读完了德尔博斯的《康德的哲学》。今天正好是星期日，将近十一点时，我下楼去买《文学消息》，街上空空的，我在卢森堡公园里闲逛，脚下

① 莫里亚克的小说，于1913年出版。——原注
② 法国画家、作家弗罗芒坦的小说，于1863年出版。——原注

是片片枯叶。我在那里碰到了宝贝蛋，我们一起去了蒙帕纳斯大道，亲爱的家让我们感到厌倦。我想念我爱的这整个家庭，想念它的自由……下午我去了于尔叙利纳。兴致勃勃的年轻人组成了乐团，他们戴着眼镜，头发光滑发亮，站在用外语谈笑风生的优雅年轻女人身边，营造出一种我喜爱的氛围。一部关于"市郊贫民区"的电影描绘了拾破烂者的生活。一部无趣的探险电影结束了演出。在放映两部电影的间隙，曼·雷展示几张根据罗贝尔·德斯诺斯的一首诗《海星》串联起来的照片——某些照片非常漂亮，比如这幅光脚踩在一本打开的书上的作品，旁边有一颗类似玻璃花的星星。打磨玻璃的过程也很快乐，通过打磨，线条逐渐变浅，最后破碎。但我喜欢用智慧来引导印象的并置，而这些印象在这里并没有延伸出任何思想的轮廓。眼睛得到了享受，心灵却没有品尝到任何喜悦（我夸张了）。回来的路上，穿过卢森堡公园，一扇窗户打开，映入眼帘的是深灰色的天空，红色的倒影在房屋上消逝。六小时就在这清澈的景象中流逝，这一刻虚假的清澈是骗人的，这一刻只对饱满的灵魂而言才是丰富的。灵魂可以恰如其分地在宁静、简单中成长，就像一个坚定的微笑一样热情。对于一无所有的人来说，无法拿任何东西来冒充，在这张绿色的桌子上，在发黑的梨木家具中，希腊语书构成了一个悲伤的形象。这里有一条长廊，长廊里有一张沙发、一张书桌，那一刻，光线渐暗，显得很精致。这里有一个人，可以向他讲述曼·雷的照片。有一个工作之后可用的休息室，一个等待室，房间有几个靠垫，可以用来安放疲惫和无聊。哦！

　　我收到一张莎莎的字条，很简短，她告诉我她不来打网球了，还说读了我的信，她心潮澎湃。她不知道我是多么爱她！……但谁又会相信我爱她竟流了那么多眼泪，怀着这么充满激情的幻想和令人心碎的情感，一段话根本不足以表达，谁又会相信我想给予她的太多。你呢，你知道吗？

十月一日星期一

今天上午还是去国家图书馆。我穿过王宫花园。一具倒立的身体在水池中行走，随着水波的荡漾而弯曲，这当然是一件足够动人的事情。但像超现实主义者那样，把这些虚假的神秘景象都收集起来，是否就够了呢？真正神秘的是香榭丽舍大街上的这群女人、一个侏儒、一个手持紫罗兰并在绳索上跳跃的孩子——没有什么比人更有价值……在天主教学院，我在楼梯上便闻到了书香味，那是我三年前拿走的书。树木、光线都没有改变，院长也还是那位院长，他很高兴地跟我打招呼。在这里，我感受到了工作的乐趣（玛格丽特伯母、让娜和利利[1]在这里吃了午饭）。在讷伊，熟悉的小路尽头，我在走廊里等待，那里依然空空荡荡，悲伤的夜晚，悲伤的年轻女孩去那里散步。记忆中依然是若泽亲切的面庞。默西尔小姐一脸平静而严肃地打开了办公室蓝色的门，她的连衣裙也是蓝色的。一如往昔，夜幕降临时，她的脸就像一块宁静的光斑。她觉得我成长了，而且像是"内心被塑造过"一样。她赞赏我的安稳，说我一定可以得到幸福和安宁。她与我告别时，带着一种真正的温柔拥抱了我。的确如此，我成长了，昨晚临睡前，我重读了两年前写的日记。曾经我如此关注自己，甚至怀着一种焦虑，如今我再也不会这样了。但我又无法怀念那段忙于追逐、承受痛苦的日子，尽管我热爱那段日子胜于一切。刚才，在弥漫的雾气中，香榭丽舍大街上满是流光溢彩的广告，看着那些围绕在我身边、我喜欢却并不非要拥

---

[1] 分别是伯母玛格丽特·德·波伏瓦、堂妹让娜和堂弟亨利。——原注

有的东西时，我找回了过去走在回家路上的热情。而在协和广场上，当我玩着行人与死亡的游戏时，内心油然而生一种深深的渴望，那就是不要滚到车轮底下。这是一种非常真实的生命的滋味。充满力量。

我想到了两年前我自己的样子，一个胆小、专心、朴素的孩子，一个不想得到幸福的孩子。但现在那个享受生活、热切地追求快乐的孩子回来了，因为承受过无尽的痛苦而变得更加深刻、更加通人情。我喜欢今晚的我自己。有一天，我也会同样对你说一些事，一些能让你微笑的事，还有一些让你笑不出来的事。是你让我学会了做一个不眉头紧锁、充满怀疑的知识分子，我原本就会是那个样子，你教我认识到了美好事物也是严肃的，不孤单是很温暖的，你让我明白生命的恩典。你的形象，当我想要抓住它的时候，却不见了，但我知道，我知道……

晚饭后，我又翻看了《镶红边的白袍》[1]。书中有一位年轻女孩做白色网眼花卉绣饰，一位细腻的年轻男子用沉默来装深沉，在爱情上犯了错。还好我们和他们不一样。

十月二日星期二

下楼的时候我收到了莎莎的来信，莎莎爱我，我的柔情也能为她带去温暖。信中，她引用了《吉檀迦利》中的段落，我读的时候心潮澎湃，泪流满面。"要是我没那么走运，此生遇见你……"人生又一次变得令人心碎又美好。继续工作，还是读康德和雷努维叶的书，我马上就要读完了，他那些晦涩的思想我已经了解得差不多

---

[1] 莫里亚克的小说，于 1914 年出版。——原注

了。我感冒了。但在阳光下，坐在盛开着最后一朵玫瑰的王宫花园里啃着三明治的感觉很是不错，那里的人似乎把三餐当成了必要，而不是一种社会习俗：坐在长椅上喝红酒、吃面包……我想到了吃着甜瓜和香肠的拉福格，忧郁又孤独。我无法专心工作，雅克不断地出现，不是一种沉重的负担，而是一种焦虑。我还是能保持得体的情绪，但犹如一种萦绕心头的思想，滔滔不绝的对话，一直准备写的一封信，现在怎样，将来也怎样。我们沉重的爱情……我去了斯蒂法·阿夫迪科维奇①家，她住在圣叙尔皮斯街一家名为里维埃拉的旅馆里，六楼的一个蓝色小房间，她坐在床上，疲惫但快乐，她把我迎进屋。我们一起做计划。她跟我说起了卢尔德，以及神甫跟她说的话。她还谈起拉库万一家——可怜的莎莎！"我所爱之物并不相互有爱"——我的心头冒出了一股怒火，因为亲切有爱的外表下潜藏着这样的专制。拉库万太太"憎恨知识分子"，不准莎莎"读这些愚蠢的书籍"，等等。莎莎屈从了，作为一个基督徒。可她脸色苍白，难过，伤心。她应该结婚，嫁给一个和你相似的人，然后过上幸福的生活。我想念她，我很悲伤。拉库万太太讨厌我，我不在意；她让莎莎烦心，我就不能坐视不管。年轻女孩们命运悲惨，她们孤独，无法施展才能。我仿佛见到了莎莎，她在加尔默罗会小教堂里祈祷着自己无比敬爱的母亲允许她喜欢我们亲爱的朋友。

十月三日

继续读凯尔德关于康德的书，还有杜阿梅尔的《推理的科学方

---

① 斯蒂法·阿夫迪科维奇是一位波兰籍大学生，西蒙娜·德·波伏瓦与她在拉库万家结识，斯蒂法是拉库万家假期期间的家庭教师。——原注

法》。不太有意思。和斯蒂法在一起，她戴着漂亮的灰色头巾，眼神中充满了快乐，我们在一家很受欢迎的酒吧共进午餐，聊着加涅潘，聊着巴黎。美丽的正午阳光为旋转木马镀上了金边。在杜伊勒里花园，我们谈论着比利时的博物馆、法国的教堂和尚蒂伊，那里似乎有克鲁埃令人赞叹的画作。六点钟我又去她家接她，带她去"书之友"①，她指给我看了一些有趣的德国书，然后就回家了。今晚，我读了翁加尔的《儿童与杀人犯》②，这本书能看出作者的才华，却充满了狂热，极不近人情。我的感冒越来越严重，我放慢了生活的节奏，继续工作，愈加经常地想到自己想要写完的这封信，想写信告诉你的话，想跟你谈起的一些人，要是你在我身边，在我身边就好了。

十月四日星期四

日子还是一天天地过，每天都是如此。读了一本贝奈戴托·克罗齐写的关于黑格尔的书，逻辑清晰，观点很有见地。玛德莱娜·布洛玛的来信分散了我的注意力。我的朋友，您坐在盛开着合欢花的露台上，我的朋友，您坐在那里一动不动，想象着马上要降临的孩子，您难道不觉得幸福吗？"内心缩小了"……我想，婚姻是一场多么艰难的考验，为了婚姻带来的所谓的稳定，甚至连您都感受到生命的活力折损了。然而，我并不害怕。我曾坐在这张书桌前给你写信，我伟大的朋友，我不曾害怕，我也不曾悲伤。当我想到我的生活是被接受的，是确定的，我的内心就感到很平静，这是积极

---

① 1915 年由阿德丽安娜·莫尼埃在奥德翁街 7 号创办的一家图书借阅书店，在两次世界大战之间的文学生活中发挥了一定的作用。该书店于 1951 年关闭。——原注
② 赫尔曼·翁加尔，《儿童与杀人犯》(1926)。——原注

的、充满生命力的，而不是浑浑噩噩，总让人抱着遗憾和悔恨。她说在受了那么多折磨后还能保持平静从容，太不可思议。而我知道我想得到幸福，便不会否定为孕育幸福而曾经经历过的绝望。正如默西尔小姐所说，或许这样的经历着实不同一般。我曾如此小心翼翼。一开始为爱冲动时，我与其他人完全不同，他们感受到快乐，而我却那么疑惑、伤心、不安，而如今，当其他人开始失望时，我终于有权利不再为之哭泣。晚上我读了克莱门斯·戴恩的《传说》[①]，不怎么好，艺术价值不高，不过我明白你为什么会喜欢，玛德莱娜。对我来说，马达拉是个很亲切的女孩。就是如此……其他人只会因为她的价值而爱她，而他却是因为"她不会告诉任何人的属于她的小细节"，其实她的价值并不是她本身，而你就是这样，雅克，谢谢你。我会对你说一声谢谢——无论如何她只是一个简单的年轻女人，她爱上了这个简单的男人。在所有的注释中，最感动我的是："她说'不要伤害我'，手边放着一把剑……"我读了托马斯·曼的几篇短篇小说，很精彩。我给你写了信。我跟你说起了坐在书桌前的平静，你的房间正在等着我们回来。而我一直在你身旁。我并不伤心。

十月五日星期五

我工作得太投入，差点忘了吃午饭。我读完了凯尔德的书，读到后来开始觉得有点无聊，我又读了两本尼科德的书，很一般，《归纳法》和《感性世界的几何学》。我开始写巴施的课程论文，关于

[①] 克莱门斯·戴恩（Clémence Dane，1888—1965），英国小说家、编剧，于1919年创作了《传说》，马达拉·格雷是书中的女主角。——原注

康德的美学①。快四点的时候，斯蒂法到了。夜雾开始笼罩巴黎的时候，我们沿着河边散步，而后我们去了她的房间，很小，蓝色的，房间里挂着她母亲的画像，相框里的她面带微笑，很漂亮。画像旁边还挂着她一个画家朋友的画，一看就很有天分，还有几幅塞尚、雷诺阿和格列柯的复制品。我们在一起喝茶，吃点小蛋糕，简单的快乐。我们谈论起了里维埃和莫里亚克。她说："昨天，我想去做祷告。我去了圣叙尔皮斯教堂，在圣马利亚小礼拜堂里感觉真好。我常常去，即使我不再想做祷告，我还是跪下了，我想忏悔。可我不能祷告，于是我就这样溜达了一个小时，就在教堂前面……"她来回踱步，双手交叉着放在背后，这是她的习惯动作。"男人们对我的恭维总是那么愚蠢，我觉得他们非常愚蠢，所有和这些人一样的人，我都想朝着他们大喊，骂他们傻。我好难受，哦！多难受啊……我去了邦马舍百货公司，买了一本弥撒的小册子，可我祷告的话却说不出来。可在卢尔德的时候，我曾经忏悔过，我也领过圣体。我多么想要这样，我知道只有这样我才能得到幸福，可我做不到……于是我买了《爱人》，我读了，疯狂地读书，让自己不要胡思乱想。"我知道，亲爱的斯蒂法，我都知道……夜晚的祈祷，得不到回应的祈祷，可怕的焦虑。这也就是为什么我不再有意愿，我不再去尝试，我厌恶这令人窒息的宗教，我曾深受其苦。我永远不会再相信它，无论我的内心还是我的理智都让我远离它。我不会后悔。然而，正是它让我如此偏爱纯洁，以至于稍稍提及肉体，我就会感到难以言表的痛苦和惆怅。我读过、看过许许多多事情，但这些事情滑过我心头，是因为我不相信它们确实是存在的，我告诉自己它们都是不存在的。"您赋予了生命太多高贵的东西"，

---

① 维克多·巴施著有《评康德美学》，1926 年开始担任人权联盟主席。——原注

梅洛-庞蒂对我说。今晚她对我说："您是理想主义者，但世界并不是如此，人也不是如此……"我想起了玛德莱娜·布洛玛曾在她房间里对我说的话，想起了蓬特雷莫利曾经对我说的话，想起了莫里亚克的书。斯蒂法也对我说："这些事就是存在的。"于是我走在雨中，黑漆漆一片，黑漆漆的，我回到家，很难过，很害怕，心想："或许一个年轻女孩是无法理解一个男人的。告诉我，雅克，告诉我一个年轻男人纯洁的灵魂与一个受过教育的年轻女孩的灵魂有着怎样巨大的差别，他是否有挣扎、烦恼、厌恶、蔑视、泪水、软弱，也许是他的顽固让他拒绝看到任何东西，而这种毫不退让的纯洁也许是出于骄傲，因为他认为这种痛苦的原因是不值得的，无视这种痛苦是不人道的"——我深深地感到我们之间的鸿沟正因为这个简单的事实而不断扩大：你是男人，而我是女人。斯蒂法对我说："确实如此，亲爱的，肉体上的爱也很重要……确实如此，特别是对男人来说。"她跟我讲了那个先生的故事，他很有智慧，所以她很乐于与他聊天，但有一天他突然开始追求她，尽管他已经五十岁并有家室。还有一些别的故事。理想主义者！我的第一个反应就是带着骄傲的微笑说：那是另外一个世界，但只有这一个世界。我强迫自己这么说，而不是耸耸肩了事。我似乎并不是一个分外矜持的人。"正因此我才是女人，正是为了被男人抱着，我才是女人"，克洛岱尔如是说。身体的放纵，这一无声的、巨大的馈赠才象征着一个灵魂给予被选择的另一个灵魂以信任，这才是值得珍视的。我觉得这样很美好。曾几何时，我写过，一句甜言蜜语，一个亲密的动作都会冒犯到最内在的我——如今，不会了。因此，只有在假期，我才会在夜晚渴望莎莎在我的床边弯下腰亲吻我，渴望这样平凡的温柔让我们更好地感受到彼此的爱，而这份爱最终不再有任何保留。因为有些话我们无法说出口，因为把头靠在另一个人的肩头沉沉地睡去，是一种比任何语言都更能表达谦卑、信任的行为。我似乎不会再脸红了。用简单的人类行为来证明超越人类的爱情，甚至成了一件特别伟大的事。克洛岱尔认为这是真正的伟大，而雅姆则认为这是纯朴。

我不喜欢莫里亚克的表达，他一直想要告诉我们人的身体背负着原罪。我讨厌《新法兰西杂志》上的这篇文章：《基督徒的痛苦》[①]。也完全出于同样的原因，我万分惊恐地丢弃了于勒·罗曼最新出版的作品[②]。尽管一个抨击另一个所赞赏的东西，但他们又有相似之处，他们同样对爱的肉体部分赋予不同一般的重要性，因为他们都相信它对人的统治。正因此，我收回了自己的观点。两个人都同意身体的亲密动作，甚至以此为乐，好吧，那吃饭喝水不会脸红，又为何因为这样的动作而脸红呢？因为他们觉得自己被欲望所支配，因为他们同意这样的动作也只是表面功夫，这让我反感，我想逃离。

我不带任何鄙视，我不鄙视我自愿做的事情，但我希望这是我自愿的，是我的心将我的身体献出去，而不是因为身体本身的骚动的召唤。我讨厌任何单纯出于肉欲的爱抚。可我为什么要操心自己完全无视的事情？或许是因为其他人不会无视吗？但是，在我所看到的一切迫使我改变这个我所创造的、我所生活的宇宙之前，需要许多时间。这完全是另一回事！

然而，在斯蒂法家里度过的时间还是很美好。她说了许多与生活有关的事。她聊到了圆顶咖啡馆、罗同德咖啡馆、骑师酒吧，她的斯拉夫灵魂，年轻人，年轻女孩们，她小时候见到过的对社会主义的狂热。我很喜欢她。

---

① 文章发表在 1928 年 10 月刊上。——原注
② 心理三部曲中的第二部，《身体的上帝》(1928)。——原注

十月六日星期六

　　我读完了巴施关于康德的书，还有尼科德写的有关几何的书。我们在小比亚尔吃完了午饭，都没有戴帽子，"一副轻佻少女的样子"。阳光很好，我们在广场小花园吃完了葡萄。我试图解释我是如何相信众生的，以及相信众生就足够了。我们谈起了莎莎，她"在家庭与我们之间摇摆"，这也正是我在给雅克的信中写的话，莎莎的身上有一种脆弱，一直牵制着她。今天傍晚的时候，一种对学习、对知识分子生活的热忱攫住了我，很强烈，很有冲击力；哦！这份无言的、平和的热情给了我思考的力量。我们在法兰西剧院广场一边吃巧克力和奶油圆球蛋糕，一边聊着文学。我去阿德丽安娜·莫尼埃的"书之友"先翻看了《交流》[①]的夏季刊，法尔格和拉尔博的文章都不错，之后借了几本德文书，我还没看完。晚上我读了凯勒曼的《隧道》[②]，太像长篇连载小说。我试着欣赏灾难的发生，可我不由自主地想到了《大都会》[③]。施尼茨勒的《埃尔瑟小姐》[④]更得我的欢心。

　　金黄的梧桐在夜晚的浓雾中显得多么迷人！

十月七日星期日

　　多么秋高气爽的一天！九点钟，我去了卢森堡公园。我看到池

[①] 1924 年由保尔·瓦莱里、莱昂-保罗·法尔格、瓦莱里·拉尔博共同创办的文学季刊。——原注

[②] 伯恩哈德·凯勒曼的科幻小说，于 1913 年出版，1933 年改编成电影。让·迦本和玛德莱娜·雷诺是法国版电影的两位主角，还有德国版和英国版。小说的主题有关在大西洋底下建一条连接欧洲和美洲的隧道。——原注

[③] 弗里茨·朗的著名影片，于 1927 年上映。——原注

[④] 于 1924 年出版。——原注

塘里缓缓冒着夜间的雾气。我看到红色的栗子树、一丛丛的鼠尾草和七里香，它们的香味让我停下了脚步，石榴树上开满了红色的花朵，小巷里散落着枯叶，头顶上是湿漉漉的华美长拱门，在朝向露天座的一侧透出一条白色的蒸汽带。我读了托马斯·曼的《威尼斯之死》[1]，是一本很不错的书。一个小孩捡起报纸，扔进捡破烂人的背篓里，别人故意让小孩以为这是个妖怪的背篓，一名水手和一个留着络腮胡的年轻人路过时说道："你会明白的，一个人还不能独立思考的时候，要给你提供一种方法……"他们会让人想到那些认真又充满智慧的朋友，但显然他们自己并不是。一切都是有价值的……此刻，我生命中最微不足道的东西也有了价值……天空出奇的蓝，我看见布瓦涅和一个年轻男人在一起，以前她只为我而存在。进了博物馆，我只看了塞尚的画、罗丹和布德尔的几尊半身雕像。回到家，我读完了勒齐耶的书，塞阿耶写的关于夏尔·雷努维叶[2]的书。我给蓬特雷莫利和梅洛-庞蒂写了信，下楼的时候收到了梅洛-庞蒂给我送来的一封气压传送信[3]。"我亲爱的朋友"，在去音乐会的公共汽车上，我这么说。斯蒂法穿着一身灰色衣服，很精致。沃尔夫指挥的曲目平平无奇：舒曼的《第一交响曲》、门德尔松的《仲夏夜之梦》中的谐谑曲、尼恩[4]的《西班牙舞曲》，由一位优秀歌唱家演唱，她还演唱了穆索尔斯基的曲目。最后是施密特的《莎乐美》，没什么特别的，但我们很高兴，我坐在斯蒂法和宝贝蛋中间，心里想着明天即将见到的梅洛-庞蒂，想着这一年将会有的

---

[1] 于 1912 年出版。——原注
[2] 加布里埃尔·塞阿耶，《夏尔·雷努维叶的哲学》（1905）。——原注
[3] 气压传送通过"气压传送邮局"实现，是一种书信交流手段，西蒙娜·德·波伏瓦和她的朋友们经常使用的工具，速度极快（从发送到接收大约需要一个半小时），借用法国邮局之间的气压管道。这一系统在 1879 年至 1984 年间运行。——原注
[4] 华金·尼恩（Joaquin Nin, 1879—1949），钢琴家、作曲家。——原注

所有快乐，想到了生活。我太满足了，没错，从某些方面来说……我理解了"存在程度"的理论，我刚所说的是低级的，只要我们存在就能满足，斯宾诺莎提出的第二种认知多么完美：要是没有这种积极的、不可抗拒的东西……刚才我读了几篇关于康德的文章。突然，我想到了你。想到你时，不再像以往那样觉得不安、焦躁。不会，只是单纯地觉得我在这里，我刚刚在工作，然后我想到了你。雅克，我的表兄。不，不只是表兄。雅克，我的生命。

确实如此，的确，五个月前（五个月差五天），你对我说："那我就再也见不到你了吗？"于是车沿着一条上坡的路疾驰而去，我站在那里，站在林荫大道上，不知手该放在哪里。我甚至都没有想到哭这件事。我站在那里，车已经转进了另一条路。而你正坐在车里。的确，整整一年，我不会屈膝坐在书桌边的矮凳上，你曾坐在那张书桌前，读一些东西……此时此刻，我看到了你，我看到了你。可你不在这里，想要再抓住你是多么困难。雅克，我的生命……你知道，你是唯一一个懂得如何爱我的人，唯一一个完全俘获我的人，没有为了能够爱我而贬低我的人。你接受我的智慧，但你也接受智慧带给我的折磨，我卸下了心防，在你面前暴露了我的所有，这是任何其他人都看不到的。我被你的温情所包裹，比用甜言蜜语表达的更贴切，如果说我感觉安全、平和，对无数事情漠不关心，那是因为我知道我在你心里的位置。"你的深情看顾着我的灵魂……"你对我说："人嘛，即使获得了学士学位，还是可以很好相处的……想要吃到所有花的女人……有些人是可以当作榜样的……我想念你的时候，都是不经意的"，你对我说："你不仅仅是一个女人……"一天，你对我说："谢谢……"你还对我说："我特别不想跟你说再见。"我知道从你口中说出的每一个字都有着怎样的分量。雅克，我的生命，你懂得我的大痛苦和小烦恼——你是我的港

18

湾，我的依靠，我的同伴。我们在一起曾是那么开心，以致我每次想到你都会会心一笑。我们曾一起咽下了多少泪水，你一定要原谅我，我自己一个人哭过那么多回。有时，你看着我，眼神似乎在说："是你啊，西蒙娜，你好，是你真好……你在的时候，我总是心情很好。"哦！雅克，这样的话，某一日你曾说过。雅克，有人像我爱你那样爱过吗？我的表兄，我的同伴，我的港湾，我的生命……

十月八日星期一

醒来，收到莎莎的一封长信，真好。这封信里有我的莎莎，以及她对我的爱。亲爱的莎莎，我很快地给她回了信，只是短短几行字，因为我迫不及待地想让她知道在我等待她回来的时候，一直想着她。我给蓬特雷莫利传了简短的消息。

等待梅洛-庞蒂的时候，我读了莫里亚克的《拉辛传》[①]，这是一本充满人性光辉的好书，莫里亚克的文采也在这本书里展现得淋漓尽致：在一旁陪伴我的是椅子出租女工的争吵声，愈加发红的树木，以及温和的阳光。梅洛-庞蒂一瘸一拐地到了，我们还是和往常一样，坐在露天座上。我一边抠着石柱一边说话。离我们两步远的地方，有人在笨拙地亲吻。我们是彼此的朋友，正值青春，我们在和煦的天气里享受着美好的时光，今天早上我们彼此亲近。我们的朋友蒙泰朗、莫里亚克、巴雷斯滔滔不绝。我们没聊那些深刻的话题，只讲了些小事，大家毫不费力地达成了一致。我们又去了拉丁区。在皮卡德书店，我们翻看了一些书（我记下了路德维希写的《拿破仑》[②]，斯蒂法告诉我，这是本好书）和一些杂志。有个年

---

① 于1928年出版。——原注
② 埃米尔·路德维希，《拿破仑》（1925）。——原注

轻人好像对我们很感兴趣，他聊着皮埃尔·纳维尔[①]和我们提到的书，试着加入我们的谈话。他带着腼腆的微笑和温柔的眼神，十分友好地递给我一本《北方》[②]，我邀请他和他的姐妹，约定我们还将再见面。我亲爱的朋友，我想您很清楚您的柔情和关切会带给我多么恰如其分、如沐春风的喜悦。

在家吃午饭。妈妈充满了青春活力，她微笑着，她的温柔感动了我。

我在天主教学院读了纳贝尔和布兰斯维克研究康德的文章。我读了康德的《形而上学教程》，在书里，我找到了《纯粹理性批判》的理论基础。图书管理员居然过来和我攀谈了一会儿，真可悲。

天快黑的时候，从左边窗户能看到阴冷的天空中透着些许粉色。路灯亮起来了，只能听见翻书页的声音。这不禁让人联想到一个莫里亚克式的年轻人，在伏案认真工作时内心油然而生一种情有可原的忧伤。在这间阴暗、宁静、充满宗教气息的房间之外，荒无人烟。年轻人却没有感到任何不适，他倚靠在黑色的桌子上，品味着这份因为工作和顺从的满足所带来的几乎与世隔绝的孤寂，同时他感受到了来自四面八方的、无法被墙壁阻隔的爱。一个我误以为自己认识的年轻人激发了我的想象和好奇，我的思绪在那个浅浅的，甚至可能毫无意义的微笑里游荡。我要逃离这暗涌的热切，逃离这个所有记忆都涌上心头的格子间，在这里，一切都和从前不一样了。夜晚的悲伤席卷了我的心。

年轻的莫妮娜·波利亚科夫正在客厅里和宝贝蛋聊着她们工作

---

① 皮埃尔·纳维尔（Pierre Naville, 1904—1993），共产主义者，后为托洛茨基主义者，杂志《光明》的主编。——原注
② 《北方：北极的故事》，收录于北方系列丛书，马克西米利安·海勒著于1928年。——原注

室的事情。莫妮娜很美，她还提到了我曾经喜欢的事情。我读了施托姆写的《白马骑者》①，简直是浪费时间，然后我还开始读了迪昂的《机械的发展》②。但要是我想念你，可能又是因为我的工作完成了。

十月九日星期二

我和宝贝蛋一起出发，坐上了公交车，她要去工作室。雨水，湿透了的包，渗水的袜子，构成一个灰败的早晨。像早早醒来做第一个弥撒一样走进这样亮着灯的大房间里没什么可悲伤的。研究康德（苏里奥、瓦朗森、巴施）的书都很无趣。但是天逐渐亮起来。中午，我们在"拿破仑酒吧"与宝贝蛋碰面，天气真好。我们聊着莎莎的事情，她想去维也纳，然后在图书馆的走廊里，我们又聊了一会儿：斯蒂法、宝贝蛋都是我生活里的小蜜饯……夜幕降临，街边绿色的路灯亮了起来。疲惫，头重脚轻，眼皮沉重，这种种熟悉的感受向我袭来——令人钟情的疲惫，夜晚伴随着对命运的妥协沉入黄昏。我置身于秋天寂静的夜里，在歌剧院大道上，汽车来来去去，还有忙碌了一天的人们，他们坐上地铁，肆意驰骋进自由的夜里——已经被遗忘许久的地铁的味道；我读着让·保尔的《昆图斯·菲克斯莱因》③。这本书枯燥无味，而且我什么都没读懂。在肖蒙山丘公园旁边，我听见有人在演奏手风琴。我走在这些闻名遐

---

① 法文译本于 1927 年出版。——原注
② 皮埃尔·迪昂，化学家、科学哲学家。著有《机械的发展》（1902）、《世界的体系，从柏拉图到哥白尼的宇宙学说历史》（1914）。——原注
③ 原名约翰·保罗·弗里德里希·里希特（Johann Paul Friedrich Richter, 1763—1825），人称让·保尔，《昆图斯·菲克斯莱因的生平》出版于 1793 年。——原注

远的街头，迎面就是克拉维尔协会[①]……亲切的热尔梅娜·莫诺面带微笑，向我讲述着她的痛苦，她对她姐姐的屈服，因为她无力反抗……但是至少她还有一颗细腻柔软的心，当雅克蒙-德吕谢的部众空降到我们的闲聊中时，油然而生的一种隐秘的狂喜让我们彼此间有了默契。她们在聊天……聊得郑重其事，充满敌意。她们简直是尖酸刻薄的老姑娘，是无情无爱的女人。但是这些对我来说都没什么大不了的！莫妮克·德吕谢一无是处，却因此更让人动容。"如果我没结婚的话，你们就明白了"，她小声温柔地说。终于，她们走了，但也不是不可能再回来。哦！这张红彤彤的大脸，显然还未经过思想的塑造，她认为我迷人的妹妹太年轻了，无法管理克拉维尔：你认为一定得像你一样老一样丑才能吸引别人吗？我等待着莫妮克·德吕谢，半小时以后，她来了，我们一起出发，我们接着聊这些闲话来排解烦闷。我一个人坐地铁回去，丑陋的脸，粗壮、受损的身躯，伤感。

玛德莱娜，当我路过这个办公室，路过这个我与您相识的地方时，我想起了您，我的朋友。您说的话仿若在昨日："女性中存在着对现代性的强烈需求……"但是过了一年之久，为什么我昨天去看望的人不是有着耀眼笑容的您呢？终究……人们和我说您过得很幸福——可是对您来说这些还不够，不再有那种曾经属于您的激情，并不是毫无遗憾的，但更加宁静祥和，我曾在这间办公室看到过您如此痛苦，而昨天我在这里怀着柔情想念您。（对于女性来说，聚在一起喝茶，聊着孩子，哺乳，柴米油盐是一件很迷人的事。但是玛德莱娜开始哀叹："我可不想变成这样。"）

热尔梅娜·莫诺和我提起了另一个人……我试着用冷漠的语气聊点关于你的事情，漫不经心地，可我又怎么做得到呢？莫诺和我

---

① 西蒙娜·德·波伏瓦回到美丽城，去了与团队有关联的社会援助中心。——原注

说："我在阿尔贡街上看到他，抱着手坐在桌子边，和人们聊天，他们靠得很近。"我看到你了！哦，太好了——掩藏在岁月深处的青春气息又重新在我心头升腾。狂热的雅克，他发现了加利克、团队和世界，雅克……

十月十日星期三

我满怀热情地学习康德的理论。我在斯蒂法家度过了一天：热茶，巧克力，小蛋糕……斯蒂法和宝贝蛋坐在床上，吸着烟。斯蒂法看着宝贝蛋做的木刻画，给她讲加涅潘的故事。她用手掐脖子这个搞笑的动作来表示窒息。宝贝蛋在斯蒂法家里很自在，很快活。我们做了一些未来的计划——这一个小时对于我们来说过得非常完美。晚饭、火炉的温暖，还有烦人的布希和里雄夫妇[1]，又有什么重要的呢？斯蒂法真的很好玩，她模仿了沙龙里的生活和未来她和宗[2]的关系。她说："噢！这句话真有趣！哦！你们看起来都很有精神！"让·里雄很友善，他是个聪明的帅小伙，聊音乐的时候颇有些见地，遇到他不明白的，他便会保持沉默。

十月十一日星期四

工作进展得很顺利。傍晚的时候，我见到加鲁瓦，他和我在同一张桌子上忙碌着。我又开始对别人的生活展开了幻想，别人的生活一直让我心醉神迷。这个年轻男人饱受巴雷斯的熏陶，洞穿一切、迷人可爱。他把世界万物划分为"高贵"和"低贱"两类，苍

---

① 蒂蒂特嫁给了让·里雄。——原注
② 莎莎的姐姐。——原注

白的脸躲在玳瑁架眼镜的镜片下，现在的年轻人啊……我感觉现在我可以和原先一样贪婪地靠近这个几近陌生的灵魂和它内心深处的秘密。我清楚，对我的灵魂来说，没错，当然是这个独一无二的灵魂，它缺乏里维埃在谈论傅尼耶时所说的"严肃"，或许这个词并非其本意，而是指"优雅"。（我以此为主题构思了一本小说：一个年轻女孩，她有一种难以言说的致命魅力，她周身被赞赏和爱意的光芒包围，生来就是注定要走向成功的。最严谨、最强大、最卓越的男人纷纷被她吸引，靠近她，她显示出自身的严谨、强大和价值。她让他靠近她，但她还是她自己。她还是她自己，岁月流逝，人们意识到她的那种光芒似乎已经暗淡，她不复从前，作品中或许缺少一些微妙的气息，而这种微妙恰恰是作为作家的天赋所在。她对生活缺乏信念，对方也了然于胸，并且感到不可思议，那个曾经吸引所有人的神秘女人现在变得几近平凡。她知道，她知道她犯了错，所有人也都明白这一切，并且当他们看到那个属于她的人，不顾她的意愿却依然拥有她的人，他们便了解了，那位被她剥夺了梦想的诗人，她因为一个奇怪的错误而疏远他，因为她不理解他，因为她不理解她对他的爱比她自己所认为的还要强烈，她以为这份爱已经消逝了，这份爱是荒谬的，但是这份爱却像藤蔓一样牢牢地缠住她，成为她身上唯一能够绽放的光芒。）

我的思绪游荡，都缘于一个陌生或几乎陌生的人……

我读了些关于相对论的作品，我对相对论很感兴趣。然后我们和斯蒂法一起往蒙马特高地走去。从交易所广场到皮加勒区，穿过灯火阑珊的街道，糖果店的橱窗闪闪发光。人群喧闹，车来车往，一辆汽车里，孩子半躺在一个女人身上睡着了，她的脸隐匿在黑暗中，难以辨认。斯蒂法谈起了她正在研读的尼采，她还提起了基督教的神。为什么我们会愿意爱他？她说面对无垠的天空，她怎样饱受孤寂的折磨，她苦于无法渴望，甚至无法渴望那个她曾经认定可以人为重塑的宗教。虚假的希望，我对此深有体会——在当古尔广场，我告诉她，自从摆脱基督教的束缚以后，我感到更加幸福了。我们必须自己去渴望幸福，追求幸福，创造我们的价值。

我们来到克里希大道。这里的氛围让我感到厌烦，那些女孩的粗俗简直让人哭笑不得。在咖啡馆里，管弦乐队准备着今晚的表演。今天晚上，人们挤来挤去，只是为了寻开心。她说："我真想走进这里随便哪个地方，对这些人大骂'蠢货'，他们才不是什么都懂呢。"还说："这些年轻女孩认为只有爱情才能让她们幸福……"——我没有回应她。我清楚地知道生活中这一轻浮的乐趣是以一种严肃深刻之物为基础的。当我把这一严肃深刻之物握在手里时，我便再也不需要任何乐趣了。此时此刻，就让我们满足于这份简单的快乐吧，满足于在街头吃着小蛋糕的乐趣，满足于街上往来逗笑我们的人带来的快活，满足于在巴士停靠时我及时跳上车、她站在人行道上看着我，满足于能够归家……她在这里吃晚饭，她给宝贝蛋、给妈妈抽牌算命。明天见！我的小甜心！我发现宝贝蛋睫毛上挂满泪珠，因为她刚刚一直在烦我，我情绪有些激动。她需要我的认可，几近一种病态的执念。我不希望生活带给她厄运，我不希望。

十月十二日星期五

美美地醒来。开心地出发去我感到最亲切的地方，我的书已经等我等得不耐烦了。爱因斯坦、柏格森、贝可勒尔，我重又感受到抽象世界给我带来的喜悦，正如庞加莱①的书曾引领我在哲学学习

---

① 亨利·庞加莱（Jules Henri Poincaré, 1854—1912），法国数学家、科学哲学家，著有《科学与假设》（1902）、《科学的价值》（1905）。

中度过了一个美妙的夏日早晨那般，这是我今年的哲学学习中最惊喜的一天。数学和科学是我十分珍视的学科，每次我受到它们的启发时，我都感受到一种从懊悔中迸发的喜悦。我为人类精神而骄傲。尽管写书的人已经入土为安，但这些书籍问世了，里面的公式跨越时空、永垂不朽——哲学与科学的"大脑"有所不同。智性地思考或者形而上地思考，在围绕一切思想的情感氛围中有着怎样巨大的差异！而前者更能抚慰人心，在精神上给人更接近极致的愉悦。在我看来，柏格森的论点并没有抓住爱因斯坦思想的重点，但是他的论点还是很有趣的。我还读了一本叫《吉姆爷》①的小说，十分有趣——它形象地指出了，甚至可以说是证明了人类的现实和重要性，通过我们看到的动作、听到的话，描写了主人公深刻的内心活动，从而创造出一个伟大的人。书里还有很多很多值得谈论的东西。

我和妈妈在邦马舍百货商店买了顶帽子。但是你在傍晚时突然出现，那么生机勃勃。你的智慧让我折服，虽然我不记得你说了什么，但我知道我再也无法去想别的事情。在地铁里，我开始阅读德尔泰伊②的《贞德》，我喜欢书里的某些段落，简直是才华横溢！尽管这本书的作者让我觉得反感，几乎冒犯了我内心的一切。我到剧场的时候，几乎没有人，我看到了穿着米色衣服的可爱人儿，那张双颊绯红、满是笑容和促狭的脸庞。我认出了那幕帘子，上面有广告标语在诉说，锣声③取代了三声响。这出剧在以红绿为主色调的舞台背景中开场了。台上表演的是《你在想什么？》，这是由斯蒂

---

① 约瑟夫·康拉德的小说，于 1900 年出版。——原注
② 约瑟夫·德尔泰伊（Joseph Deteil, 1894—1978），超现实主义者的同路人。——原注
③ 这里指的是作坊剧场敲响的铜锣。——原注

夫·帕瑟创作的两幕喜剧。"小女孩布里吉特"穿粉红色、黑色服装和小孩衬衫，她的表演非常精妙，很出色。杜兰的个性太深沉，不适合这个角色，他把这个角色扭曲了，赋予了作者原本浅薄的意图中无法呈现的东西。有一些有趣的小事情发生了：例如，为了真正成为朋友，赌上一百万法郎来猜硬币的正反。斯蒂法还给我买了非常好吃的那不勒斯冰激凌。

　　出门时，我们看到一群人：一个警察正在与一个打扮精致的年轻男孩打斗，他可能十八岁，甚至更小，他的帽子掉进了小水沟里。一开始我还不明白是怎么回事，"看看那个皮条客！"周围的人嘲笑道。一个人捡起帽子递给了他，警察喊道："我看到了"……那人脸色苍白："我和一个朋友在一起，和莫里斯在一起……"——我感到一种可怕的东西笼罩着我。我觉得就要在这条街上晕倒了。我拉着斯蒂法，声音哽咽——这种声音，这种光线，以及那些涂脂抹粉的脸，和那些堕落——我心慌意乱，好似我从不知道这些事情的存在一样，我想逃跑，想尖叫……斯蒂法平静地说，所有男人都这样，有时候女人也是，这是索邦的风俗——"恶心"，正如她所说。"您总是说'甚至'，好像真的是多特别的事情一样。"她对我说。她说得不错，文学里充满了这些事情。无论男女都想过这些事，甚至好人也会想，为了自我辩护罢了。真是卑劣。然而，我心里一直在说："我们不是这样的人。"她讲的那些故事，尽管描绘得非常细致，却没有触动我。我想到了投身黑暗池塘的科隆贝·布朗谢[1]……我想人们必须对自己不了解的事物持宽容的态度，我想人们会指责我把生活想得过于理想化了，但没有人知道这样的想法是多么珍贵。我读了

---

[1] 阿兰-傅尼耶的第二本小说中的人物，小说从 1913 年开始创作，但是未完成。——原注

《北方》，有时候能在书里找到梅洛-庞蒂的影子，挺有趣。

十月十三日星期六

我快读完相对论了。我相信我已经彻底理解了，我感觉大脑变得灵活、精力充沛、无比快乐。大厅很宽敞，可以容纳很多人。在这里，我遇到了一些用功读书、讨人喜欢的人。我很高兴可以成为这些好学之人中的一员，而且多亏这位金发女士坐在我身边，即使是最严肃的工作也因为她变成了愉快的消遣。周四的时候，她真是迷人，当时她读了些东西后深受震撼，在大厅里踱步，双手放在背后，外套披在肩上，脸颊通红。对那位急于与她交往的年轻德国人，她用生硬的语气说："我是美国人……"让他回到座位上，显得淡然自若。当他开始用英语和她交谈时，她气急败坏。他离开时硬是握住了她的手，她怒不可遏。她对我们对面那位看起来像警察的人评头论足，几乎很大声地说这个人一定在那本纹章学的书里"找大人物"，还自言自语地念叨着，她忍不住用书挡住自己的大笑。"太可爱了。"她一边搓着手，一边抬起头，眼睛眯成一条缝说道。她今天的快乐是如此轻盈，就像她的金发在她红润的脸上荡漾一样。她说："我想要拥抱一个人。"她把我拉入她的欢乐之中。我习惯了引导别人，看到她拥有与我相当的生命力，我觉得非常可贵。她是如此迷人。每次离开时她都会简短地说声"晚安"，然后说声"谢谢"。她说的每个词都是轻飘飘的。她认识很多人，她用几句话就让其他人认识了他们。她应该去写作。实际上，她以前曾经写过，将来，当她感觉到自己足够成熟时，她会再次落笔。她是个天资卓绝的人。她的生活中有很多美好的故事：她父亲的朋友在她九岁时就爱上了她，她十六岁时，这个男人又找到了她，与她长时间地谈论哲学、讨论一切，从那时起，这个男人就一直怀着极大的兴趣、带着深深的感情追求她。还有很多其他的故事……今天早晨，我们在吃早餐的时候，一个男人走进了酒吧。他穿着破烂，看上去心不在焉。她告诉我关于这位俄国乌托邦主义者的故事，说他一贫如洗，说俄国人贫困的现状，以及巴黎对他们的友好。还有一个人曾经在餐馆洗碗，他原是伯爵，所以洗碗的技术很差。老板娘辞退了他。他走到钢琴前弹奏出他的悲伤。"您能帮我个忙吗？"有个声音问道——她的脸因为激动而泛红："两个月后您再还我钱，无所谓，十年后还也可以。"——他不愿意，于是她把钱放在钢琴上。这就是她，羞怯，又大胆。还有这个故事：她给一位乌克兰鞋匠带去了钱和食物，当时是他们国家的困难时期，而他一直在酗酒。有一天，她花了两倍的价格买下了他手上的半瓶酒，为了让他戒酒。第二天，当他来结账时，家里只有她一个人，而她生了病躺在床上。她躺在床上，这个贫穷、丑陋的人站在床边——他说："我喜欢来您家，因为我爱您。"她满脸通红，他说："哦！请不要生气，我不是像先生们那样爱您，我是像一只不幸的动物那样爱您，因为您曾为它拭去过眼泪。"法国人是没办法领悟到这样的话语的。现在我和她之间有一种非常深厚的感情。在我工作的时候，她会给我朗诵一整天尼采的出色段落。

若泽在图书馆待了十分钟，她是来看我的。我很高兴能再见到她，我打算邀请她周三和我一起喝下午茶。

今晚爸妈出去了。宝贝蛋和我闲聊了一会儿，我们谈到了蒙泰朗、她的学院以及她所接触到的不可思议的圈子。我现在独自一人，但你从未离开过我。我刚刚翻阅了我十八个月前写的日记，那时我用对生活的厌恶，对难以忍受的生活的厌恶，来对抗内心所感受到的爱的力量。我为后者被前者压抑而痛苦，但正是这种力量使我渴望用爱来度过人生，现在它得以胜利。我一无所悔，我一无所悔。

还有一段回忆。五个月前——回忆起我干的偷闲的事，几乎让我陷入震惊，尤其是那个晚上，我和玛德莱娜误入了一个让人作呕的低级酒吧。我隐隐地感觉到对这一切的恐惧，我甚至没办法理解发生了什么，因为内心的震撼没办法仔细思考……我无法想象现实，或许是我反应太强烈，因为我理想的大厦异常坚固。"他把玩着滚烫的炭木，犹如这些是石头……"但现在我明白了，那也是因为我被一种难以名状的悲伤压得喘不过气来。没有忧郁，没有眼泪，也没有自鸣得意，而是这种消遣的疯狂，这种对暴烈的、低级的存在的偏爱，这种狂热的冷漠，这些都是痛苦的另一种形式，出人意料的形式。

十月十四日星期日

每天早晨，太阳透过含着夜间轻雾的窗玻璃投下粉色光芒，唤醒了我。 我从深沉的遗忘中涌现出来，因为感受到自己活生生的身体而喜悦，这是一种清新的、强大的喜悦，然后，在向光明致以唯一的问候后，我会昏昏沉沉地度过一段时间，这时我感觉到自己正在慢慢汲取幸福的力量，品味到更浓厚的生命的滋味。上午，我在这间书房里好好工作：重读梅耶松[①]（抽象的推理，毫无趣味），迪昂（力学），今天下午要读康德的人类学著作。我在卢森堡公园漫

[①] 埃米尔·梅耶松（Emile Meyerson，1895—1933），哲学家，和布兰斯维克一样是法国唯心主义代表。——原注

步了半个小时，花朵的颜色太过平淡，树叶闪烁着湿润的光泽，毫无精致之感。我来到了空无一人的索邦大学，陌生而冷漠，我寻找着课程通知，但并未公布。傍晚时分，我读了亨利希·曼的《玛丽妈妈》①，无聊而愚蠢，德尔泰伊的《圣女贞德》，生动而引人入胜，还有《刀剑阴影下的乐园》②，我感受到了书里那股坚韧的意志，这种意志曾经滋养着我，这种意志也是我所热爱的。我还热爱在坚韧中取得的成功，厌恶夸夸其谈的伪装。我爱的和我厌恶的，我都承认。是他把这本书借给了我，当时他就站在他房间的桌前。当我把书还给他的时候，我无比激动地明白了一件事，那就是我对于他来说不是需要引导的小女孩，而是一个他想听取意见、拥有正确判断力的女孩。过去就在我身边，它将我通过拒绝而勉强维持的一切都抛入虚无。我知道我的快乐并不等于狂热，尽管这不是我的错。我知道我全力接受给予我的一切，将它们转化为我生活的光芒，但我也同样知道几乎没有什么是真正上天给予的，与我能创造出的耀眼光辉相比，这一切都是全然不足的。尽管别人可能认为我比以前更快乐、更关注世界，我知道我只是世间的一只蜉蝣。

蒙泰朗说过这样一句蠢话："我会为她爱我而感到羞耻，也为她感到羞耻，因为我们不再自由。"没有什么比爱情更自由的了——获得自由，又必不可少。这并不意味着心灵的懦弱，不知道该如何独自前行——我的心会独自前行，如果我独身一人的话。我想要的并不是爱情本身，而是雅克，我能够"在他身边，走进那些广阔的领域，凭借自己的理性，在那里昂首阔步"。我对他的眼泪毫无抵抗力。

---

① 于 1927 年出版。——原注
② 蒙泰朗，《奥林匹克》(1924)。——原注

你离开巴黎至今，已经五个月了。我看了君士坦丁堡的照片——这个国度看起来很美，但那不是你所在的地方。你一直在这里，如同一个缺席的人。

我亲爱的梅洛-庞蒂星期四过来喝下午茶。

我们带上一些散发着墓地味道的菊花去看望莉莉姨妈。一句话就能令我嚎啕大哭。斯蒂法，我亲爱的，我好像明白我欠您些什么了：承受了这整整两周。哦！想到在那些家庭聚会上我不能说出口的话：明天我要去看雅克。哦！你怎么不在这里呢，我的港湾，我的表兄，我深爱的人。

十月十五日星期一

她微笑着，嘴角闪耀着幸福的光辉，一整天，这种幸福是我从未拥有过的。卢浮宫里，一幅丢勒的精妙作品正在展出。《齐格弗里德》[1]。香榭丽舍大街花园的甜蜜。拉福格的诗歌。在她深邃的目光中，这些故事流淌出来，就像我自己品尝过一样。天气突然变得阴沉，我们有点冷。我去她家接她，然后我们在雨中等待公共汽车。我们一到家就赶紧来了一杯热巧克力。我开始研读休谟的理论，她在三点左右与我道别，夜幕降临，我有的是时间来思念你，来哭泣。在天主教学院，面对拿到的书，我像孩子收到礼物一样喜悦：布兰斯维克，庞加莱，爱丁顿[2]。我去了美丽城，大家都在那里：拉谢尔，伯纳黛特，等等，她们都很开心，聊得热火朝天，我也参与其中。我们组织行动委员会，举办讲座，不亦乐乎。我和福

---

[1] 季洛杜，《齐格弗里德或利穆赞人》（1922）。——原注
[2] 亚瑟·斯坦利·爱丁顿（Arthur Stanly Eddington, 1882—1994），英国天体物理学家，致力于研究相对论并著有作品参与证实相对论。——原注

兰、雅克蒙、德吕谢几位小姐一起回家，在地铁的窗玻璃里，我看到了我自己，年轻且优雅，和这些没有魅力的老姑娘站在一起，格外鲜活动人，而我想到了你，我很喜欢自己现在的样子，我告诉自己："我们把事情办好"。回家的路上，我一边走路一边跳舞，对自己说："你必须保持良好的身体状态，以免被你所见到、承受的事情压垮。"我相信我已经拥有了非常好的身体。我对工作充满热情，对工作之外的事情也充满热情。这一切都很和谐。即使我没有通过教师资格考试，至少我会度过美好的一年。这样的经历因为出人意料，更显得弥足珍贵。

亲爱的雅克，我相信如果你此刻看到我，你会喜欢我现在这个样子。

十月十六日星期二

我高兴得快哭了，为了爱情落泪，为了难以言表的、纯粹的、难忘的陶醉。哦！这是我生活中的高光时刻，我的心在舞动中跳跃，我的身体在狂热的舞蹈中获得自由。哦！在这样的幸福之中，我感到从容平静。巴黎，我的生活，斯蒂法，莎莎，我的生活……我重读这些文字，我真的再也找不到我存在的坚实理由，就是这一天，我在她迷人的脸上落下热情的吻。然而，这些都是平平无奇的事情……我花了两个小时研读休谟的理论，不耐烦地等待着斯蒂法的到来。她终于穿着她的冬大衣出现了，我们立刻笑了起来：笑那位总是在寻找大人物的"警察"，笑"拉斯普京"，笑她的"朋友"，我在跟她开玩笑时就这样称呼那个年轻的德国人，他经常邀请她去喝咖啡，而她总是巧妙地拒绝他："您的书比您更有趣。"她笑得前仰后合，鼻子皱着，搓着手。她穿着一条白领蓝底的裙子，真好看。她要和她的朋友费尔南多①一起吃午饭，当我一个人吃完三明治、吃完蛋糕、从王宫花园的十月暖阳中回来的时候，她把费尔南多介绍给了我。连灵魂都在雀跃……今晚我终于明白了这些话意味着什么！在此之前我的灵魂已经在雀跃了。至于费尔南多，我只看到了一张圆脸，头发鬈曲，还有他友好的微笑。我们开始工作。下午三点左右，梅洛－庞蒂过来了，我把他介绍给了斯蒂法，然后我们在门厅里闲聊了很长时间，而那个德国人则对我做鬼脸。我们谈论《北方》，谈论让冈迪拉克感到烦恼的教资考试②，谈论康德。我只是单纯地感到很高兴，他在那儿，带着他那认真的微笑，我好想扑到他怀里……莎莎来接我们：莎莎，斯蒂法，梅洛－庞蒂……难得的瞬间。我深爱的人们都聚在一起了。莎莎穿着一身红色，非常迷人。我们穿过巴黎走到老佛爷百货公司，在那里吃冰激凌、蛋糕。哦！像这样坐着，贪婪地吃东西，某个不知名女孩在镜子里微笑，她戴着一顶灰色帽子，这顶帽子碰巧很适合她。在那里，我感觉我越来越幸福。我们一起散步，我走在莎莎和斯蒂法中间，斯蒂法满心欢喜，怀着一种奇妙隐秘的幸福。我们互相逗弄、充满深情的话语不断脱口而出："前几天，西蒙娜心情很好……"她说。这真是太好了！她说我是个乐观主义者——是的，而且越来越乐观。她还说我让人头疼，更是如此。莎莎有点惊讶于我们在她面前说的傻话，同时我们给她讲了巴黎的新鲜事，讲了我们的消遣。

---

① 费尔南多·热拉西，画家，斯蒂法未来的丈夫。——原注
② 那一年，教师资格考试由以下部分组成：
　　笔试部分，(1)伊壁鸠鲁学说，斯多葛学说，怀疑论学说，或然论学说——休谟和康德
　　　　　　　(2)方法论，科学哲学
　　口试部分，希腊语：柏拉图《理想国》第六卷和第七卷；亚里士多德《尼各马可伦理学》
　　　　　　　拉丁语：西塞罗《论命运》，斯宾诺莎《伦理学Ⅰ》
　　　　　　　法语：卢梭《社会契约论》，莱布尼茨《人类理智新论》，布特鲁《自然法则的偶然性》。——原注

我们聊起了柏林，莎莎马上要去柏林了，我们还聊了一些书，聊了阿杜尔河畔艾尔的风土人情，谈论纳维尔，等等。我感觉到莎莎说话有所保留。我想说的是，她说话并不完全与我们在同一个频道上：她不喜欢苏波的《爱情酒吧》①，她还是跟她家里人有点像，当斯蒂法说"人越聪明，就越国际化"时，她予以反驳。更重要的是，我觉得她希望只和我独处。明天吧，也许我有空。我也在某些时刻感到斯蒂法有点累赘，我想和莎莎单独说话。不过，我们三个人还是相处得很好。

在协和广场，莎莎与我们告别。在看着她离开的那一刹那，斯蒂法和我都感受到了同样的温情，我们感受到同样的喜悦，因为巴黎，因为那些来来往往的汽车，因为这落下的夜幕，因为我们的青春——在路人惊讶的目光下，我们跳起了狂野的舞蹈。我们边跳边走，边唱边吃栗子，手臂挽在一起，彼此之间充满了深情，眼中充满了泪水。我是多么爱您，斯蒂法。她又给我讲了一个关于她的故事。越往下讲，她越变得温柔且坚定，女性和男性气质并存，欢乐和严肃交织，自由而宁静，她面色绯红，金发披散，充满着青春活力，从精神到心灵，却又散发着成熟气息，我的手臂愈发紧紧地搂住她，我的柔情压得我喘不过气来。我告诉她，我也会给她讲一个故事。她是值得的，某天我们会在巴黎散步，尤其是得在晚上散步，我们所珍视的巴黎的夜晚。斯蒂法，我会和您说说我的故事。我是说，我和雅克的故事。"如果爱情来敲门，请别让它溜走。"她和我说。我觉得她的话很不俗。

我知道很多关于她的故事，其中这个故事让我感动：这是关于她的朋友费尔南多的故事。自从中学时代，他就是她的朋友，

① 于1925年出版。——原注

是他引领她走近尼采、歌德，教她热爱艺术；是他指导她的学业；他了解她，给她建议，安慰她。当她的表兄，那个几乎已经和她订婚了的人离弃她时，她到费尔南多的工作室里哭泣。他一直是那个支持她的人。而她则唤醒了他的良知。四年来，他一直在巴黎。他去蒙帕纳斯找乐子，她就会严厉地训斥他，真应该看看她带着冷峻目光教训他的样子："你读过歌德，你知道什么是美好事物，竟然一个个晚上去那么低级趣味的地方……"——他与一位才华横溢但道德败坏的女画家发展了关系——她让他们俩分手。然后她离开了巴黎。费尔南多却继续追求那个女画家，对斯蒂法隐瞒了这件事，但她猜到了。有一天晚上，他们一起在餐厅吃饭时，斯蒂法对他说："费尔南多，我可以原谅友谊中的一切，但不能容忍谎言，你昨晚去见了那个女人，你对我撒谎了。"他红着脸，感到沮丧，最终承认了，斯蒂法站起身，没有看他一眼就走出了餐厅。他追着她出去，但她上了火车，并拦着他不让他上火车。第二天早上八点，她收到了一大束花和一张卡片："这束花不是为了取悦你，而是为了请求原谅。"之后，他与那个女画家分手了。我喜欢这个故事。我喜欢她对一个男人的掌控力，这甚至让他的母亲都感到嫉妒。她在他病倒时为他守夜，他为她付出一切，没有任何隐瞒。最后，他决定暂时从艺术界退隐后，提出与她结合，对她说："也许我爱你。"我喜欢这个"也许"。她拒绝了，但他们之间始终有深厚的爱意。当她讲述这个故事时，她很美，和纯洁一样美，和智慧和爱情一样美。我默默地与她分享了一点我本不打算告诉她的真实自己。我让她走进我的真实生活，她不是那种只适合一起找乐子的朋友，而是可以一起回忆、一起哭泣的挚友。斯蒂法，您是我的朋友。

斯蒂法，莎莎，莫里斯，巴黎……还有宝贝蛋，回家路上，我一直想着他们（宝贝蛋的教父和他的妻子正在吃晚饭。我们得知了雅克·瓦泰勒①订婚的消息，真讽刺！）——所有这些都像一股幸福的浪潮在我心中涌动。我希望把这一切都给你，所有的一切。终于，平静、快乐，整个人的绽放，我可以毫无保留地把自己奉献出去，而不会失去任何东西。而你，在我所有的甜蜜中，你是那仅有的盐。

十月十七日星期三

　　感觉有些疲累，因为我只睡了很短的时间。下雨了，我有些累，就没有吃午饭。我读了大卫·休谟的书，没什么兴致，倒也不觉得无聊，斯蒂法则对尼采很痴迷，甚至踢了"警察"好几脚。我三点半回家，莎莎来了。我们聊起了玛德莱娜·布洛玛、巴黎，还有一切。她欣赏我的快乐，我的孩子气（纳维尔永远是个年轻女孩）。她还欣赏我迷失在自己的快乐中的能力，这是她没有的。若泽来了，她头发剪得很短，像个胆怯的小男孩，十分可爱——我们喝着茶，谈论即将到来的一年，谈论未来一年的学业安排，还有冈迪拉克。我的愿望很简单，就是希望取得学业上的成功，还记得当年一起在德西尔学校上学时的小女友们许愿：如果我留级了，她们就会喝香槟。我很喜欢她们，她们相处得很好，我享受着她们的陪伴。宝贝蛋来了，向我们展示她的画作：都很不错！我借给若泽一些书，并陪她在雨中漫步。她很伤心，没有生气，没有欲望。她惊讶于我在她身边的快乐，惊讶于我的耀眼，我的好心情，那种幸福的颤动弥漫在我身上，翻滚着温柔和欢笑的波涛。拿去吧，若泽，

---

① 阿拉斯的一个表哥。——原注

拿去吧。我有那么多东西可以给予……拿去吧，有了快乐，您便可以在八楼这间有着绝佳视野的房间里，独自学希腊语，等待生活中的爱情波浪向您席卷而来的那一天。拿去吧，玛丽-路易丝，您给我写了一封如此动情的信，您的坦诚令人感动。亲爱的小伙伴们，你们那么纯粹地爱着我们很久了，可我们不再对你们怀有同样的感情……但在往事的余烬中，我们唤醒了那短暂的温情之火。我承诺给予更多，也许我错了，但我会去看你们的。我渴望变得善良，希望每个人都幸福。在从若泽家到玛丽-路易丝家的路上，圣米歇尔大道上，这一切都涌向我：我深爱的朋友们——我看重的学业——奋斗，生活的乐趣，我所深爱的、珍视的、热切的生命。还有你，我将给你写信。我希望你也能给我写信，这样我就不会忘记你，不会忘记你生活的味道，但是如果有时它逐渐模糊，如果这五个月已经让我记不清你的样子，那又有什么关系呢？我知道，只要看到你的一句话，信封上的笔迹……啊！我会全身心地在那里，而我也会突然间找回曾经的自己，每当我漫步在这片充满轻快美好的喜悦的花园里，每当我采摘果实时，如果你没有出现，我总是望向更远处。

十月十八日星期四

今天最好能专注于工作——没错。我因为胡桃夹子男爵和那个想要跪拜在斯蒂法脚下请求她喝咖啡的德国人，笑了起来。我给你写了信。我的悲伤已随之飞逝。她也感到悲伤，但那些轻轻触动她灵魂、她又深爱的悲伤，几乎没有使她的内心有任何波澜起伏。她曾为这个人着迷，然后又为那个人倾心，只要这份爱是不可能的，她都会着迷，但她用那么淡然的态度说出这些，令人陶醉。卢浮宫的展厅带给我们喜悦，我曾在这里流过许多次泪。我们目不转睛地凝望着丢勒令人赞叹的画作：圣杰罗姆身穿红袍，脸庞泛着褐红色，戴着绿色兜帽，手指压在一颗头骨上。嘴角满是绝望，眼中充满疑虑。画面传达着深刻的人性意义，展示了完美的画技。又看了格列柯、达·芬奇、波提切利的作品，每次我穿过卢浮宫，我总是会向它们致敬。还有一幅非常美的普桑的作品：《福塞翁的葬礼》——晴朗的天空映衬着带有暴风雨色调的景色。他的其他画作也同样令人赞叹。但在下雨的卡鲁塞尔花园，我双手捧起我沉重的灵魂。休谟的书让我觉得很无聊。莎莎四点钟来接我，带我沿着河畔走，树叶在金色十月的温柔中飘舞——这种感觉很好。莎莎还和梅洛-庞蒂聊了一会儿，梅洛-庞蒂觉得她很迷人，还有梅洛-庞蒂那非常可人的妹妹，宝贝蛋向我们展示她的画作。我为了逗他们开心，给他们看了《腌黄瓜一家》[①]这本书，他把它和《愚比王》相比。我爱他们所有人。但是，他们身上那种太过幼稚、太过简单和轻浮的东西让我不耐烦，他们的爱意也让我有点窒息。我非常非常爱你们，但是若过分依赖你们，甚至像依赖药物一样依赖你们，会让我觉得不自在——不，我把首要的位置留给你们，因为首要的位置是空的，不过你们在你们现在的位置上就很完美了，我爱你们，但是你们填补不了那个位置。

无需去找你，你会自己一个人好好地回来。面对梅洛-庞蒂那深情的目光，我看到了一种更深沉、更隐秘的目光在对我微笑，那是我把里维埃与傅尼耶的《书信集》第二卷借给你的那一天，我告诉你你得把第一卷还给我，你却说你不会把它还给我的时候……那是在日耳曼娜姨妈的房间里，你和皮埃尔姨父正在修理一个我不知

---

① 西蒙娜·德·波伏瓦在七岁写的小故事。——原注

道是什么电器的复杂装置。为了安慰自己，我读了一本风格拙劣但又有趣的书——维亚拉特写的《黑暗战斗者》[1]。

突然我明白了这是真的，明白你要一年后才能回来，我意识到我需要你，我很需要你，索邦对我来说什么都不是，包括那些考试，以及巴黎、其他这些人，所有这些都不重要，只要你开口说出只有你会说的话，我明天就出发去找你，绝不后悔。如果你不存在的话，即使身处所有的温柔之中，我也会感到局促，如果你不存在的话，即使身边被爱我的人环绕，我也会感到孤独，甚至需要自我防卫。因为我的疲倦只能通过变得和大家一样才能获得喘息的机会。而我唯一可以喘息的地方就是带着靠垫的长沙发，傍晚躺在沙发上想着你会回来。我的喘息，我的生命，我更爱的自己，我希望感受到你握着我的手，不让我用手挡住望着你的双眼，不让它流泪流到干涸。只有在你面前，我感到自己像一个小女孩，只有在你面前，我才拥有权利。你有权告诉我："看着我，西蒙，冷静一点。"当你写下我的名字，就好像你在呼唤我，我心绪难平。

这些人让我恼火：他们太明智，太不倨傲，太好了。他们没能品味到智慧的一无是处和闲情逸致——怎样的缘分使我遇见你，这样一个和我完美契合的人……我的目光变得狭隘，为他们这些将生活看得不那么重要的人而烦恼。我想恨他们，我想和你在一起，我想和你在一起，我想感受到那种被你理解的感觉，我不想再和你分开十个月那么久。我已经不再是我自己，我不想这样，求求你了。

尽管如此，也许我不后悔流过这些眼泪，我把头放在皮制扶手椅上，就像我意识到我爱上你的那天一样。我的爱需要考验，而你选择了对我进行考验。我一定能获得幸福，而且是完完全全的幸

---

[1] 亚历山大·维亚拉特，《黑暗战斗者或危险的蜕变》（1928）。——原注

福，它值得等待，况且因为距离，我们更加明确了对彼此的渴望，更容易对彼此开诚布公。一年后，你会回到这里，或者我们都将不再存在。

十月十九日星期五

斯蒂法今天很高兴："亲爱的，咱们该做些什么啊？"我没什么想法，所以很难回答她的问题。"我们今天变得自私一点……"我们在广场上漫步："他比您更重要，那你们俩比其他任何人都重要，要是您爱他的话"——"我可以得到一切，西蒙娜……""不，不行，乖一点，斯蒂法，这样已经足够了。"她很迷人。我的工作也进展得很顺利。莎莎只是路过，看了一眼波德莱尔的书就离开了。斯蒂法和我去了天文台大道的第八层，若泽带我们看夜晚灯火璀璨的巴黎。房间很小，有一张蓝色的沙发，若泽坐在桌子上，我们坐在沙发上。我们谈天说地，聊康德，聊福楼拜，还有我们自己。斯蒂法身上的愉悦气息填满了整个房间，而若泽则用她的魅力和优雅感染了大家——她们吞云吐雾，互相邀请，我们开始一起计划些事情。我很高兴能把她们聚集在一起，成为一束划破孤独的耀眼光芒，我很高兴她们存在，而我也存在。斯蒂法陪我去了叙尔库夫餐厅，我的家人和莫尔纳克一家在那里等着我吃晚餐。她如此完美，如此优雅，我在走过心坎上的那栋房子时，向她透露了一点我的期待，她明白了我的意思，她的喜悦直击我的心灵："这太美好了，西蒙娜，太难得了"——是的，太美好了。哦！亲爱的大道，连那些餐馆也都多么美好，尽管我们旁边发生了一幕假夫妻的好笑场景。我透过雾气弥漫的窗户看到这些绚烂绮丽灯光，还有经过的有轨电车。我们回家，我说我要先走一步，借口要回家睡觉，但其实我悄悄和我快乐、开朗的小宝贝蛋聊天去了。她告诉我她昨天在蒙马特十分快活，她的心灵是如此单纯而坚定。

"这太美好了，太难得了"，我其实不会这样说，我会说：我很幸运。幸福在我看来就好像是理所应当的。这是我应得的幸福，而我如此热爱它。我的欲望都会得到满足，而且这种欲望会不断加剧，我不是为了顺从什么而存在的。

"您会嫁得最好。"斯蒂法对我说。人们从我的脸上可以读出我需要一种深沉又平静的确信，相信她身上的一切都会是完美的，而事实便已是如此。哦！自身的完美，是我的依靠，我的手搭在你那既坚强又脆弱的灵魂上，我迈出的每一步既坚强又脆弱，因为你，因为我们……

十月二十日星期六

我还是忙于研读休谟的书。我们很少交谈，她在我之前离开，是那个德国人送她回去的。但是我心里还是想着昨天的聚会，想着我们真正的学生生活都实现了，我还想着下周一约好的聚会。真是太好了！我们约定明天去蒙帕纳斯。我带着惺忪的睡眼出门，留下身后闪着绿光的路灯和唱着小调的门卫："先生们，我们马上就要关门了"，然后发现夜晚的巴黎，自由而清新，散发着一种未曾预料但早就存在的冒险气息。在这些街道里，我们发现一个面带微笑、热情的灵魂，有种鲜少有人触碰的神秘莫测，街道上回声阵阵……想到阿兰-傅尼耶的《大个子莫林》——在蒙帕纳斯，我走在你身边，你以为离我很远，但当我走出那间大厅时，经历了怎样奇妙的时刻。塞纳河边的公共汽车把我带到玛丽-路易丝的家，她的存在如同一种慰藉。她的灵魂沉浸在一间用白色薄纱装饰、蓝色作为底色的房间中，虽然品味差劲，但谦逊、充满爱意、令人感动。我心中有一种比以往更多的纯粹的善良，我感到可能我能理解她，真正地理解她，设身处地地理解她——如此孤独，如此缺乏力量和优雅。我有点喜欢她。"我们曾经能做的好事……"我回到家，现在我就在这里。我把这一切告诉你，你也全都知道了。今天，我很想你，为了转换一下心情。我想十一月一日后我会收到你的消息，是吗？

十月二十一日星期日

整个白天，我都在研究布兰斯维克。上午散了一小会儿步，兴致寥寥。晚上，我本来要和斯蒂法出去。我在她家里等她，可没等到。她轻描淡写地说了句对不起……头疼，沮丧（我想，特别是，某个人……）。我一个人去了蒙帕纳斯。骑师酒吧、丛林酒吧在对我微笑，夜晚如此纯粹，如此美好，可都是属于其他人的，与我无关。我回家继续钻研。我很用功，在你的微笑里寻找庇佑。

十月二十二日星期一

借口、疲劳、"亲爱的"……似乎她星期六离开时，我是笑着看着她的，"就像一位老祖母看到自己的孙女出去玩"，有点像那样。然而，她还是缺少我所喜欢的那种深沉稳重。那个年轻的德国人说我看起来像一个严肃的、"博学的"女人，这正是我想要的。我研究休谟的作品，晚上，纽曼[1]的文章抚慰着我，他的《赞同的语法》

---

[1] 约翰·亨利·纽曼（John Henry Newmann，1801—1890），改信天主教的英国国教教徒，著有《赞同的语法》（1870）。——原注

是一本好书。大雨倾盆而下，我淋着雨，试图"努力喜欢它胜过一切"，就像纪德所说的那样。

但是，我更爱的是这个灵魂，爱它胜过一切，当一下午就要在绿色的台灯下结束的时候，它触动了我，我试图向它诉说它有多么温柔、善良，以及它的谦卑暗藏了不为人知的秘密，但一切都是徒劳。

我去了斯蒂法家，宝贝蛋在那里等我。我们在圣米歇尔大道和蒙帕纳斯愉快地散步。我们一口一口地吃着巧克力，生活都变得格外温柔。在皮卡德书店，有书，有杂志，还有一些概览——远一点的地方有一些雕塑：洛朗森、马蒂斯、藤田嗣治、波提切利，油画，思考的人，生活着的人。如此深爱的尘世，如此古老又如此朝气蓬勃的尘世，让人回味无穷的尘世。蓬特雷莫利给我留了言，邀请我星期四与他见面。我有一瞬间渴望他能接受这份好感、这份信任，但我又害怕其实我渴望的并不是他。脑海中的回忆慢慢平息下来，想到我们的友谊，我心头一片柔软……很奇怪。我走向您的时候，带着无比的赤诚和简单，要是您愿意理解这种真实的语言就好了。您愿意吗？

再一次：又是你，我不想工作，哦！不……你的手放在桌子上，我只想把头靠在你的手上，一心只想着：你在这里，你就在这里……

十月二十三日星期二

又一次，在这一刻，我带着甜蜜的期待走在回家的路上，我的期待正在成形，却并不存在。每天晚上，幸福的阴影总会笼罩我，我回来，充满信心，但我非常清楚这里的一切都与你无关。那是什么呢？我已经习惯了将白天偶然发生的小事拒之门外，习惯了与你说话，一边在你身边准备晚上的工作，就在你身边。正是因为想着你，我走路的时候才会聚精会神，或者更准确地说，正是因为想到新的一年将要到来，每一天的结束都让这一天的到来变得更切近。我也不知道。我就在这里。现在你已经收到我的信，或许此时此刻，你在想念我，而我在这里，我在等待。我等待，没有一丝不耐烦，就如同我们远远地看到一个人着急地向您跑来，有人会朝他喊"快点，快点……"但他径直跑向您，眼睛一直盯着您，并挥手示意"我快到了"。很快我们就能一起欣赏风景。

斯蒂法向我介绍"她的"德国人，我们一起吃了午饭。他不太聪明，面目可憎。突然我心中莫名其妙地生出一股恨意，因为他可能成为十年之后杀死你的人。我们在波卡迪喝了咖啡，吃了蛋糕——兴致缺缺。他可以谈论画家弗里斯[①]、马蒂斯等等，他是那个"站在蒙帕纳斯大道和蒙马特大道十字路口"的德国人。他帮我看手相，说我会结两次婚，没有孩子，我不是一个忠贞的女人……梅洛-庞蒂也在场，斯蒂法在广场小花园与他交谈，有点吓到他。我们一起回家，我读了几页纽曼的书，让我高兴得不禁落泪。加鲁瓦在离我们不远处工作。天很热，但很舒服。莎莎过来了，她在读波德莱尔。天很闷热。

我带莎莎走了一圈。在孔蒂咖啡馆，我们吃了一些冰激凌，为了转移话题我们谈论起了我，谈起了令人讨厌的对乐观主义精神的批判。我知道我是什么样的人。（我们在圣日耳曼大道的陈列橱窗里，看到了因纽特人的照片和《北方》。）莎莎马上要出发去柏林。

---

① 奥顿·弗里斯（Othon Friesz, 1879—1949），法国油画家、素描画家。——原注

我几乎不算活着。"我们心里的一个人"，在电影《吉姆爷》中有这样一句令人惊叹的话，莎莎一直记得。哦！我心里的那个人。那个将属于我们的生活还给我的人。

十月二十四日星期三

布兰斯维克带给我意想不到的乐趣。在《当代唯心主义》中，我发现有些段落极有人文关怀，写得真美，在《阶段》[①]中，也读到一种关于精神的概念，与我的想法非常接近。我带着一种独属于自己的乐趣，跟随着自己思想上的变化，这种变化是我始料未及的，我曾那么讨厌他！然而今天，我感觉在一个不存在的世界里，我所作的斗争既没有赢，也没有输，我认为我的渴望是在与生活的接触中才确定下来的，而生活则把这些渴望当作指引，而且基于一种类似的相互性，自然和精神也互相认同，互相丰富。我把书中的一些段落抄录下来，还抄了一些在庞加莱和纽曼那里读到的段落，纽曼的书开头和结尾都一样精彩。有足足十次，我怀着无比的快乐，把头靠在扶手椅的圆靠背上，把书放在桌子上，对着一种思想微笑，如同婴儿对着天使微笑。知识分子，加油吧！为什么不呢？

昨天，我读了拉克雷泰勒的《被排除的灵魂》[②]，过于冷酷、毫无生气的书，我也说不上来是怎样的缺少自由气息，这也大大抑制了作家的天分——我不喜欢。

斯蒂法陪我去了美丽城，她跟拉谢尔聊了几句，对我身边这些研究古希腊悲剧的人感到厌烦，其实我对古希腊悲剧也不是很

---

① 《当代唯心主义》出版于 1905 年，《数学哲学的阶段》出版于 1912 年。——原注
② 于 1928 年出版。——原注

感兴趣，但我们还是去了歌剧院，我们去那不勒斯餐厅喝了一杯可口的鲜榨柠檬汁，我们欣赏着那些披肩和长裙，觉得穿上一定很好看。

现在她想嫁给费尔南多，这样就可以生活在巴黎，在一间艺术沙龙里端茶倒水，周围都是天才艺术家……她是在歌剧院大街跟我讲到这件事的，还跟我讲了许多其他的事。她讲了在赚钱、讨生活中苦中作乐，也许火星上也能让人生存……在卢浮宫的巨大阴影和灌木丛中的粉红小点之间，我们仰望天空，快乐地赞美星空……美丽的塞纳河，我们摘下了帽子，头发随风扬起。她想扶起街上一个睡着的男人……聊天。皎洁的月夜，寒冷，清澈。这一刻，我并没有忘记你。

十月二十五日星期四

我去莎莎家找她，希望能跟她好好聊一聊。她带我去买东西，做片刻的小姑娘，穿梭在各大百货商店，倒也不是一件让人觉得无趣的事。早晨的百货商店里几乎没有人。我吃了些小面包之后就回了国家图书馆。我穿着一条自己中意的红裙子，昨天开始就梳了一个很好看的发型，从头到脚都洋溢着笑意……只是因为我脚上穿着好看的皮鞋，只是因为我的脸映在老佛爷的橱窗里，或者我的手放在桌子上。将要被腐蚀的肉身……不再红润的皮肤……都不重要。充满朝气的肉身，红润的皮肤……只有在夜幕降临时，一直热切守望的思想堕入永恒的沉睡，才会显现出它可怕的线条。

她给若泽写了一封信，让我笑了好一会儿，"我们将组成一个杰出女性联盟，有茶、有美食，还有五到六张迷人的脸"。我很快乐。

我去见蓬特雷莫利。在地铁里我读了雅科布森[①]的一本书，没什么太大兴趣，这本书是昨天我和斯蒂法在一起的时候发现的。

回到这间屋子，发自内心地快乐，这里有沙发、满是好书的书房、小椅子中间的小桌子、堆满文件的书桌前的大凳子，两幅漂亮的画，波德莱尔的全集之间有一个漂亮的女人半身像。我怀着真挚的好感向他伸出了手。他知道吗？他满面愁容，正在寻找一种社会地位……他跟我谈论他喜欢的波德莱尔和普鲁斯特，他如今喜欢的巴尔扎克，还有让·普雷沃，他喜欢的是他的《第十八年》[②]，可我讨厌这本书，也讨厌普雷沃这个人，尤其是他所有的作品。他聊起了《忠贞的仙女》[③]，认为这部作品不如《达夫妮·阿迪恩》[④]。他还谈到《吉姆爷》，我们都表示赞叹。然后说到德国——说到这里，他又回到了他喜爱的话题：普世性、特殊性和概念性，但他认为存在着不同的民族。他让我看了一座希腊别墅的照片，这是他父亲在博略[⑤]建造的。他还谈起了他自己，至今令他痛心的失败，他的彷徨，不想成为失败者的决心——那要成为什么？他意识到"恩赐的状态"不佳，他没什么天分，而我丝毫不敢反驳。他说得很对，他说我从未遭遇过阻力，正因此，我才会怀疑事物的真实性，我经历一切犹如一把利刃划过，而我之所以无视成功，是因为我已经获得了成功，或许这是事实。他告诉我说，我什

[①] 延斯·彼得·雅科布森（Jens Peter Jacobsen, 1847—1885），丹麦作家。——原注
[②] 于1928年出版。——原注
[③] 玛格丽特·肯尼迪（Margaret Kennedy, 1896—1963）的《忠贞的仙女》（1924）。——原注
[④] 英国小说家、诗人、记者莫里斯·巴林（Maurice Baring, 1874—1945）的作品，出版于1926年。——原注
[⑤] 凯伊洛斯别墅，由古希腊语学者特奥多尔·赖纳赫于1902年至1908年建造，他请来了建筑师埃马纽埃尔·蓬特雷莫利，他是法兰西美术院院士、1890年罗马艺术学院大奖的获得者。现在仍然可以参观这一奇迹。——原注

么都不懂，而我就喜欢这样的状态，这样我就能把生活缩小到与自己相匹配的范围——这不太准确。因为我的无视是一种故意的无视。哦！巴雷斯曾那么深刻地影响了我！他寻求其他人的尊重，喜欢所有陌生的事物——其他人，对我来说就是"对手"，我构建了一个自己喜欢的世界来对抗那个我不喜欢的世界。他给我看了他十六岁时编纂的杂志《普罗米修斯》，他以迪迪埃为笔名，哀叹自己丑陋、乏味。我该对他说什么呢？我高估了自己的乐观，我对自己所拥有和他所寻求的东西的无视，我的自信，也许他看到我的就是这样一副冷酷、自私的知识分子的面孔，他跟我告别的时候，带着哀怨说"好好玩"，这句话中似乎饱含着未说出口的责备。他问我："您那位阿尔及利亚的朋友怎么样了？"我不明白他指的是谁，我用一种外在的定义为他清楚地显现出所有与我有关的东西，如我的脸部轮廓。他一定以为我讨厌和他说话……然而曾有一瞬间，我就在您身边，您的手捧着我的脸，那么真诚，您轻描淡写地说起了这个夏天的双重失败：您的天分和您的灵魂，您心中对空虚的焦虑。我看着您，那些本应说出口的话却卡在喉咙口。我说了几句傻话，想让您好受些，但我的怜悯中又萌生了一丝温柔，我渴望把手搭在您的肩头，对您说"我的朋友……"当然，他什么都没理解。我跟他说去蒙帕纳斯喝点鸡尾酒，但他太严肃、太知识分子、太墨守成规，对出格的突如其来的生活完全没有兴致，我告诉他应该认识一些简单的人，从某种意义上来说，我和他比起来不像知识分子。"没错，但不要超过三个。"他对我说。让我感到不自在的是我完全不知道我对他的感觉：是好感，还是讨厌？我渴望自己能满怀信心地向他诉说一点爱意，但他是那么让人捉摸不透，然后……但是我还是坐在回程的公交车上想念他。我为今天没有结果的谈话而有点烦躁，也因为牙疼而难受，所以去了老鸽子棚电影院看《地下世界》[1]，而妈妈和宝贝蛋在（？）[2]。电影很快、很粗暴，让人想起《杂耍班》，我不是很喜欢。

十月二十六日星期五

生活美好到令人想落泪。可怜的斯蒂法收到了一封信，催她回家，今天早上她过来找我想办法……我重读了庞加莱的作品，他的语言清晰、高级、坚定、充满智慧——他的照片让我看到一张坚毅、果决而又精致的脸。我对自己说，他已经死了，是他以热忱和勇气赞美生命这一短暂的闪光，我对这位逝者的钦佩之情溢于言表，他坚定的话语让我理解并品尝到生命的馈赠、思想的伟大。绿色的台灯下，一位秃头的先生在研究象形文字起源。我无比地渴望你，渴望到想落泪。幸好莎莎拯救了我，我们一起去了邦马舍百货商店。她说起斯蒂法，说的话不好听，但是莎莎，不要这样，我们不要评判，不要以我们自己为中心——一个美好的人生过去了，接着是另一个人生，无论多么陌生，看起来多么无用，它们都是充满诗意的，它们谱写了我们共同的诗篇，带着感恩的心追随它们吧……

精彩完美的聚会，在斯蒂法"装修一新"的房间里，她打扮成一位德国老妇人，模仿图书馆里形形色色的人，绘制讽刺柏林的油画，一边喋喋不休，一边往酒杯里为我们倒茶和咖啡。宝贝蛋、斯蒂法、莎莎、若泽和我，分别坐在床上或椅子上，边抽烟边吃着巧克力和一盘盘的小点心，一直吃到反胃。我陪若泽回家，可走到她

---

① 约瑟夫·冯·斯登堡执导的《地下世界》（1927）。——原注
② 这里的字迹无法辨认。——原注

家时我们又折返回来，她送我到了圣米歇尔地铁站，她还跟我谈起她不太喜欢的马塞尔·阿尔兰，她无限崇拜的《忠贞的仙女》，还有拉福格，她对他的理解非常精准，甚至让我也重新领略到这位作家的魅力。她快乐、友好、迷人。我感觉自己被温柔包围，我想到了她们，想到了梅洛-庞蒂，想到了蓬特雷莫利，又想到了梅洛-庞蒂。我把头靠在地铁的窗门上，追随一种暂时画上休止符的幸福。也许这一切都只是一个借口，让我可以体验听到你说一个词、看到你写一句话所带来的快乐。太高兴了。一切都是那么唾手可得，一切都是那么温馨，太容易了，太美好了。我的人生！

在美丽城，召开行动委员会的会议，由莫诺小姐主持。美好的计划，充满热情和生气。伯纳黛特、拉谢尔、西蒙娜和我，我们一起走到博察里斯站。我喜欢她们。

似乎在讷伊，别人想念着我、喜欢我。泰莱丝和安娜都想让我给她们写信！我多么喜欢她们！我多么喜欢这些人！我多么珍视这些人对我的爱，我多么珍视因为这些人而发生的事，多么珍视因为我自己所发生的事。我多么爱我自己！现在我就在这里，我写作，很好，我就在这里，我们如此地爱我们……

十月二十七日星期六

我读了点梅耶松的作品。纳维尔的婚礼上，热娜薇耶芙和莎莎都打扮得很漂亮。但这些仪式、这些惯常的流程，真是可笑。待在这座教堂里让人窒息。我想象着，或许某一天，看着人们祝福我得到他们自己都得不到的幸福，我也会付之一笑……我又开始工作，但很疲惫。我回家了。玛丽-路易丝和莎莎来了，后来斯蒂法也来了。穿着一身红衣的莎莎很迷人。看到"法国上流社会的年轻女孩"坐在"波兰女大学生"的对面，实在是件不可思议的事。但莎莎不该认为这位波兰女大学生现在这样很不同寻常，也不该把自己的想法告诉她，哪怕带着玩笑的口吻。

今晚，我要好好地研究一下古诺[①]的《课程》。此刻，我想写信给蓬特雷莫利，告诉他我对他的友爱。我开始因为你不在而感到格外痛苦。我真正渴望的并不是你的一封信，而是你在我身边，是你在我面前，能与我说话、聊天。雅克，就如别人说的，我"思念"你……

十月二十八日星期日

冬季的雨给我的感觉，就像一早的课一样。索邦大学冷冷清清的，有点让人伤感。忙碌的一天：《人类经验》[②]很吸引我。我和让娜、小坎坦们[③]一起吃点心，他们是来为我过节的，不过这不重要。重要的是可以听到壁炉里的火苗在噼啪作响，看到自己穿着一身红裙子，梳着漂亮的发型，一副还挺光彩照人的样子，感受到我十七岁那年的快乐又回来了，我也是这样坐在扶手椅里，对人生的一切一无所知，我自豪地向允诺我幸福的人生提出挑战。哦！幸福已经足够多……我今晚读的是《论法的精神》。当然，这完全是另一回事，但在某一刻，同一个美丽的灵魂也一样充满着无知和期盼。我在等待中举棋不定，但坚信会从中迸发出胜利。现在我可以描绘出胜利的样子，但与我并未确定命运的时候相比，我的等待要

---

① 古诺（Antoine Augustin Cournot，1801—1877），数学家、经济学家、哲学家。——原注
② 布兰斯维克的《人类经验和物理因果律》，于1922年出版。——原注
③ 莉莉姨妈的孩子，莉莉姨妈是西蒙娜·德·波伏瓦母亲的妹妹，1920年嫁给了亚历克西·坎坦。——原注

平静得多，我如今的命运便是你。

在我看来，布兰斯维克关于智力的理论其实比他所赋予的意义更深远。理性是无法被预知的，任何与思想相关的东西都无法被预知。我们无法在欲望对象之外产生欲望，但正是通过与欲望的实现相接触，灵魂才看到自身开辟出更多新的道路，灵魂可以创造更多穿越这些道路的新方式，却无力跳出这种与既定的斗争做到预知。今天上午，我给玛德莱娜·布洛玛写了一封信，跟她谈起了我的这些小乐趣，以及她信中隐约流露出的不满意。给蓬特雷莫利也留了言，只为了告诉他，看到他伤心，我也会伤心。在这个故事里，总会有些触动我的东西，要是……

十月二十九日星期一

我读了勒鲁瓦③，还有一些不太重要的东西。有点疲倦，像有点上瘾似的。梅洛-庞蒂来了。我们在广场小花园聊了一会。我真的很想见到他，但我有很多话要对他说吗？他被斯蒂法吓到了，而斯蒂法又觉得他太安静了……那是显然的。我试着纠正他们对彼此的看法。我先去看了牙医，又去剪了头发。坐在这扶手椅里的，只是一具身体，任由巧手摆布……晚上，我还是研读布兰斯维克。我想念你，就如同想念消失在浓雾中的一个身影。我和伯纳黛特一起在女子休息室里吃午饭，许多年轻女孩都在那里等着，天南地北地聊着天，叽叽喳喳的，这些巴黎的年轻女孩，她们不富裕，但是很青春、很优雅。

---

① 爱德华·勒鲁瓦（Edoward Le Roy，1870—1954），法国数学家、哲学家。——原注

十月三十日星期二

我开始潜心阅读古诺,做一些关于他的有趣的研究。我和斯蒂法一起吃午饭,她一直抱怨说再也见不到我了。丰桑和德·奥努瓦经常在图书馆。有几个好看的年轻姑娘坐在这些上了年纪的丑姑娘旁边。图书管理员个个戴着镜片光滑的夹鼻眼镜,一副出自法国国家档案学院的严肃神情。莎莎晚上过来了,我们一起去波卡迪喝了咖啡。斯蒂法谱写的道别颂歌很有趣。她谁都认识:一个俄国人送了她几张音乐会的票,一个粉色头发的德国年轻人是她现在的最爱,他看起来像托马斯·曼的《死于威尼斯》中的那个男主角,时不时来把斯蒂法叫走。我跟他们道别,还是去看牙医。我坐在地铁里,拿出蓬特雷莫利借给我的关于希腊宗教的书打发时间,书中历数希腊之美。后来又去了理发店,理发师给我讲了许多小故事,这些故事要是放在从前肯定会让我觉得非常无聊。我回来还是研读布兰斯维克,我想尽办法让你唤醒这个死气沉沉的世界,但都是徒劳。

十月三十一日星期三

古诺让我很感兴趣。莎莎来了,我陪她去买了点东西,一起吃了刚出炉的栗子。我得挑一本书送给纳维尔,我翻看了一些新出版的书,若是我这一年还是像从前一样封闭在自己的小世界里,这些书或许能吸引我……而后我们去了若泽家,帮她把一些装蛋糕的盘子搬上楼。她告诉我之后的课程安排。宝贝蛋坐在床上,样子很美,莎莎穿了一身红衣,像极了夏尔·盖兰最美的那幅画,斯蒂法比往常更加活跃,跟我们描述柏林,还有可人的若泽,谨慎又细腻。回去的时候,斯蒂法挽着宝贝蛋和我的胳膊,她一直在聊那个参加教师资格考试的德国人，他很沉闷、严肃，看起来很聪明也很保守，他似乎对她很感兴趣，她肯定已经对他感兴趣了。难道她觉得这就是她所期盼的爱情吗，在这份爱里她投入了超过四分之一的自己？他觉得我太不像女人了……而且一个人不应该在二十岁的时候只为了读书而活着——当然——不过……

今天，碧空如洗。斯蒂法一边吃午饭一边谈论起了歌德，为了转移话题，我说："帕斯卡尔还是歌德？""啊！就应该继续这样。"她回答我说。是的，生活多么美好，每一天都对生活的理解更深入一点。是的。我再也不会放弃这样的意愿。与基督教一刀两断。但是为什么一定要去见这些一成不变的学生的面孔呢？课程，对学习的热情，成为"贝特朗·德·波伏瓦小姐"，一个人们用眼角瞅着、不怀好意地评论着的波伏瓦小姐……昨天，舒勒小姐来跟我打招呼，又跟我说到放弃了教师资格考试的弗朗索瓦丝·卡扎米安，以及正在准备考试的若尔热特·列维，等等。我讨厌这些事情……老师，考试，严肃的交谈，等等。听到这些我甚至有些不舒服。为什么不该见到你不变的面孔呢？你消失了，该给我写信了，你知道……哦！不是因为你的沉默带给我痛苦，我太清楚你是一个怎样的人……只是我想要一种来自你的可感知的信号，让我感觉自己不是孤零零一个人。无需再多言了，已经整整一年，我过着没有你在身边的生活，我一文不值，没有你，我什么也做不成，我就是一无是处，只知道等待，有时还会觉得烦闷。

对我人生的总结

第一部分：一九二五至一九二八年（写于一九二八年十月）

一九二五年秋季开学，也就是三年前，我把它视为我的诞生之日。因为，即便我的相貌没有变化，但是我的内心绽放出一种全新的生命，学徒期后紧随而来的成就感，我想对这个有着艰难开始的第一阶段做一个简要的总结。

一九二五年，我度过了孩童时代的最后一个假期。我刚刚通过中学毕业会考第二部分的考试，哲学和数学，两门考试相距一周，而且获得了优异的成绩。我是一个在学业上全力以赴的学生，也会劳逸结合。自一九一三年与一九一四年起在德西尔学校求学。

智慧——潜心学习，读一些严肃的书籍，但不涉及生活的主题——想法坚定，无视自我——自一九二二年起，孩童时期虔诚的信仰完全崩塌——经历了痛苦的信仰危机之后，实现了自由和独立。拨云见日的幸福。

因此，经历了许多事：日常的课程，无关紧要的一些朋友——在学哲学的那一年，对莎莎产生了强烈的感情——与宗教最后的连结也切断了。两手空空站在人生的入口。七月底，我倚在前厅的衣橱边，一种陌生的不安和不适宣告了新的需求的诞生。十月来临了。

为了获得文学学士的文凭，我去了讷伊的圣马利亚学院——很新鲜。我在那里结识了默西尔小姐、加利克，还有图书馆。勤奋学习。莎莎有些漠然。学业上的成就感慢慢使我内心意识到智性所可能具有的价值。我无比崇拜加利克，为他痴迷，他为我打开了一个全新的世界……

我开始阅读佩吉。一场讲座让我知道了团队这一组织，我热情地投入这项事业，想要充分地尽自己所能。在讷伊的花园里，与热娜薇耶芙·芒斯龙和其他人一起交谈——一些不认识的人来找我。

我突然奇迹般地发现了自我。热切、学业、兴奋、激动。这种觉醒很神奇，前所未有又如此强烈。

一九二六年一月，我十八岁了。

我开始研究龙萨、巴尔扎克等。三月份，我通过了[①]，成绩优秀。在天主教学院，我准备普通数学的考试，坐在破旧的长凳上，我感受到了内心和生活的重量。我开始记日记，但在圣热娜薇耶芙图书馆里弄丢了。不过我又重新开始写。

遇到雅克，有一天晚上他终于意识到了我的存在——我之前讲过这个故事（参见手记第二卷）。疯狂的生活。

发现了里维埃、傅尼耶（见手记第一卷中的阅读笔记）、思想、艺术和我还未称为爱情的爱情……我每天阅读五本书，了解了整个现代文学。我尝试着在彼此矛盾的赞叹之间开启自己的文学之路。要让加利克和雅克一致是多么困难！星期二上加利克的课，我激动不已，啊！黑板！雅克到来的一个个夜晚，我激动不已，啊！汽车停在了门口！深深的痛苦，人为力量无法控制的孤独，面对那些可能存在的伊甸园，我还是个羞涩的孩子。

一九二六年六月，我通过了拉丁语和普通数学的考试。默西尔小姐鼓励我研究哲学。我出发去度假。

一九二六年假期

去了科特雷，死气沉沉的梅里尼亚克，痛苦的深渊。

伴着晨曦，我感受到了宝贝蛋的温柔——过去，其中包括莎莎，都消散了。我开始写《丹尼丝》，我读了哲学书。

一九二六年开学

独一无二的一天（见手记第二卷）。我找回了莎莎，雅克成了

[①] 获得法国文学合格证书。——原注

我的朋友，我们之间建立了难以想象的友情。我沉浸在哲学学习的同时，也在爱情里沉沦，爱情压得我喘不过气来。绘画、阅读（见手记）。我在自己的温情中迷失，在突然向我开启的一种人生里迷失，很可怕，完全无用。"什么也不存在"——泪水，厌恶，学业，担惊受怕的爱情，太沉重！

我开始为团队工作：美丽城，认识了玛德莱娜·布洛玛。在索邦大学，认识了巴比尔，《思想》。对知识的热情重燃了，与爱情有了冲突。巴比尔与雅克之间的冲突，信仰与绝望之间的冲突。我在情感中逐渐冷静下来，尝试把注意力放到别的事情上：加利克、德方丹的讲座——复活节假期给玛德莱娜写了许多长信。

在巴黎，每逢星期日，与莎莎一起散步。

我在索邦大学见到了米盖尔，我们聊天。阿兰启发了我，哲学变得生动起来。我构建了一种属于自己的生活。三月，我通过了哲学史的考试。

在讷伊，我在宝贝蛋身边充当了知己的角色。

我开始找一些消遣——我发现了于尔叙利纳、作坊、卓别林扮演的夏尔洛（见手记第三卷）。

和若尔热特·列维成了朋友——上巴吕兹的课——结识了蓬特雷莫利。

年底的时候，我和雅克变得疏远。我通过了希腊语和普通哲学考试。认识了劳特曼和梅洛-庞蒂——两周时间，感受到了美妙的友情。

列维教我把形而上的痛苦用语言表达出来：我开学时的绝望，以及与雅克之间毫无意义的对话带来的难过。

梅洛-庞蒂告诉我要重燃希望。智性思考非常活跃。

一九二七年假期

马不停蹄地学习。我开始写作。我体验了自己的思想。用通信来讨论问题。莎莎、玛德莱娜·布洛玛仍是我的知己（见我们之间的通信）。对雅克的回忆又出现了——痛苦。在加涅潘待了两周；对野蛮人变得更加宽容——和格扎维尔·杜穆兰进行交谈。

开学了，非常紧绷——已经两个月没有见到雅克了。

和蓬特雷莫利、莫格很友好，之后有些不睦，突然与劳特曼和列维变得冷淡起来。

我的书还在进行中，我作为知识分子的未来也逐渐成形（巴吕兹的作业）。

我在讷伊上课——很有意思。我继续经常与默西尔小姐进行思想上的交流。

自假期开始，若泽·勒科雷成了我的朋友——在她的房间里一起喝茶。我经常见到梅洛-庞蒂。我去了圣安娜医院①。我弥补了哲学学习上的不足。我开始明白我是谁，我想要什么。

对团队的工作没什么热情。

我又见到了雅克，我明白了"就是他而不是其他人"，永远是这样。情感上所有的不安和担心都消散了。平静、确定的友情。

我开始听音乐——看电影和戏剧——斯特拉文斯基——晚上经常与宝贝蛋一起出去，我们俩越来越亲近。

三月，我通过了心理学和伦理学的考试。

我不那么关注自我——日记也不是有规律地写。

从三月到六月，内心的干涸，学习上有所放松。

---

① 一家精神病院。西蒙娜·德·波伏瓦为获得心理学合格证书备考，考试内容包括精神病理学。——原注

我完全了解了索邦的伙伴们的可爱之处——开始在高师上课——深切地感受到因智性上的交流而形成的友情。

我的思想已经确立。受到拉蒙·费尔南德斯的影响。我意识到思想上的一些形而上直觉（与默西尔小姐的交谈、笔记），慢慢地，我获得了一种快乐、一种力量，我创造了属于自身的价值。

充分了解了现代文学之后，我又开始阅读外国文学。很快认识了一些平易近人的智者。

与雅克又迈近了一大步——他启程了。

连续两个月有点头昏脑涨，不过还是清醒的，"酒吧生活"。假期打断了在酒吧的最后一次经历。玛德莱娜·布洛玛结婚了——再见了，我的学生们。

一九二八年假期

幸福到麻木。通信很少。在梅里尼亚克又活了过来，充满热情，还好好地回忆了自己的童年——我开始准备文凭①。

与雅克通信。

在加涅潘，与莎莎无比亲近。我认识了斯蒂法·阿夫迪科维奇。

出发的时候，我清晰地感受到我第一阶段的生活结束了，经过这三年的学习，我真正的故事将要拉开序幕。

十一月一日星期四

一直在下雨，我在圣米歇尔大道上、索邦大学的院子里闲逛，

---

① 这里指的是高等学业文凭，相当于现在的硕士。——原注

毫无意义……家里的壁炉暖烘烘的。上午，我窝在扶手椅里看着火苗窜上窜下，一边读着孟德斯鸠、古诺、布隆代尔[1]。四点钟的时候，泰莱丝·马蒂厄和安妮·沃泰来看我。她们跟我谈起她们的学习，谈起已经离我如此遥远的讷伊……还有《大个子莫林》、里维埃、雅克·科波和他走过一个个村庄进行巡回演出的剧团。我很高兴见到她们。她们与我道别之后，我去了斯蒂法家，她优雅地坐在扶手椅里，身前是一张桌子，她的朋友费尔南多含情脉脉地看着她，似乎非常依恋她。他跟我聊起胡塞尔、德国哲学以及绘画。我们很开心、很活跃，非常快乐地度过了一个小时。

夏尔表兄回来了，把我们带到了桑巴德餐厅吃饭。家庭聚会总是那么无聊，爸爸惹怒我，妈妈让我同情，但我还是很喜欢这位文化程度不高的表兄，他友善、坦诚，他把我们唤做"宝贝蛋们"，看到我这么优雅、活泼、有趣，觉得很高兴。我很喜欢他注意到我身上的这种绽放，而且他把看到的告诉了我，更重要的是他把我们带到了拉普街上的这个公共舞会，每跳一支舞需要付五个苏，在这条昏暗的街上，还有军官在巡逻。那里，就和别处一样……

十一月二日星期五

读完了古诺，开始重读柏格森。斯蒂法很高兴，因为她母亲同意让她待在巴黎，从事与新闻有关的行业，养活自己。我们在纳维尔家里很厌烦，她把我们聚在一起就为了嘲笑勒莱特[2]……一群待

---

[1] 莫里斯·布隆代尔（Maurice Blondel, 1861—1949），天主教哲学家，默西尔小姐与他走得很近。——原注

[2] 玛丽-玛德莱娜·杜穆兰·德·拉巴尔代特，她是拉库万和纳维尔家族共同的朋友。——原注

嫁的年轻女孩，坐在这间富丽堂皇又无聊至极的客厅里，"对那些劣等的精神状态说三道四，添油加醋"，没有深度，也毫无快乐可言。"我闷坏了"，斯蒂法做了一个好笑的动作说道。幸好，我们已经在波卡迪喝了一杯好喝的咖啡，和"卷毛狗"，就是那个粉金色头发的德国小伙一起，他一直在笑，并用自己的行话说我们在图书馆外面比在图书馆里面有趣许多，那么活泼，那么开心。哦！我亲爱的斯蒂法，我在交易所广场上，淋着雨，向您伸开双臂，紧紧地抱住您，一起钻进了地铁里，您模仿各种各样可笑的人物，把我逗得前俯后仰，我多么深切地感受到年轻的活力、快乐和生命力，这是属于我们的，也让我们觉得那个上流社会年轻女孩的聚会多么不可理喻，在那种聚会上我所看到的莎莎让人难过。晚上，我还是觉得很厌烦，尽管夏尔表兄在。厌倦了太想念、太想念你，可又无济于事。

十一月三日星期六

去看牙医，去理发店。在国图，我研读柏格森。斯蒂法跟我讲了许多她的故事：在小田野街跟她搭讪的那个通过教师资格考试的年轻人，她寂寞的时候，他就陪着她，但他过于严肃，还有和那个已婚的法律博士的事，她和他互相拉扯的方式非常有意思，因为他们对彼此的爱都是一种必须隐藏的爱，而且还试着把对方"踩在脚下"。六点钟，我要去看望玛丽-路易丝，她这么喜欢我，让我很感动，她的房间充满着忧郁，这个虔诚的傻女孩，这么多愁善感，这么孤独。

今天下午日耳曼娜姨妈[1]来了。仅仅是她的名字，就在空气中

---

[1] 雅克的母亲。——原注

画出一道有形的痕迹，足以唤醒我那焦躁、痛苦、压抑的灵魂，当你在那里的时候，我常常遭遇这样的情绪——对我来说是这样，又不是这样。你确确实实的存在让我害怕，你的母亲让我害怕，因为她对你的依恋那么容易被人察觉，也因为她将来要告诉我的话。某些已经沉睡了的东西（这我是知道的），甚至在我想到你的时候都不曾活跃的东西又被唤醒了！我相信你是确确实实存在的，这份信仰扼住了我的喉咙，让我陷入了慌乱，占有了我，而我只能把自己交给另一个实在。我必须（长久以来这是我第一次觉得必须）去看看。当我按响你家门铃的时候，我感到我的心都跳出来了，而整个下午，我拖着这无人问津的灵魂，满心烦闷，并因为烦闷而焦虑。一定得这样。为了保护自己，我尝试去找那个当我的心遭遇孤寂的时候等待我的人，而不是某张面孔、某栋房子、某个家庭。只要给我说或者写的一两句话就可以了。哦！这样的在场只是拙劣地掩饰了一种更为真实的缺席。今晚，我第一次见到了你空荡荡的卧室，那里的书都提不起我的兴致。整个巴黎都被你抛下。我觉得明天我再去蒙帕纳斯大道的话会非常难过，但我依然会去，"Surgit amari aliquid"[①]……

十一月四日星期日

　　我的这颗心还是一如既往地不愿相信自己会获得幸福。我在一个绚烂的秋日醒来，空气清新，阳光明媚，小车上装满了香味呛人的鲜花——我先去了索邦大学，对公告提出质疑（索邦最终给了我答复），对这些课、这些同学，我已经厌倦了，即使再来一次，他

---

① "突然涌现的苦涩"。——原注

们还是原来的样子，之后我又去皮卡德书店翻阅了几本杂志，然后心潮澎湃地走在圣米歇尔大道上，仿佛你就在道路的尽头等着我，于是我按响了门铃，在门后见到了我亲爱的日耳曼娜姨妈那张热情、温柔的面容，然后是蒙帕纳斯大道，那时我们要去田园圣母院街，我觉得自己被她那笃定而美好的感情所包围。她跟我说起了你，雅克。

为了昨晚的伤心，我很抱歉，我的表兄，对不起。

我去了二十八号放映厅，那里在放映一出巴斯特·基顿主演的电影，不是很有趣，还放了一部好看的电影，关于机器的，用的是风琴杂声的伴奏方式，还有《黑暗的势力》①，一点也不惊艳，不知为什么。这是一个可以把脸颊贴近手的地方，这是一个可以和不在身边的人说话的地方。哦！空中的地铁，还有我在这个晴朗午后漫步的蒙马特街道，以及在我的思绪中延伸和唤醒的集市……我在若泽家待了一个小时，跟她谈起马克斯·雅各布、马塞尔·施沃布、索邦，并试图向她解释绘画。我刚刚读了法布尔的《拉伯韦尔》②，我不太喜欢，还读了康拉德写的平庸之作《加斯帕尔·鲁伊斯》③。但这一切都无足轻重。重要是在蒙马特教堂里的这一刻，能默默地邀请你来到我身边，多好啊。重要的是那个人是你，以及我想对这个亲爱的你所说的一切。永远最最珍爱的人。

你的母亲很懂如何谈论你，雅克。我仿佛再次见到你，你还是原来的样子，对所有接近你的人都会极尽所能地倾注你的柔情、你高贵的内心。"他从未带给我一丝痛苦。"她对我说。她还告诉我

---

① 根据列夫·托尔斯泰的现实主义戏剧改编，上映于 1886 年。——原注
② 吕西安·法布尔的《拉伯韦尔或瘟疫》，获 1924 年龚古尔文学奖。——原注
③ 于 1927 年出版。——原注

说，你在那里是一个人，你从不出门但在思考、在回忆、在等待。你给她写信，让她跟你说说"在这里他唯一关注的人"。我的雅克，你想知道我的近况吗？我不是都写信告诉你了吗？不过还是谢谢你，为了你母亲，也为了我自己，谢谢你让她关注我，然后告诉你……你还写道："我差点回巴黎待上四天。有些人与事，我那么渴望重新再见。但要是那样，我将失去重新出发的勇气。"或许我就在这些人与事之中。今晚，我难以平静，我想象着你可以爱我爱到为了我回来。爱到撕心裂肺地想念我，就像我想念你的时候常常感受到这种撕心裂肺。我心潮澎湃。

我亲爱的，我亲爱的……如果说你意识到了，如果说你母亲跟你说了所有该说的，那么你肯定只意识到一件事，你母亲也只告诉了你一件事：从今往后，我是你的。"无论是酷暑还是寒冬，无论是痛苦还是快乐，usque ad mortem et plus ultra[①]。"

你或许在七月十五日回来，我希望在此之前你能给我写信，并不是为了知道你别的事，这已经足够了，而是为了回复你，啊！为了让我告诉你，亲爱的，告诉我心中所想的一切，而这颗心只为了你而跳动。一个这么小的女孩，雅克，一个在其他人面前隐藏自己的大人，只为了把自己交给你——这样的顺从，这样心甘情愿的示弱，如此不容置疑的柔情。我自己也不断地重复着这几句话："我的上帝，要是您存在的话，请让我有朝一日像爱这个男人一样爱您。"

这份爱比爱我自己更加美好，在这份爱里，我心底最美好的东西才有一席之地，与这份爱相比，我觉得自己是那么不值得重视、不值一提、微不足道。其他的东西，我都可以交出，但我被这一安

---

① 拉丁文，至死不渝，永恒不变。

放在我灵魂中心的至真的实在所俘获。我闻到了一丝谦卑的味道，只是因为这个能让我内心深处迸发出如此爱意的人在我身边，我才了解你的喜好，迫切地渴望拜倒在你的脚边哭泣，迫切地渴望爱你胜过爱我自己。

可某一瞬间，我的眼前出现了这样一种形象：当我想念你的时候，你遭到了一种阻力，与我遇到的阻力相似，你经历一种比你自身更强烈的实在，也就是爱情的实在，唯一能让生命等同于死亡的实在，既真实又悲壮——我奔向你，这样的冲动是多么痛苦，我对你的信任远远超过从中获得的快乐，你的价值又如何决定着我的价值。"我特别不想跟你说再见。"

十一月五日星期一

原本去索邦大学上课，但最终没上成，不过今早是那么明媚，好似你就在我身边。望着我每天都看到的这些戴着夹鼻眼镜的人，这些头发梳得乱糟糟的人，这些神情严肃的人，我有片刻的悲伤。当你消逝的时候，他们还会存在吗？我握着冈迪拉克的手，为再次见到他而感到真心的喜悦，但喜悦中透着忧虑。图书馆里几乎没有人，酷热难忍，我在这里读《意识的进步》[1]，重又闻到了那几个早晨的清香，当时我如此热烈地期待再次见到你……

下午在圣热娜薇耶芙图书馆读柏格森，后去吃点心。蓬特雷莫利感谢我给他的留言。我们聊了一会纪德和莫里亚克，聊得有点久。幸好，斯蒂法来了，她穿着一条简简单单的蓝色连衣裙，看起来却比以往更迷人。她说着话，唱着乌克兰歌曲，表情变化丰富生

---

[1] 莱昂·布兰斯维克，《西方哲学中意识的进步》（1927）。——原注

动，她那么年轻，那么敏感。接着她用纸牌给蓬特雷莫利算命，很好玩——她声称这个人有点无趣。哦！没错。日耳曼娜姨妈来了，斯蒂法留下来吃晚饭，也帮日耳曼娜姨妈算命。她们两个一见如故。我心头溢满了爱，真想痛哭一场。我满脸通红，头脑发热，我拥抱了斯蒂法，她太令人感动了，因为她的优雅，因为她的简单，与她相遇"是完全出乎意料的意外"。她对我说，我似乎比以往任何时候都更加活跃，更加朝气蓬勃。我感到自己心里的这份快乐很不一样，它让我又唱又跳，语速加快，却让我在她们走后更感到心碎，而不是快乐。我希望能沉沉地睡一觉。

工作：五个半小时。

十一月六日星期二

开始了！太多人，太多东西，太多想法，强烈的冲动，热切的氛围，而我扪心自问，今晚我还是我自己吗？上午，我在天主教学院读了阿默兰——天气真好。格扎维尔·杜穆兰在离我不远处工作——我们简短地谈了几句，有关纽曼、圣奥古斯丁以及达尼埃尔-罗普斯所说的"左派天主教教义"，我很高兴。而后去了索邦大学。里沃[①]的课上，这些人太严肃、太紧张、太无情——让人窒息——我没有跟任何人打招呼。哦！列维-斯特劳斯、布瓦万、迪卡塞、伊波利特、施米特、勒卡、加莫肖……我这一年碰到的眼中钉，还没算上其他的！我匆匆忙忙地赶到国家图书馆，读了阿默兰、斯宾诺莎，才平复了心情，我也试着让自己在这个刚刚结束的精彩之月里继续相信自己。坐在公交车上，我开始阅读施皮茨的《世界之风》[②]，

---

① 阿尔贝·里沃教授的关于柏拉图的课，上课地点在乌尔姆街。——原注
② 于 1928 年出版。——原注

好书。冈迪拉克跟我说话，聊起了考试、古希腊的怀疑主义者，他友善、专注，还告诉了我一些内部消息。他对我说："有那么多人都相信您一定会通过——各方面都有人跟我说您一定会被录取的。"似乎梅洛-庞蒂对他说过："波伏瓦小姐想做的事，她一定能做到。"

我觉得很好玩，也很高兴，但必须要成为波伏瓦小姐吗？

我去莎莎家吃了点点心。来了许多人，但只有穿着一身黑衣的伊丽莎白·布朗热美得耀眼，令人赏心悦目。我和若泽、斯蒂法坐出租车回来。斯蒂法也对我说："您的人生一定会很好的，您一定会得到您想要的一切。"是的，我觉得自己完美地匹配各种成功！在一年的时间里，我必须取得成功，成功让我快乐。今晚，我想到了冈迪拉克，他靠在桌子上，谈论着季洛杜，一脸真诚地给我建议，没有一丝一毫的傲慢——我想要去爱这个人，对他的依恋或许比对其他那些我更爱的人更深，我知道他是那么复杂、那么丰富、那么孤独、那么坚毅。我窥见到一丝退却，一秒钟的软弱，对我敞开的一扇窄门，尽管这些只是微不足道的小信号，但我依然很感动。我不知道为何内心会产生一种奇怪的敌意。我有多么期盼，以后再看……

哦！这个用一句话就把所有这些无意义的小事都抛进了虚无中的人，我要是不知道有他存在，该有多好！若你没有出现，我便会变成这样，但你出现了，而明天我会知道，"波伏瓦小姐"再也不存在了，只剩下爱着你的我和我充满活力的人生。只有你，如此与众不同，人间罕见。雅克，我的雅克，哦！我那么爱你，没有你，我便无法存在。只需要：雅克。

工作：九个小时，上课一小时。

十一月七日星期三

亲爱的朋友们，无论如何，二十岁的时候，生活是很美好的。

晚上睡得不好，起床便会格外艰难。但莎莎的敲门声还是令人愉快，尽管我事先就知道她要来。"我们去散步。"如她所说，我们走过六区的街道，走进卢森堡公园，然后坐下。我很喜欢她引用的波德莱尔的一句话，说那些天赋平平的画家总会先画完画布的一角，再完成整幅画，而那些天才画家则是一气呵成。

上罗宾的课。总是这些相同的面孔。冈迪拉克对我越来越友好。他告诉我，昨天他跟认识我的人谈起我，惊喜地发现我的交友竟然如此之广——我到达国家图书馆，不断地回想着他的话和他略带威严的微笑，我很喜欢这样的笑容，到图书馆之前，我沿着塞纳河边走边吃了些小面包。一切都是轻松的，充满了喜悦和力量，我的人生清晰、明确，始终与成功相伴。

我研读斯宾诺莎。斯蒂法和卷毛狗来与我打招呼。冈迪拉克在三点钟离开的时候对我说："您以后会做一篇关于斯宾诺莎的博士论文。""我不读博士。""为什么？生活中只有一件事：做博士论文。""您认为生活中只有这一件事吗？"他说得那么铿锵有力，边说边倾身与我道别："结婚和做博士论文，生活中只有这两件事。"很好。之后，我去看牙医。从"南北"线下车后，我见到了可爱的蓬特雷莫利，他告诉我牌是骗人的，但他和我度过了愉快的一天。我又去了雅克蒙小姐家，她家的风格与她本人很相似：让我们快跑。我在这里意外碰见了玛德莱娜，她刚刚到。但这些事，我都不在意。

你说什么？我必须结婚？大家都这么对我说。而我，你是知道的，只要你愿意的话。但听到结婚，我总会不经意地战栗，其他人并不知道这个词对我来说只意味着：雅克，这不是一件在人生中可以与做一篇博士论文相提并论的事。这是自我的本质。他们不了解你，沉默的雅克，过于羞涩的雅克，但我听得到你所有的话语，啊！多么高兴。

工作：七个半小时，上课一小时。

十一月八日星期四

这是格外美好的一天，尽管表面看上去平平无奇。我八点半去斯蒂法家里找她，我们一起去了高师，我开始习惯这些毫无表情的准备教师资格考试的学生的脸。后又去了索邦。我和玛德莱娜在家吃了午饭。下午两点，上布雷耶的课，讲的是斯多葛派。然后又去了维克多·库辛图书馆，再去高师上布兰斯维克的课。是的，可是……在布雷耶和布兰斯维克的两节课间隙，冈迪拉克站在雨水迷蒙的院子里，他那么友好，更重要的是，在布兰斯维克的课前和课中间，我终于看到了梅洛-庞蒂，这真是一份意外之喜，他回来了，我坐在他俩之间，在这黑蒙蒙的雨中，没有什么能比这更甜蜜的了。"你有一种超凡脱俗的天生气质，"冈迪拉克对我说，他还说，"这就是我仰慕你的一个原因，除了您的朋友们给出的理由之外。"——这听起来有点傻，但出自他的口，又证明了梅洛-庞蒂对我的友爱，带给我无比的快乐——我多么爱他们！梅洛-庞蒂陪我回到家，他离我的心这么近。这些深厚友谊多么美好，工作中的这种和睦多么美好，我们身边的这份关怀多么美好。伟大。在与我人生分开的、我人生之外的一个角落，存在着与这些感情不同的另一种感觉，这是多么出乎意料啊！这种感觉是我无法想象的，甚至是我根本不会想到的（倘若我的人生便是这一当下……）。

我读了贝德尔最新出版的《莫里诺夫：安德尔-卢瓦尔》^①，挺有趣。

工作：六个半小时，上课三小时。

十一月九日星期五——莎莎出发

与莎莎道别。今天上午去她家，我们一起买了点东西，然后我和斯蒂法在国图碰头。我看到梅洛-庞蒂，但他很快就不见了。工作。

卷毛狗陪着我，他人很好……下午，我和莎莎喝了点巧克力，我郑重其事地向她道别，觉得有点难过……怎么会！我曾经说过的那声再见远远比这更痛苦……而每天我都得再说一遍。刚才我们一起去剧院。哦！你为什么要远离我？……不是远离我的心，而是远离我的视线。

工作：五个半小时。哦！

美好的夜晚。我们去了交响乐团，那里的女人优雅、少见的漂亮，两个人兴致都很高。令人赞叹的比托叶夫，还有他那始终那么迷人的妻子，但不像他那么能感动人心，他总是那么局促不安。第二幕中王子和菲迪亚的对话堪称完美，值得赞赏。我们出了剧院，一边聊着"活尸"^②——我们走进一家蓝色的小酒馆喝了杯巧克力，那里空空如也，只有五个男人，其中一个黑人惊讶地看着我们。斯蒂法跟我说起了她在柏林的奇遇，这个夜晚多么

---

① 莫里斯·贝德尔 1927 年获得龚古尔奖。手记中提到的这本书出版于 1928 年。——原注
② 指列夫·托尔斯泰的戏剧《活尸》，1900 年发表，为了反击契诃夫的《万尼亚舅舅》而写。由比托叶夫夫妇翻译并在艺术剧院上演。——原注

温柔……

十一月十日星期六

国家图书馆。整整一天都坐在斯蒂法身边。我看到梅洛-庞蒂和冈迪拉克，冈迪拉克坐在我对面，他告诉我许多讯息，跟我聊了很久……两个人一起走了，留下我好好思考西塞罗。工作了一整晚。

工作：六个小时。

十一月十一日星期日

整个白天待在家里：读阿内坎、德尔博斯、霍夫丁，在壁炉前吃点心——既不感到快乐也不感到悲伤。我下楼去看看斯蒂法有没有来，没看到她。空气暖洋洋的，轻抚过我的脸庞，犹如一声呼唤般轻快、自由。我在大街小巷转悠，心中突然充满了渴望——渴望生活。

但是有人夺走了我的人生。我期待着你把它还给我。我回到楼上继续工作。幸好晚上，宝贝蛋来了，就我们俩，我们靠着壁炉聊天。她提起了从前的无数个夜晚，那些我们有所期盼的夜晚……那些我们等待着有人会敲门的夜晚，等待你脱下帽子，说一声："宝贝蛋，你好，过得怎么样？"这一句已铭刻在我心头。而今的夜晚，再也没有任何期待。

工作：九个半小时。

十一月十二日星期一

去理发店。上了两小时拉波特①的课，我见到了若泽。之后我去了国图用功，还是和梅洛-庞蒂、冈迪拉克在一起。斯蒂法陪我去了天主教学院，我们在美好的夜晚走路过去，我听着她跟我讲一个又一个的故事，总是既新鲜又新奇。晚上工作，令人舒心，尽管是与怀疑论相关的。我再也不知道你在哪里。我再也找不到你。

工作：九个小时，上课两小时。

十一月十三日星期二

看牙医。里沃的课。国图：研读伊壁鸠鲁、卢克莱修。斯蒂法不在。和梅洛-庞蒂聊了五分钟。夜幕降临，黑压压的，很沉重。我身边的一位先生在读一本关于幸福的书。为什么？难道我还认识这个词的样子吗？我感觉自己封闭在这些书里，毫无感情，毫无思想，毫无渴望。我无比感谢冈迪拉克，我借给他一本笔记本，上面写着很多书名，他对我的友好和尊重给了我很大的鼓舞，尽管他自己并不知道——为教师资格考试而兴奋！——他对我说："在这个世界上像您这样的女人并不多"——这句话是整整十八个月以来我期待从他口中听到的——而他对我说出口，似乎这句话对我来说是无价的。我又感受到了一点之前我给予他的极大的尊重和强烈的爱意。我很快地说了一句："不过我的整个存在也不在于此。"他的双眼炯炯有神、闪耀着智慧之光。但是这种与其他女人与众不同的天分又有什么用呢，这对那个人来说又有什么用呢？他知道我不仅仅

---

① 让·拉波特教授，研究休谟的专家。——原注

是一个女人，这一点他是知道的。过去的六个月，未来的八个月，我完全待在没有你的世界里。我隐隐地相信，你是存在的，但没有任何一条路可以从你通向我。还给你写信吗？不。之后我会埋怨自己，就好像我坚持要一个回复，对你构成了一种约束。我没有那么脆弱。可若你不在，我便要这样活下去吗？我还会有一颗清澈、简单的心吗，无视痛苦，无视欲望，无视我们所经历的这场最为真实、最为现实的故事？而到了现在，我只能轻轻触摸它，却无法给予它足够的信任，让我无视自己或者不被满足。

冈迪拉克可以带给我很多，甚至比梅洛-庞蒂给予我的都要多，我发觉梅洛-庞蒂的内心过于随和，而在冈迪拉克心里，却有一种对我的评判，令我惶恐不安。如今我渴望走进他的心里，我渴望他能携我同行，我渴望他的友情。他擅长的是别的事情，而不是他的生活。然而，在他身边，我从未感受到全然的冲动，心里全无保留，这样的柔情，这样的顺从，就如同仅仅见了一小时的达尼埃鲁让我感受到的那样。让我们今晚来聊一聊你吧。不，还是得工作，不应该不顾你的意愿，把你从沉默中拉出来。

读伯克莱的《厄运》①，这本书要是有些与众不同的东西的话，我一定会很喜欢，但现在对我触动并不大。

工作：八小时，上课一小时。

十一月十四日星期三

我研读塞克斯都·恩披里柯。上罗宾的课。去国图。晚上去了美丽城，我在那里看到了热尔梅娜·莫诺，她告诉我说玛德莱娜很

①　于1928年出版。——原注

幸福。这样挺好。回到家，我继续工作。我在国图见到了冈迪拉克，但没看到斯蒂法。

工作：七个半小时，上课一小时。给莎莎写信。

十一月十五日星期四

我第一次感受到精神上的巨大疲倦。不过今天上午在高师上的课还是很有活力、很令人愉快的。萨特[1]上了一次中规中矩的讲解课，他看起来很和蔼，一个疯癫癫的老女人用她那慢悠悠的声调在那里夸夸其谈，引来我们的一片笑声。下午去了布雷耶、布兰斯维克那里，先由冈迪拉克发言，接着是劳特曼。我又见到了莫格、蓬特雷莫利……太多人了，正因此我内心油然而生一股疲倦。我和梅洛-庞蒂一起去了斯蒂法家，宝贝蛋已经到了。喝茶、吃蛋糕、聊天。在罩着轻纱的台灯下，我和她，就我们两个人，她跟我讲了许多有关她兄弟的悲惨故事。从她家里走出来的时候，我怀着一种得不到回应的悲伤……我们拿出门当借口，走到了拉斯帕耶大道。路过维京人酒吧的时候，我想起……哦！现在，我与原本的自己那么不同，那么陌生！

回到家，我给你写了一封信，这封信你或许是收不到的。我工作了一会儿，和宝贝蛋聊天，宝贝蛋很高兴，迫不及待地想要与我分享她的快乐。可为什么呢？

工作：两小时，上课六小时。

---

[1] 此处西蒙娜·德·波伏瓦将萨特的名字 Sartre 写成了 Sarthe。

十一月十六日星期五

放松的一天。我和斯蒂法在餐馆里吃饭。上午，我见到冈迪拉克，晚上见到了梅洛-庞蒂，他还是那么亲切。晚饭后一直在工作，成果喜人。我开始读莫洛亚的《气候》[①]。

工作：十小时。

我收到了一张莎莎寄给我的卡片。

十一月十七日星期六

我突然强烈地鄙视我自己！斯蒂法给了我一张她的美照，我深深地爱着她。梅洛-庞蒂很友好地跟我打招呼，冈迪拉克比以往任何时候都与我更亲密（今天上午我甚至把他令我惶恐不安的事告诉了他）。迪昂写的关于"世界的体系"的书非常有意思。刚才我看到了默西尔小姐，她的博士论文是研究莱布尼茨的。还有什么呢？

不，我想说的不是这里太热而外面又如此美好……不是这里的剧院、书籍、酒吧……不是这些研究多么无聊。"我追寻的是一个更好的时代，更美的世界。"雅克，我把你的名字给了她，给了那个曾经是今天的我的那个人，但不为自己设限……某一天你通过一封信，通过一下午的推心置腹，靠近了她。啊！那时我相信人类，相信价值，相信等同于诗的道德；我相信生命，相信我自己。啊！那时的我活着，痛苦着，追寻着，更重要的是爱着。这些词在我心中激起了回响，唤起了激情。我的眼睛并不是因为阅读而觉得沉重，而是被清澈的泪水冲刷过。美好和真实在某个地方拥有了具体的面

[①] 于 1928 年出版。——原注

孔（有些人认为这是矛盾的），我却认为这是千真万确的。有风险，有成功，有失败，有规则——还会有回报——"一种感人的生活"……更重要的是还有冷酷，有约束。现在……现在，我怀着更加怯懦的柔情来思念你，难道这柔情忘记了是什么使之成为可能？现在我把你和我的幸福混为一谈，这对你不公平，啊！你远不止于此。我瞧不起我自己，"工、作、机、器"——别人可以读这些书，说这些话，而有一本书，我已经开始写了，而且只有我能写。这是一种追求，一种呼唤。这是一种爱，但又不仅仅是爱。

在你赋予我的人生中，我有时害怕失去我自己的人生，失去它原本的样子——是我今天所拥有的人生吗？一连串无关紧要的事件，没有深度。至少现在我知道，所有的尊严都不在这里，而只在你掌握真理的地方。必须成功，来安慰这个只与你一起存在的另一个我——必须让我重拾信心，相信有些事是重要的，让我重拾道德感。我是如此爱你！"啊！这与任何一段婚姻都完全不同……"我怀念的并不是人生中的温情，而是它的伟大，是我曾在斯特力克斯酒吧和骑师酒吧的时候更接近的一种伟大，因为至少那时的呐喊都能被听到。

别灰心，十个月之后，这一切都将结束。平静下来吧。

因为你还是和你自己一样，不是吗？而不会是那个"对幸福怀着怪癖"的人？啊！还不如像有些人那样过一种恬不知耻的生活，至少他们是带着强烈的自我厌恶从中汲取一种遥不可及的对完美的爱，这样的生活比没有激情的、克制的、有智慧的生活要好得多。这些人忘记了生活，而其他人则自娱自乐，认为自己在生活。让我生活，让我生活，也赋予我生活这些美妙的、残酷的制约。

我重又发现了这份爱的纯粹。我可以完全不理会你的举动，没有一丝渴望和恐惧。我们之间有些东西比我们自身更强烈、更伟大。无论你曾经或者正在付出什么，无论你想要什么，你只属于我，因为我也是这样，仅仅属于你。对此，你无能为力，对你如此，对我亦如此。世间任何一切都不可能改变这一点。

西蒙娜，你一定不相信他这张消失在世间的脸，这么快就对你的呼唤做出了回应，你一定不相信他这么快就向你投来充满泪水和激情的眼神吧？一个难以忘怀、非同寻常的夜晚，我们的父母一定还以为我们乖乖地待在作品剧院里。我们一开始只是在圆顶咖啡馆，宝贝蛋穿着一身蓝色套装，唇如涂脂，面容夺目，迷人极了，她叫来了服务员，放声大笑，我觉得很好玩、很开心。而后我们去了骑师酒吧，我觉得那里太熟悉了，而酒精也慢慢上头。我和宝贝蛋两个人假装吵架，她微笑着，伸舌头的样子真好笑。我怎么会想到要去斯特力克斯，从喝第一杯马提尼开始，从跟米歇尔打招呼开始，我就确信会揪心，会不安……然后里凯进来了。我不能再说什么了……墨迹都要化开了。

是不是因为我们都喝了点酒，所以我们见面才聊得如此深入，如此真诚？啊！突然又听到的口音，鲜活的气息，追回褪色回忆所急需的氛围。他对我说了什么简单而深刻的话？关于不可能得到的幸福，关于他等待太久的女人，关于那些他想从中寻找自我的书籍，关于三类人，一类知道何为正确却无法做正确的事，一类是根本不知道何为正确，还有一类是不需要任何人。他那么友善地说："我需要一切……我需要有这种需要一切的感觉。"他还说到重头脑还是重感情：雅克既重头脑也重感情。我们还说到了让·德布里。说到了脆弱和强大。"超过三十个女人喜欢我，是因为我强大，而我只希望有一个女人能够懂得我的脆弱。"继续谈雅克，谈他是如何克服自己的弱点变得强大，谈他的举止，还有一个准确、深刻的评价：他的浮夸即真诚，因为他的浮夸并没有显得那么浮夸。我们谈男女之间的误会。我们怀着对雅克的爱意，对他的理解，难以平静。他多么懂得如何还给我一个真正的雅克，一个软弱而坚强的雅克，唯一的雅克，一个相信万事皆空的雅克，一个无视幸福的雅克，一个在两杯鸡尾酒之间谈论严肃而痛苦的话题的雅克。他对我说："雅克崇拜让·德布里……"我希望的是他能用同样肯定的语气说一句"雅克爱慕西蒙娜"。他说了一句可怕的话："雅克永远不会幸福的……""那要是有人愿意为了他付出一切呢？""这是对他的侮辱。"说得对，但又不对，如果是他要求这一切的话。

我们约定星期三晚上再见。我觉得他一直是我珍视的朋友。哦！当我沿着拉斯帕耶大道往回走、咬着紫罗兰花束时，我流了多少眼泪——花束是一个灰头土脸、不太和善的水手送给宝贝蛋的，他向我们自我介绍说是雅克的同学——我被遗憾、恐惧、疲惫、爱情吞噬。我不该想要在星期三再见到他，我们不会再有如此独一无二的亲密，我会失望的。

我明白了为什么我始终想要的"是你，而不是另一个人"。为什么像冈迪拉克、梅洛-庞蒂和其他一些我尊敬、欣赏的人，他们或许比你思想上更严谨、智识上更有建树，也能带给我些许快乐，但我总需要做些努力，至少要下定决心才能感受到快乐，不像与你一起，我的灵魂获得了一些东西，它发出长长的呻吟，双臂无比猛烈地胡乱挥舞。或许我也能爱上你的一位朋友，某些与你相似的人，但永远不会是这些没有生气的人，不会是如这段时间的我一样的人，他们之所以强大，是因为他们无视本可以让他们发挥力量的考验，因为没有欲望，因为我无法体会的确信而满足，无论如何，这些确信都不能满足他们，而是像爱的呼唤一样让他们目瞪口呆。我哭着入睡了。我醒来的时候很难受，眼里全是泪水，头重重的。

工作：七个小时。

十一月十八日星期日

我待在这里，只为了白天能和你在一起。我读了一点莫洛亚的《气候》和季洛杜的《齐格弗里德》，有他们相伴以免陷入绝望。我这张浮肿的脸，哦！就和两年前的那张脸一模一样，那时我在利穆赞的草地上领悟到，一个人想见到光明要经历怎样的撕心裂肺，而从那之后……从那之后：在长达二十八个月的时间里，除去或长或短的暂歇，我的每一天都被无法抑制的、毫无意义的痛苦折磨着——身体上的痛楚：眼睛的刺痛，喉咙的干涩，一口水都难以下咽，头两侧的疼痛，胸口的撕裂感，还有双手，尤其是双手一直在寻找可以抓住的东西，只可能是你，但不在那里，不在那里。我在虚无中盘旋，而这一切都消失了，不给人希望，让人惊慌失措。我无法在你杳无音信的情况下再忍受八个月，八个月太遥远，太遥远。

第一波已经过去，我更能掌控自己的思想。我想解开那些缠在一起的长线，去编织这如此复杂的、无法想象的爱情故事。我狂热地偏爱理性的论证。任何矛盾都会让我反感。在我看来，我总是带着一种喜悦、一种对生活的热爱来到你身边，这种生活是完全被我征服并由我决定的，是所有论据依托的唯一现实，我却在你身上发现了一种怀疑、一种绝望、一种期待，它们和我一样真实，因为我爱你（或者说我爱你，因为你懂得如何将这些现实强加于我，但并不重要），为了调和它们，我有时放弃这个，有时放弃那个，我试图将它们融合在一起：不是接受某种生活，而是想要我的生活。我把这称之为我的快乐。但我心甘情愿想要的生活必须是我人生的所有现实，包括所有无以挽回的痛苦和灾难，包括所有的温柔和甜蜜。我意愿的这种形式渴望一种并非来自自身的内容——在场——

这就是我们的爱所包含的巨大的道德价值：你迫使我思考的这一现实，这一现实就是你，它通过你的诗歌与万物相通——精神的神秘力量通过思考释放出来。有什么必要建立一个体系呢？我应该一直说"雅克和我"，而不是把我们两个人与其余的世界混同在一起，即使我们都接受可以偏爱其中的某一些人。

你。

刚才，我渴望给你写信，告诉你你没有意识到你要的太多，告诉你我并不是一个坚强的女人，对你说我请求你的原谅，但你应该给我写信，因为我太难过了。但不应该如此，这没有任何意义：我说"当你愿意的时候，雅克"，当你愿意的时候。但是你知道，不要以为你这么快就摆脱了我，不要以为我会在强迫你说"我是幸福的"之前就任由你离开。你想要的总是比你拥有的多吗？但总会有一些东西可以满足你的每一个欲望，你会看到，你会看到，如果我与你对抗，谁会是更强大的那个——相信我——也许正是因为我需要你。你带走了所有你并不拥有的天堂，它们通过你的欲望向我敞开。你是唯一一个让我感觉无能为力的人，也就是说，你是我唯一能珍视的现实。因为如果我对自己没有任何期待，我怎么能爱自己呢？

我的内心更加踏实，你的内心更加……强烈。加入这份强烈，并让这份强烈融入我的踏实。他给里凯的信中写道："我很喜欢你，我会给你写一封长信"，可这封信从未到来。为什么，我去问他要吗？啊！雅克，我等你，我等你，我等你，你会看到的……"他受到了沉重的打击，但他总是能重新振作起来。"

我想跪倒在地，痛痛快快地哭一场，因为感恩，因为知道他还是两年前那个给我写信的人，那封信让他走进了我心里，并不像我之前以为的那样，而是超越我自己和超越他，是里凯昨天跟我说起的那个人。我不由自主地想起这个困扰我的问题：他爱我吗，他真的爱我吗？什么都不重要，"这与他有关"。

斯蒂法刚刚与我道别。我们坐在壁炉旁聊天，喝着茶，吃着干蛋糕，多么美好！她穿了一条迷人的绿长裙，戴着米色的帽子，穿着皮大衣，恰好遮住了她的脸。她向我讲述了康拉德的短篇小说，这本书肯定没有她那生动的言语和鲜活的手势那么好看。她向我谈起她自己，谈起她对斗争、对支配的喜好，谈起她内心永恒的女性气质，她以一种奇特的客观态度描述了她内心的女性气质，就像所有触及她的事物一样。她坐在扶手椅的扶手上，靠着壁炉站着，用整个身体在说话。奇怪的是，我珍视的斯蒂法无法理解我，但我那么喜欢听她说话。她对整个生活的品味：书籍、想法、有趣的家伙，正如她所说的那样。我不太在意有趣的事情，也不太在意生活中的事件和动静。我只想长时间地倾听内心深处那几分钟纯净的回声。她很在意，不知道为什么会有这样一个恶魔驱使着她，也许是作为作家的天职，有一天，很快，她就会收集这些冒险经历。她顺应当下，交出了自己，离开了。她内心强大，比我更有活力吗？我不知道。她获得了更多的东西，但她自己是否也能驾驭这些东西呢？我很好奇，她和雅克面对面会是怎样的情景。

路易丝[①]也来了，她跟我说了许多家常话，许多已经如此久远的往事。

我渴望给雅克写信。我之前说不给他写信，最好还是不要写。我可能想的太多了，他可能也不想我写信。我应该等待他的来信，他的信却永远不会来。所有这一切带着一点不同寻常的色彩，不同寻常。但愿我能好好构想属于自己的没有爱的人生，甚至要好好过

---

① 在西蒙娜·德·波伏瓦小时候照顾她的女佣。——原注

这样的人生。当我不去爱时，但愿我不会感到匮乏，但愿我爱的是真实的完满，与虚假的完满不可同日而语。哦！告诉他这些，告诉你这些。我想把手放在桌边，头枕在手上，而你，站在我身后，一言不发地听着我说的每一句话、每一个字、我说的一切。

十一月十九日星期一

　　然而今晚的一切是如此完美。半静，井然有序，充实。今天早上，我睡得有些晚，醒来的时候有点难受。我给你写了一封这么长的信，但可能永远不会寄出去。在拉波特的课上——如此无趣——我感觉自己的心远离了我，强烈地感到需要呐喊，在这些志得意满的学生之中，我的呐喊声已经到了嘴边。我强迫自己去了国家图书馆。我给梅洛-庞蒂和斯蒂法看了莎莎那封动人的长信，今天一早，这封信便躺在我的床上。她说"我的小西蒙娜"，我想念她，然而，我的内心发觉的却是这样的话："我的小雅克"——终于我能安下心来研读康德。我和梅洛-庞蒂一起回来，今晚我在一片动人的甜蜜中工作。坐在壁炉的一角，我想整整一天迷失在这些可爱的脸庞之中也是一件好事：上课的时候有若泽、冈迪拉克，中午又见了米盖尔，他带给我那么多乐趣，他的衣着很讲究，看起来也很舒服，让我为他高兴，还有匆匆见了一面的斯蒂法，在信中相遇的莎莎，特别是您，莫里斯，下午两点我们在阳光明媚的院子里，傍晚六点，沿着美丽的塞纳河，您对我说的一些想法与我不谋而合：这一做作的氛围，因工作过多而产生的轻蔑，在工作中形成的不良趣味，都比举行婚礼更可鄙，也许这短短半小时就能让我平静下来。您又一次帮助我把一切都牢牢地抓在手里，睿智的朋友。

我想知道，为什么每一次产生新的好感之后，自己总会暗暗地感到受伤？是不是因为雅克？是的，毫无疑问，但也是因为您，里凯，那天晚上我哭得那么厉害，而且当我想起您的时候，心如刀割。我想起了三年前……我不得不直面这突如其来的现实，与直面您说的话一样，不可抗拒，难以接近，可在与现实的对抗中，我失败了，不可挽回，这也说明想把自己等同于所有人的理想失败了，没有什么比这样的反抗、比世界的突然改头换面，即另一个灵魂的出现更有意思的了，但也不会有什么比自己更重要、更值得焦虑、更强大的了。

　　今晚令人赞叹。我似乎提前知道了一年后我将拥有的幸福安宁。因此，我想象着那些令人赞叹的夜晚，所有的一切都包裹在你的存在中，在平静的外表下充满了冒险和激情，但又是如此清醒，如此自由。我将写下这本今夜我满怀温情畅想的书，我们将读到、看到美好的事物，而这种圆满将无一例外地让所有的门都敞开。今晚，就是如此……比一切都更强大，甚至比你的悲伤更强大，这是属于我自己的快乐，我的快乐将战胜一切。里凯，当我宣称想成为一个智慧、幸福的女人时，您对我说必须是天才才能做到，为什么不呢？哦！太美好了，这个星期六的夜晚，这些午夜的神奇之处便在于此，在它扣人心弦的诗意之中。我并没有因此而痛苦，它再也不会扰乱我生活中的一切，它只会融入我的生活，与之成为一体。我等待着星期三的到来，那天我不会喝酒，但我格外期待这一冲击、这份意外之喜的到来。在我看来，我已经战胜了双重诱惑：一是闷热的图书馆的诱惑，它不再阻止我生活在你的回归和它所提出的要求中——二是酒吧的诱惑，那里的忧伤，对未得到满足的灵魂的怀念，我珍视这些灵魂，并可以把它们带走，但不会通过其自身的力量来塑造一个我期待中的和谐的灵魂。

哦！雅克，那么多事，那么多事……我或许不会写信了。但所有这一切都是说给你听的。

十一月二十日星期二

先去了天主教学院，后去了索邦大学，再到国家图书馆，还是如以往一样，见到了梅洛-庞蒂和冈迪拉克。又去了理发店。晚上坐在壁炉旁，读迪昂和柏拉图的《理想国》，无比的充实——只是一个微笑，只是一句话……两个略带忧伤的灵魂在蒙帕纳斯的酒吧里相遇，长时间未曾翻开一页的书，约定一起看画展，陷入幻想的时刻，我仿佛看到了你朋友的脸，他身上与你相关的一切，宝贝蛋和她的兴趣，我们将重新开始的一切——单单想起一种味道便会全身战栗，令人回味无穷。

十一月二十一日星期三

橘色连衣裙在蔚蓝柔和的天空下欢快地飘动，索邦大学的课程既不有趣也不无聊，在塞纳河蔚蓝蔚蓝的河岸边吃下一片片馅饼。冈迪拉克很友善，他对爱情持怀疑态度，仿佛触碰到枯叶的气息，带着悲伤，却没有苦涩……这个夜晚的期盼。

尘世绝美的味道，尘世绝美的味道。

哦！内心有如此大的力量来承载欢乐，有如此大的力量提出需要，有如此大的热情满足需要，有如此大的力量需要爱，却很少被爱。除非……除非是那个人，只有通过他，才能温柔地感受这个世界。哦！没什么，只是这星期六的泪水浇灌着紫罗兰，这个抽象的世界被一扫而空，只剩下无数的回忆：凌晨一点左右有趣的冒险，不知所措的男人，香气四溢的夜晚，舒缓温暖的酒吧里凉爽的鸡尾酒。

尤其是那张我渴求的脸，就像在八月渴求一杯水一样，那眼神就像在说："那个想吃掉所有花朵的女人……"那微笑实际是在命令，看起来又像在请求（或者相反？确实是相反的）："再待一会儿，或许我就会认为你是个坚强的女人……"

我可以描摹出我们沉默不语时的样子，我可以回想起你把手伸进头发时每一个弯曲的弧度，你说话时照镜子的习惯。我在这部分曾经与我有关的你的生活中再次看到了你，这远甚于今晚，今晚我再次清楚地看到自己在你生活中的位置，好似我从未曾出现过。

精彩的夜晚。尘世回味无穷的味道，回味无穷……六点钟，我去了斯蒂法家，她说过会儿去斯特力克斯酒吧找我。十点钟，我走进酒吧。吧台前面一群外国人，其中有个很漂亮的美国女人。斯蒂法穿着一条绿裙子，和她的老乡列文斯基喝玫瑰红葡萄酒，那是个游手好闲的家伙，有空的时候学学日语，他给我们看他学日语的书，很奇怪。里凯和他的朋友卡拉来了，卡拉说，星期六那天我的妹妹"很忧郁，但散发着迷人的气质"。我要了一杯玫瑰红葡萄酒，他们要了杜松子酒，互相做了介绍。斯蒂法用各种语言跟这个东方犹太人聊天，我则跟里凯说话——出乎意料的甜蜜，重又找回的生气——谈我借他的《爱情酒吧》，谈苏波、季洛杜、布洛赫、科克托、夏杜纳、傅尼耶、纪德，还有他不喜欢的普鲁斯特、第欧根尼·拉尔修、毕达哥拉斯的公鸡[①]，谈生活、女人、雅克、让·德布里，谈他自己、男人们……他们的弱点，他的弱点。"啊！希望

---

① 第欧根尼·拉尔修（Diogene Laerce，3世纪初）在《名哲言行录》中提到毕达哥拉斯曾严禁自己的弟子们宰杀和食用白公鸡，后者是献给宙斯和阿波罗神的贡品。——原注

某一天那个独一无二的人会到来……”他跟我说起雅克，说他以后一定会头脑一发热就结婚，遗憾没有过“艳遇”，但家庭或许能够满足他……某些时候，我觉得格外难过，在他身上我看到了一个与之如此相似的雅克，我很喜欢里凯，但不是喜欢他身上有雅克的影子，而是因为他聪明、敏感，笑起来很迷人。我们还聊到了男人之间的友谊，有朝一日想要体验生活的渴望，重燃青春年少时从事理科研究的热情（哦！无论如何，我觉得自己更成熟、更坚强了，因为我已经做到了这一点，而不是因为遭遇了什么），谈戏剧、电影，他对我说雅克觉得“我不应该滥用自己的智慧，我过于像知识分子了”——但这些，雅克，就是我……你应该以我原本的模样来看待我。我们越发亲近，结下了深厚的友情……“一杯加雪莉酒、白兰地的杜松子酒。”卡拉说。我们谈起了柏拉图、亚里士多德，声音有点大。一些人，一些富有而时髦的波兰人在吃晚饭，默默地不作声，听我们说话……“米歇尔，你是怎么看待柏拉图的？”“我觉得我有些客人不错。”斯蒂法喝醉了，她一开始有点伤心，后来又活跃起来，破口大骂那些酒吧。我把脚跷在桌子上，以示自由。她又和里凯、卡拉争论起来，关于女性主义、土耳其女人、日本女人、情感生活，女人间的友谊。里凯拉踩女人们，我提出异议，所持的观点却是相似的，“她总是被置于男人的世界中……”（我不由自主地露出震惊的神情，他们的话所流露出的自由伤害了我，他们对于性生活的看重也伤害了我。我对纯洁有一种疯狂的渴望。啊！他所说的爱情，是一件多么微不足道又不让人期待的事……爱情里需要巨大的激情，真实的相遇，需要一个灵魂直面另一个灵魂，这才能使爱情的伟大显现出来……“这又与你何干？”他会这么说，他会说“你要知道……”我挺喜欢他的口头禅，但不接受他对于这些女人的观点，我想说的是：若是不渴望甜蜜，渴望壮丽，那渴望什么？我无法因为你的朋友对你产生偏见……然而我心想，想要在你身上寻求的不是一种幸福，而是对我灵魂的救赎，那或许是失去了理智——我有点伤心，你离我越来越远，却看起来更近了，然而若你还像我见到你时的那样，那么这慢慢离我远去的你一定与里凯对你的描绘一模一样）。又一杯杜松子酒，还是喝不够，米歇尔！米歇尔做出的回应很好笑，大家你一句我一句，不可开交。卡拉聊起了杜松子酒，他过去四十年的经历，他有些腻烦，但也掩盖不了他的智慧，他阐述自己对于生活的理论。里凯还这么年轻，那么年轻，已经有一种不抱幻想的态度（他的浪漫主义）。"我们走吧，斯蒂法……""哦！我真醉了，真醉了"……我无法带她回家，时间一分一秒地很快过去。但我们还是离开了酒吧——多么美好的回程……约好了星期六、星期三再见，星期二还要去斯蒂法家。我们呼喊着来来往往的行人，他们中有些人那么粗野，甚至跟我们吵起来。斯蒂法昏了头，在林荫大道上又唱又跳，她的同乡试着让她安静下来，另外两个人笑弯了腰……斯蒂法邀请他们一起去她家，大家互相交换地址。街上的巡逻兵用怀疑的目光打量我们。里凯和他的朋友因为度过一个美好的晚上而格外高兴，看到巡逻兵却有些惊慌失措。是的，或许我应该以完全纯粹的心看待这一切，不应该将这一切只当作带给我快乐的一场表演，我需要一处可靠的心灵港湾……要把一个这样的瞬间定格下来：比如说在拉斯帕耶大道的罗同德咖啡馆前，斯蒂法突然停下来，高歌着她醉了，里凯看着她，带着微笑询问她，而另一个人则带着一种洞悉一切的眼神。

列文斯基训诫了她一下——唯一的一个！他激动地感谢她，竟然会度过这么有意思的一个夜晚，她觉得里凯很年轻、很聪明，而我看到这一切也很高兴。和其他人在一起，和这些聪明的人在一起，在他们奇特的经历、在他们的思维方式中，我找到你，也找到我自己。我把这些回忆好好保存起来……

十一月二十二日星期四

经历了这样一个夜晚之后，头疼得厉害，上罗宾的课简直有点跟不上……若泽在上布雷耶的课，她瘦得皮包骨头，疲惫又伤心——可怜的若泽。中午，我去了斯蒂法的家，她还沉浸在昨晚的欢快中，她给我看了她哥哥给她写的信，跟我聊起一些有趣的人。还有布兰斯维克的课。一个重量级吨位的女人夸夸其谈，她毫无生机的脸上露出丑陋、愚蠢的微笑。梅洛-庞蒂上的讲解课，跟他本人完全吻合，简单、严肃、令人着迷。我多么爱他！他那么自信、正直、安静，充满活力又不失沉稳。他与布兰斯维克讨论时风度翩翩，又坚守自己的观点，他们俩各执一词，尽管讨论热烈，但一切都是友好的，几乎是活泼的。我们去了斯蒂法家，她没时间帮他算命，我们三个人又一起下楼。玛格丽特伯母在这里吃晚饭。我来到这里，我想到了你，想到了我自己。一个令我焦虑的问题：对你来说我到底是什么？或者更准确地说，你对我的感情对你来说到底算什么？是一种绝望的心灵港湾，仅此而已吗？或者说一种现实的东西因为被选择而有了自身的价值，并不仅仅出于一种带着愧意的感恩而被偏爱。我也不知道，我也不知道。然而我觉得……啊！雅克，有时我觉得自己真的就在你身边，啊！雅克，告诉我，在最真实的你身边的是我、正是我，我给你写了那么多信，我默默地倾听你说话，无数次……没错，没错……为什么总是带着一种怨恨、怀疑去想他，而这些都是他无能为力的？我的力量：感觉超越了自己选择去爱的一切，用我对他付出的爱撬动世界。不再有任何阻力，我用强烈的感情和自我的馈赠去感受一切事物。真诚的时刻，但同时我又超越了属于自己的时刻。随着时间的流逝，我从这些时刻中获得了自我的真理。只有一样东西比我强大，只有一样东西不受这种道德、理性的控制，只有一样东西，雅克，一样东西……"比自身更必要的东西，无非是取得使自己永远成为最坚强的人的胜利。"我取得了胜利。

你还不了解我，你不知道我多么爱你……你不知道我会像一头受伤的野兽般号啕大哭，你不知道我会像个疯子一样在湿漉漉的夜晚四处游走，痛苦万分，绝望透顶。

我不知道今晚的这份忧郁从何而来……然而，今天下午照镜子的时候，我那么爱我自己，那时我正在等斯蒂法，我穿着红色的大衣，戴着一顶灰色的帽子，把面庞衬托得那么深邃、温柔，我的身影那么放松、自信、欢快……忧郁……我太骄傲了，我在人间的故事里设置了太多苛求，我太希望相信我们有的只是灵魂……我向你要求一切，我要求得太多。但不是为了我，而是为了你。

在我的爱情面前，我多么孤单，你的爱情，如果你有的话，只是属于你的爱情，而与我无关。你多么沉默，今晚你把自己置于那么遥远、那么遥远的地方，置于一个沉默的荒原中。

十一月二十三日星期五

我写了、念了多少封信，可他从未收到过？今天上午，雨淅淅沥沥地下着，毕业论文摆在我面前，可我无法写一个字，这个雨天竟然与两年前我在梦境中游荡的日子如此相似。啊！怀念从前有什么关系，不能学习又有什么关系。我又回到了"那个更好的时代，那个更美的世界"，也重新看到了那些痛苦的缺失，而这些真实紧紧地包裹着我。好好地看待自己的生活，好好地抓住属于我自己世界的面貌。这才是唯一重要的，这才是唯一重要的：希望我好好地生活。时间一文不值……尘世的滋味是美妙的，美妙的……那么多纯粹的瞬间交织在一起，我们只能张开双手去拥抱它们所带来的快乐。

秋季沙龙[①]弥漫着潮湿的、油画的、孤独的味道，我每走一步都能感受到雅克的气息。我拉着身后的玛德莱娜当作挡箭牌……美丽的画作，扣人心弦。法沃里的《戴花的女人》[②]，平平无奇。卡利的小船，在暴风雨中张着白帆，快要倾覆。保罗-埃米尔·毕沙罗[③]笔下神秘的垂钓者在悄无声息的绿色树荫下的绿水深潭里钓鱼。梅里诺夫[④]的画是一场奇怪的狂欢，有褪了色的粉，还有绿色，没有固定的形状，色调也极为出人意料——一个名叫约翰·胡拉的人画了一艘在雨中迷失了方向的小船。勒里科莱[⑤]，名字待查。某位叫沃杜[⑥]的人的一幅作品，一位穿着粉色衣服的女人在哺育她的孩子，衣服的褶皱（？）[⑦]是以博萨尔[⑧]的方式处理的。色调展现出令人垂涎的身体——兰皮卡[⑨]的作品，一位穿着粉色衣服、戴着蓝色围巾的女人，远处有小船，还有一位初领圣餐的人，所有作品都有立体感，但令人喜爱、震撼。梅迪奇[⑩]画的山间湖泊

---

① 1928 年的法国秋季沙龙于 11 月 4 日至 12 月 16 日在香榭丽舍大街上的大皇宫举行。——原注
② 安德烈·法沃里，《戴花的女人》。——原注
③ 保罗-埃米尔·毕沙罗，《当居的埃普特》。——原注
④ 迪米特里·梅里诺夫，《街头老人》。——原注
⑤ 罗贝尔·勒里科莱，《科尔特之家》。——原注
⑥ 加斯东·沃杜，《母婴》。——原注
⑦ 字迹不可辨认。——原注
⑧ 鲁道夫·泰奥菲勒·博萨尔（Rodolphe Theophile Bosshard, 1889—1960），瑞士画家。——原注
⑨ 波兰画家塔玛拉·德·兰皮卡，《阿莱蒂-布卡尔肖像》和《领圣体者》。——原注
⑩ 奥斯瓦尔多·梅迪奇，《风景》。——原注

让我感动。沃弗尔，巴比吉[1]，一个金栗色头发的女人穿着一身褐色衣服，相当漂亮，还有马瓦尔[2]的鲜花、女人垂下的薄纱，洁白。一位叫苏沃比[3]的画家的画很亲切，一些不知名作者署名的风景画，大幅齐肩。

我想到了雅克，心如针扎一般，我渴望知道，渴望知道，渴望对他说……看看，看看，他是爱我的。可谁能告诉我他渴望如何被爱……

凡·东根[4]的一幅画令人赞叹，身着蓝色塔夫绸的女人，长腿，腋下夹着一条狗。迪努瓦耶·德·塞贡扎克的一幅画也相当不错。回顾展上展示的有：一幅弗朗德兰的画倒出乎意料的看得过去（《捕猎的清晨》），一幅奥特曼[5]的画堪称完美，还有一幅凡·东根的我不太喜欢：赤身裸体的女人，大敞着外衣，穿着黄色的长统袜，一幅雷诺阿的画也很差……雷诺阿。几幅盖兰的画，哀怨，肤浅，福科内的一幅画很好，这幅画我在别处也看到过，奥顿·弗里斯的一幅画，要是喜欢这位画家的画，一定会觉得很好，一幅德瓦利埃的画，一幅瓦罗基耶的作品，简约但令人赞叹，紧挨着的塞尚的静物画则让我大失所望，也因为我期望太高，勒福科尼耶的一幅作品有学院风，灯塔迷失在棕色的岩石中，既简单又令人动容。安德烈·洛特[6]有点稀奇：一个女人在绿色长凳旁刺绣，我不喜欢。欧仁·扎克[7]的一幅画很美，很美，同样一头金发的母亲和孩子，母亲让孩子跨坐在自己的肩头，衣服和皮肤的色调都很出色。一幅

---

① 伊万·巴比吉，乌克兰画家。——原注
② 杰奎琳·马瓦尔，《睡美人的梦》《花杯》《娇媚》。——原注
③ 让·苏沃比，《音乐》。——原注
④ 基斯·凡·东根，《慈悲》。——原注
⑤ 亨利·奥特曼 (Henry Ottman, 1877—1927)。——原注
⑥ 安德烈·洛特 (André Lhote, 1885—1962)，《刺绣者》。——原注
⑦ 欧仁·扎克，《大姐姐》。——原注

卡里埃的作品！瓦洛东！阿瑟兰[1]：一个躺在沙地里的男人，非常好。马约尔展示了他的舞者，这是一本画册的封面，很好看。平庸的马蒂斯：戴着繁复帽子的女人，格吕克曼的几幅画很出彩：裸体的女人们在一间褐色的房间里，吉勒[2]的花朵和风景画，我不知道她，但她很有才华。最重要的是这幅弗拉曼克的作品，黑色、绿色、红色，桌子上的水果和篮子，充满了含蓄和神秘，令人难忘。

还有许多别的东西值得重新看一看。扇子、钢琴、首饰、酒吧……家具、绝美的内饰——哦！生活在这里……哦！那么多令人惊叹的东西：拉利克的玻璃制品，线条简约的家具，巧夺天工的灯饰，挂毯——温柔的世界。

此外，还有书房、看上去只觉得精致但坐着无比舒适的红色家具、长桌上的艺术杂志、木版画、精美的画作以及在经过时瞥见的标题、可爱的名字和句子："我在心之所向的山巅歌唱"（苏亚雷斯）。在这些瞬间，人们相信自己会心花怒放。面对如此美丽的事物，我在我们无法掩藏的灵魂最深处与你重逢。

冒着雨回来，坐有轨电车，路过圣米歇尔大道。我的内心在高歌。在索邦大学，我愉快地与那个可以分享我所有快乐的人见面：米盖尔。我们在这家新开在索邦广场上的阿莉莎酒吧吃点心。拥抱巴黎，拥抱世界。弗拉泰利尼，舍瓦利耶，蒙帕纳斯，《黄玉》[3]、《齐格弗里德》，电影，这些话题穿梭在我们轻松的聊天中。米盖尔，您那黑色的眼眸，您鹰般的眼神，和我见到您的第一天如出一辙。遗忘了一年后，重又找回了这一伙伴情谊。谢谢您，亲爱的同

① 阿瑟兰，《一位老工人的肖像》。——原注
② 伊冯·吉勒，《丁香》《布洛涅森林的河塘》。——原注
③ 1928 年在蒙马特大道的多样剧院上演的马塞尔·巴尼奥尔的戏剧《黄玉》。皮埃尔·博斯特在 11 月 10 日的《周刊》上对这部戏剧做过评论。——原注

伴。我们去莫尼埃的"书之友"翻看一些书，取剧院的票，他跟我说起了自己在圣日耳曼昂莱的生活，他写过一些作品，晚一点会给我看，我们还说好一起外出。我们一起去了"年轻的命运女神"，我看到一位不知名画家的几幅画，惊叹不已：勒斯库埃泽克[1]，画的是布列塔尼的风景，简单又震撼。这位先生平易近人，非常友善，还请我们星期二去参观他的画室……我们约好后，去了弗拉马里翁书店找阿兰的《关于柏拉图的十一章》——这本书的价格相当于八杯鸡尾酒，太贵了。我很开心，很开心。目前斯蒂法、米盖尔、里凯是第一位的。明天，我们要考虑工作的事了，明天，不过不值一提！世界上除了友情之外，其他的都不值一提。我买了一本塞萨尔·圣泰利的书，极其一般，不过里面倒是有两句话很美——杜阿梅尔说的："友情，比爱情更加神秘的美妙探险……"还有一句是我不认识的勒内·阿科斯的："这些精美的序言／一开始都是全新的友情。"

我的桌上摆着柏拉图的巨著，是在维克多·库辛图书馆借的。很好。不好的是，我突然想给雅克写信，却又不能这么做。

十一月二十四日星期六

上午在家。做了些有趣的事：读了佩兰的《原子》，布特鲁的《数学家的理想》。下午继续工作。我读完了季洛杜的小说《齐格弗里德和利穆赞人》，我太喜欢了！让我重新看到了生命中所有的突发奇想……我去了图书馆，又去了斯蒂法家，在她家我见到了她的朋友费尔南多。我们谈起了秋季沙龙和她不喜欢的科克托——快

---

[1] 莫里斯·勒斯库埃泽克（Maurice Le Scouezec, 1881—1940）。——原注

乐的时光。费尔南多很聪明、很敏感，神经质突然发作的样子令人动容，"有人还卖花生……"我们将一起去看这位画家的几幅画，我昨天跟米盖尔一起去看过，但他们都觉得太无趣。我在《文学消息》上读到了萨万[1]的访谈，很有意思，还有冈迪拉克的访谈，我不喜欢。我重新想到了这句话："肉身的微不足道及其悲惨的宗主权"[2]，在这严酷的背后，是否可能还存在着一种痛苦？但还提到公共生活，他的职业生涯……我只喜欢他对《地粮》的评论——我会试着跟他谈论"基督徒的痛苦"，谈论他……我很高兴梅洛-庞蒂也不同意这样的看法。但这一切与我的生活无关。宝贝蛋的石版画非常漂亮，还有一幅挺有趣的油画。

十一月二十五日星期日

　　看完了关于原子的那本书，很有趣。可我的思绪一直在游荡，向你游荡。拉丁电影院里播放的机械爵士乐刺痛了我的心，每次听到萨克斯管的声音，我都无一例外地会有这样的感觉。道格拉斯·范朋克让人回味，他的帽子、雨伞、剪影，还有他傻乎乎的笑声："你们看到了吗？"着力于成为一个白痴也需要那么多与生俱来的东西，疯狂的跑动，勇敢的跳跃，出乎意料的出现，藏在雨伞里的秘密，第一次登台就有如此表现：《佐罗的记号》[3]，很精彩。第二部电影是幻想题材的，关于杰基尔和海德，除了带有一点思想性，其他的都非常、非常糟糕。我喜欢一边看这些我有话可说的东西，一

---

[1] 一个高师学生。——原注
[2] 莫里亚克在《基督徒的痛苦》中的一句话，文章发表在《新法兰西杂志》上。——原注
[3] 1920 年上映的默片，由弗雷德·尼勃罗执导。——原注

边思考。

《夜幕降临》[1]是一本令人赞叹的书，毫无疑问，很令人赞叹。

美好的一天，到了傍晚，我去了斯蒂法和费尔南多家（我这么说好似他们已经结婚了一样），我们用茶杯喝了点库拉索酒，吃了点奇怪的蜂蜜、开心果、杏仁的混合物，我们聊了很久的绘画：凡·东根，藤田嗣治，苏蒂纳[2]，费尔南多给我看了一些非常好的复制品，但其中最漂亮的一幅，是莫迪利亚尼给他画的肖像画。他在绘画上有很好的品位。他给我看了一张他自己作品的照片，我非常喜欢。他还跟我讲述了他一开始学绘画的情景。他真是太好了。斯蒂法看起来很爱他，但她永远不会爱他，仅此而已，但也许会嫁给他。他在她身边，犹如你在我身边一样，只是他们无法见到你，而他们之间的亲密在我看来如此甜蜜，恰好反映出我内心深处所渴望的那种亲密。

我给莎莎写信。

我始终被你环绕……

十一月二十六日星期一

上午在索邦大学图书馆。下午去了天主教学院。晚上在家研读柏拉图和亚里士多德。我想念你，几乎带着些许烦躁，提出的问题犹如受苦的凶兆。我请求你的原谅。我说过了你的消息，我什么都不想知道，你或许相信了我。我不由自主地想象着一些痛苦的可能性。我那么苛求你是一个完美的人。给我写信吧。

---

[1] 亨利·阿尔代尔的小说，于 1928 年出版。——原注
[2] 柴姆·苏蒂纳（Chaïm Soutine, 1894—1943），白俄罗斯画家。

十一月二十七日星期二

　　糟糕的夜晚，或者说过于美好的夜晚，两者并无差异。我又看到你了，我们之间有那么多话可说……上午下雨。里沃的课上，伤心一直与我相伴，但下午我在天主教学院工作得很顺利，身边是一群戴着夹鼻眼镜的大学生。上午我和宝贝蛋见到了米盖尔，我们一起在卢森堡公园愉快地聊天，我们又去了德朗布尔街，去拜访一位我们从未见过的画家。

　　晚上去了斯蒂法家。斯蒂法扮成酒吧侍者的模样，把杜松子酒、雪莉酒和库拉索酒混合在一起。费尔南多与宝贝蛋开着玩笑，列文斯基则一直关注着我。斯蒂法有点醉，坐在床上抱着宝贝蛋唱歌。在这片令人回味的友情之中升腾着一种快乐——我很喜欢斯蒂法，宝贝蛋是那么迷人，列文斯基很友善，我深深地爱着费尔南多。他试图灌醉我，再等一会儿……我们在圣叙尔皮斯与宝贝蛋道别。我和费尔南多，在这个清新、寒冷又美好的夜晚，我们去了蒙帕纳斯买东西。我们没心没肺地高歌、欢笑，只要这一刻的快乐。在斯特力克斯酒吧，我望着面前的这杯青柠檬水，嗅着费尔南多送给我的紫罗兰，向米歇尔致意。费尔南多坐在一张桌子边，列文斯基坐在我身边的高脚凳上。斯蒂法扮成酒吧侍者，在米歇尔身边敲碎冰块，她用乌克兰语唱歌，高喊着："我醉了，快来喝吧，in vino veritas①，让生活变得更温柔。"她要去帮每张桌子上的客人下单，给在场的人送画，招呼德国人和各个国家的人，她还把紫罗兰送给了两位年轻女人，她们有点猝不及防……里凯的一位朋友来了，里凯也来了——一些责备声——

---

① 拉丁文，酒后吐真言。

他们与这里的氛围格格不入，于是我们试着迎合他们：大家聊起了戏剧、电影、文学（拉福格、兰波、苏波）。有个女人在楼梯上让别人吻她，斯蒂法皱了皱眉头，里凯声称他赞同这样的做法，并向我介绍了一种关于电影的情感价值的理论：哦！我的天啊！……可为什么需要女人呢，为什么会出现情感欺骗呢，可以为欺骗找到任何其他借口，唯独不可能是真正的感情。他把自己二十岁时明确的渴望当成了一种灵魂的空虚……也不要让我相信，把这个女人大衣上掉下的羽毛捡起来，这便是爱情。我无比地渴望纯洁，渴望清醒的纯洁。

我们回来的时候很开心，谈起了未来要完成的作品——我和费尔南多手挽着手走在拉斯帕耶大道上，我们每到一个地铁站就会脱帽致意，他站在左边，我站在右边。

回到家，已经很疲倦了，不可避免的 "amari aliquid" [1] 并没有让我感到过分沉重。哦！雅克吗？？？

十一月二十八日星期三

罗宾的课很乏味，是关于怀疑主义的，之后我见到冈迪拉克，我一直陪他走到圣米歇尔广场。这是他对我表达尊重的方式，让我感觉在这份尊重中带着一种毫无保留，对他说来是如此珍贵，几乎让我感动得想落泪。我们谈起了婚姻：圣亚历克西斯的生活，《大个子莫林》对他来说并不是巅峰，却是他热爱的生活。我跟他说："没有固定的规则……"我们又聊了一会儿哲学以及自我振作、自我转移的必要性。他对我说："您说的对，但一个人必须足够坚强才能承

---

[1] 拉丁文，苦涩滋味。参见《圣经·旧约·箴言》14:13："人在喜笑中，心也忧愁，快乐至极，就生愁苦。"

受这些转变。"所以必须非常坚强！哦！想要理解一切，接受一切而同时又保留得到更多东西的权利，这是一件多么辛苦的事。我可以接受一切，但为了得到幸福，我必须抓住那种深深的归属感，那种无需努力就能得到满足的心灵的充实感……所有这一切都让我感到难过，我想到雅克会让我难过，里凯让我痛苦，包括他和他所代表的一切——并不是只有在各个图书馆里，才有这样一种可鄙的行为……工作令人上瘾，酒精也一样。冈迪拉克对我来说就像一个确定无疑的存在，他能保护我远离一切，但我再也无法触及，暂时，他就是我能感觉到的自己面前最为坚强的一切。我渴望对他坦白，这是一种怯懦的渴望，因为他会以规则之名来回应我，而我又不承认存在规则。（我希望爱他，我瞧不起我自己，我想把这些都告诉他——我不爱他，我并没有瞧不起自己，他不是对我的赦免），雅克也不是对我的赦免，雅克能做到一切，也只有雅克，要求我吧……我是孤单的。

在我的生命中不可能存在伙伴情谊，与他们在一起的每一刻对我来说都是如此沉重的负担，犹如一直被要求去辩解。我渴望道德，渴望价值。渴望写作。我的书已经初具雏形。我删去了许多章节。第一部分没有很大改动，第二部分主要写在蒙帕纳斯的酒吧里发生的故事：正是在那里，两个人面对面，都很痛苦，而女主人公在试着遗忘。我想表达的是他人生活的需求、地位的变化、冒险的喜好——生活中的孤独——以及他身上极度的骄傲，一种毁灭的疯狂。两个人的内心都是纯洁的，有着一种我们甚至不愿提及的崇高。我想在风格和细节上多一些想象，但在内容上同样要严肃认真。这将会是一本好书。

我又重拾了一些信心。但我渴望有个人可以让我依靠……没有人，只有我自己。哦！我的人生有一种悲惨却又香甜的味道……

从美丽城回来之后，我又在丛林酒吧逗留了一小会儿，酒吧很漂亮但过于时髦——男人、女人，有些是认识的——有时会陷入灵魂的幻象中——见到了里凯——突然觉得有些讨厌。美好的夜晚。

十一月二十九日星期四

在高师上课。和冈迪拉克一起回来，我们聊到了婚姻、高师学生对他文章的批判，谈到了尼赞和他的妻子，他们写文章来要求获得爱情的权利，还谈了斯多葛派的理想。我希望有朝一日能和冈迪拉克聊天，告诉他……许多的事情。他会明白吗？今天下午还有课，我见到了若泽和梅洛-庞蒂。我很遗憾在高师的课和教育学讲座的间隙没有碰到他，我趁着这间隙读了里尔克的几页文字，他深深地打动了我的心。我在盖伊-吕萨克街上待了几分钟，沐浴在这阳光下，有点迷茫，又突然清醒过来。我去了斯蒂法家，她和迷人的费尔南多在一起。我努力地融入他们的世界，这个与我自己的世界如此不同但又值得尊重的世界。我们一起讨论了《大个子莫林》，他对作品的看法很有见地，但他并未真正地去感受这部作品。他奇怪地看着我，让我解释我的世界观，于是我做了解释。而我越解释，我越觉得有必要写一本书，其中诗意的意象或许能够触及那些语言所不能够诉说的东西。列文斯基进来了，我感觉完全像在自己家一样，他们已经成了我亲密的朋友！我们一起谈论里尔克，谈论诗与艺术之间的差异，与魔鬼的斗争……他们与我有着天差地别，却又与我如此亲近。

今天晚上我会给你写信吗？也许我会，我相信一定是一封长长的信，怀着满满的信任。但有什么东西，我不知道是不是某种怀疑或者对孤独几近绝望的偏好，又或者是害怕说得过多。我知道也许我应该保持沉默……

十一月三十日星期五

我在国图从早到晚坐了一天。我认真工作，和斯蒂法一起吃了午饭，晚上去了理发店，看到了冈迪拉克。我想念雅克，想念雅克。我去了斯蒂法家，在那里见到了费尔南多和列文斯基。

十二月一日星期六

继续工作，甚至连午饭都没吃。我去了玛丽-路易丝家，她没什么话跟我说，我也没什么跟她说的。晚上读了《新法兰西杂志》，兴致缺缺，还读了史蒂文森的一些短篇小说。我终于开始写这封永远不会寄出的信……或许还是会寄出吧。

十二月二日星期日

早上很晚醒来，内心还是很震惊，为了那个我曾为他付出所有的夜晚。我去香榭丽舍大街剧院买票，走着回来，因为我没有钱。下午我回家取一本书，和从前一样，看着眼前忽上忽下的火苗，我写下了一切。这里只剩下在墙壁上跳动的影子和我裙子折射出的红光。我告诉你一些事情，一些事情……我本想给你写信，可一切几乎都停在了我的嗓子眼——这份爱，雅克，这份爱——为什么如此沉重？为什么每次想到你，我都会如此不安，而且总是无法想到任何丑陋的地方，我完全献出我自己来呼唤你，用这些与你颇为相似的表达伤心的动作来呼唤你，比如把头靠在扶手椅的皮质椅背上。我的港湾，我的表兄，我重要的朋友，我的生命。

晚上去了剧院。斯蒂法戴了一顶灰色的帽子，穿着一身镶了灰色皮毛的海军蓝大衣，上面还别了一朵蓝色的花，她比以往任何时候都更令人过目难忘。她很伤心，费尔南多也是。我拉着她的手，我感觉得出她微微颤抖，而她默默地将那张满是泪水的脸别转去。冈蒂永的《出发》①这部剧很糟糕——肤浅，粗俗，缺乏条理。玛格丽特·雅穆瓦让我有点厌烦，巴蒂作为导演非常棒，特别是对船的安排。我们走在香榭丽舍大街上，我喜欢他们的这份勇敢，努力不让自己放声大哭。

十二月三日星期一

拉波特的课②乏味至极！若泽让我陪着她。外面下雨了，我想去工作，我摆了点架子。在梅迪奇广场，当我准备上公交车的时候，她用一种奇怪的声音对我说："那我就星期四再跟您说吧，我本来想跟您说点事。"我突然一激灵："赶紧说，若泽……"她把我拉到湿答答的卢森堡公园，那里没有人。她很瘦、很小，戴着一顶有点破旧的帽子，上面有着颠倒的花萼图案，大衣也显小了。她一边笑着，一边轻轻转过了头："不要告诉其他人，太可笑了……"然后突然说："听着，我想要跟梅洛-庞蒂结婚。"我坐在铁丝上，看着她，惊愕得说不出话来……我原本还以为她觉得他有点冷淡、有点故作高傲？"我是想说我很喜欢他，我从来没有这么喜欢过一个

① 由加斯东·巴蒂搬上舞台，他是卡特尔四人联盟的成员，从蒙帕纳斯剧院转战到香榭丽舍大街剧院。——原注
② 拉波特教授负责讲授休谟。——原注

人。"她那么勇敢，毫不扭捏，那么坦诚简单，并无期待。我如此尴尬，跟她解释说还有另一个人[1]也同样爱着梅洛-庞蒂。"我已经猜到一点了。"她只回答了这一句。我现在才意识到，我们嘻嘻哈哈笑着说出口的这些话是多么严重。我们在下着雨的露台上走了一个小时，她聊着他，用词简单精准，诉说着一份简单、伟大又毫不夸张的爱情。她谈到了一般意义上的爱情，她不曾以为自己也可以尝到这种世界的新味道，她也无法放弃去感受这一味道……她感觉自己的内心开始发生一些变化。"我会经历所有这一切……"她对我说这句话的时候，语气是那么真诚，简单又深刻，心甘情愿地忍受痛苦，这也是我喜欢她的地方。她告诉我说她一直觉得梅洛-庞蒂很迷人，特别是这学期开学之后。我陷入了如此巨大的痛苦中。"我该怎么办？……"我呢喃着。"您就当我什么都没跟您说过……""您也是，若泽，应该公平竞争，他应该了解您，了解您对他的感觉，他也应该了解另一个人，他要做选择……"她摇了摇头，并没有出言反驳。只是走到门口的时候，我却无法跟她道别："我知道说这样的话是懦弱的表现，但我怎么想就会怎么做……"啊！我的小若泽！是我错了！为什么要接这通电话，围着茶桌谈论阿默兰？而这颗深沉、神秘的心，默默地献出自己，忠贞不贰——用寥寥数语就激起这样的后果，我太不谨慎，太不谨慎了，我以为能够掌控自己和其他人。生活中总会出现意想不到的阻力，而这件事没有解决的出路。我很难过……可他什么都不知道，一无所知。怎么办？

　　我去找了斯蒂法，她用自己所有的智慧听我说话，她告诉我宝贝蛋比梅洛-庞蒂更出色、更快乐、更出众、更具诗人气质，她说的

---

[1] 她的妹妹宝贝蛋。——原注

很对，但又怎么样呢，她爱他呀，同时她也让我留意到梅洛-庞蒂有多不喜欢若泽，因为有一天，当我们说起若泽多么伤心、多么难过、多么孤独的时候，他打断了我们的话，显得毫无兴致……确实如此，宝贝蛋更耀眼、更有朝气、更有活力。

我本想在国图工作，但完全做不到，我去宝贝蛋的学校接她。透过窗户，我看见她在弹钢琴在跳舞，耀眼夺目，与我如此贴近。我走了进去，她激动地朝我跑来。她穿戴得体，那么粉嫩、那么漂亮，一副胜利者的姿态。我们在拉丁区、在蒙帕纳斯散步。我跟她讲了一切，她为若泽感到难过，她是那么喜欢她，但又能怎么样呢？她也渴望被爱，她也渴望得到幸福，这种自私又有什么不能理解的呢？但正是这种自私让我有点心痛，当我想到您，若泽，您会微笑着握握手，放弃一切，毫无怨言。

我是如此心慌意乱。我希望莎莎在这里，这样我就可以和她商量，我希望雅克在这里，这样我就能忘了这一切。我想把一切都告诉梅洛-庞蒂，我又什么都不想告诉他。我想倘若我不是明天要跟他见面，我会给他写一封长信。明天，我要去见他，我必须告诉他，跟他谈一谈。我想写信给若泽，我总想做点什么。我不希望生活中开始出现一些与自己意愿相悖的东西。不要把这件事看得太严重吗？不把别人的伤痛看得很严重，这总是容易的。我无法再工作，我考试要通不过了——我无所谓，我无所谓，这毕竟不是小说。

十二月四日星期二

上午我在这里研读柏拉图。十一点的课。我在卢森堡公园吃了午饭，我在那里冒着严寒工作，一半是因为我必须这么做，一半是因为有别人在会让我有压力。上布兰斯维克的课，我打了个盹。下课的时候，在院子里见到了梅洛-庞蒂、冈迪拉克、劳特曼，外面还下着雨。我飞快地抓住了梅洛-庞蒂（我来这里是为了别的事还是为了见他？），我们一起走到了圣米歇尔大道上，然后又沿着苏弗洛街走到先贤祠。我看着他。我明白……我明白得如此彻底！我们聊了几句冈迪拉克之后，他开始说起婚姻，他自己就是联姻的结晶，我们谈论了这些结合的可能性，我不喜欢这样的结合，但他觉得这样的结合很好。他说："我们结了婚之后，会变得很有趣，在法国的每一个角落，都会看到一些和蔼可亲的人……而当我们老了的时候，不过确实不应该跟您说这些……"我有了一些勇气（我们站在先贤祠咖啡馆门前）。"是的，我经常会想到您的婚姻，我也在想您的妻子会是怎样的一个人。""啊！要是您能告诉我就好了，可您不会占卜。我甚至在想我该怎么办，如果我一直找不到特别适合我的年轻女孩，我该如何选择一个人结婚。""您可以问问我。""您研究过婚姻吗？""哦！我不会把这个当作职业，不过……要是机缘巧合呢……"——短暂的沉默……而后他亲切地问起我关于雅克的消息，我匆匆忙忙地跟他说了几句——他感觉到了这些我真正想说的话（我们走了法律学院的门前）——"……我很烦恼，我想跟您说点事……很难开口……我完全不知道我说了之后您会怎么想，您会有什么样的反应……不了，我还是给您写信吧，这样会更简单一些。"——沉默——"您曾经想过一个人会在另一个人的生活中占有怎样重要的位置，并深信不疑吗？""我想过，但只是停留在理论上。""那好吧！那我就把这个值得思考的问题留给您，一直到您收到我给您写的信……""我太惊讶了。""这没什么可惊讶的……"沉默。"说点别的事吧。您的毕业论文写得怎么样？"现在我们绕着广场走，一直走到他的母校高师，我对我们之间的谈话完全心不在焉，我看着他在门卫从玻璃窗里递给他的几张纸上潦草地签下了名字，他衣着简朴，但那么优雅，这领带，这帽子，这大衣，那么乖巧却别具一格，完全与他本人如出一辙，还有这明亮灿烂的脸，闪耀着智慧、纯洁、善意的光芒，这全身心帮助别人又不会迷失自我的微笑，所有的一切……我们肩并肩地走着，回到索邦大学，他在科学阶梯教室的门口与我道别，并答应我说我们很快会再见面。我越爱他，便越能理解为什么别人会爱他，而我也越痛苦。在维克多·库辛图书馆待了一个小时。

幸好，斯蒂法晚上来了，她在楼道里唱歌，我们一起下楼去了老鸽子棚，我紧紧地抱着她。我从未表露出这样一种最动人的柔情，我喜欢她的笑容，犹如吹过大草原在白杨树间停留的风，我喜欢她温暖的手靠在我的手边，犹如我喜欢那些没有归属又灵巧的小猫，总会颇为怜爱地把它们抱在怀里。我喜欢她跟我讲的那些故事，犹如季洛杜的小说。她表兄的故事，她表兄的朋友躺在医院里为自己同她分手而恳求她的原谅……我喜欢这样的夜晚，机器控制的木偶演出了普希金笔下的故事，麦克斯·林代对《三个火枪手》的模仿有时格外滑稽，一部关于"自然与生活"的影片则展示了一些梦幻般的画面。

梅洛-庞蒂，必须给您写信吗？莫里斯，我重要的朋友，那么亲密，那么亲密，我几乎是流着泪写的。

十二月五日星期三

先去了索邦，又去了国家图书馆，我见到了斯蒂法，但她很快离开了。工作与困惑，工作与柔情。令人回味的夜晚。我和宝贝蛋、斯蒂法一起去了美丽城。我们在地铁站台上玩耍，一起跳上跳下，我们那么年轻、那么充满活力，简直是赏心悦目。我们在一幢空荡荡、冷飕飕的房子里聊天、高歌、欢笑，台上还有一架破钢琴为我们伴奏。斯蒂法唱着歌，她还是那么优雅。斯蒂法……其他人听她唱歌，很高兴。几个童子军在门后发出声响，他们饱含激情地唱起自己的颂歌。我们和热尔梅娜·莫诺一起喝了茶——友好、欢乐的聚会。巴黎迷人的夜晚，我们步行穿过肖蒙山丘公园，路上还有斑驳的雨水痕迹。出乎意料地发现路上还亮着灯，马路上亮晶晶的，犹如丝织品般泛着光——我们手挽着手，高唱着"让娜特的心""正因此我们离开了他"……斯蒂法说起了她的童年。快乐就像酒精一样上头。我们走到了林荫道上，喝了一杯可口的咖啡。"女士们，是要什么都不加的还是加点东西的？"这是一家巴西咖啡馆，里面的灯光很舒服，我们就像被关进笼子里的野兽，望着人行道上自由往来的人们。我们口中溢满了每一个夜晚的味道，我们沿着林荫道一直走到圣但尼，看着那些在咖啡馆露天座上等待着的化浓妆的女人们，感觉似乎今晚，就这么走在路上，一切可能都会实现。

十二月六日星期四

高师。冈迪拉克上了一次非常精彩的讲解课。我见到梅洛-庞蒂，他约我第二天再见。下午我去了索邦。又回了高师，我从索邦走到高师的一路上，冈迪拉克跟我谈论了医学、哲学等等，好似这一切真的让他感兴趣，若泽在一边有点尴尬，一句话也没说。去听教育学①的讲座，签完到之后，我匆匆忙忙地跟若泽告别，去坐公

---

① 参加教师资格考试前必须去听教育学讲座。听完讲座后还要参加一次"教育学实习"。——原注

交车。她也走了，她一个人、弓着背，走了。我回来的时候见到了德·拉维纳尔、马吕特、瓦内蒂——她们跟我谈起自己的学习、艺术、文学等等。她们对我很感兴趣，但我对她们兴趣寥寥。

晚上，我读《让·埃尔默利纳的忧心生活》[1]。每读一页，雅克的脸就出现在我面前。哦！这样的呼唤，哦！这样的渴望。还有很多时日，七个月是那么长，太长了。

十二月七日星期五

我在国家图书馆，见到了斯蒂法。三点钟，我赶往索邦大学，在公交车上匆匆忙忙地吞了两口面包，路过寒冷的卢森堡公园时，我看到了米盖尔，他还是那么迷人，我跟他约好第二天再见。接着梅洛-庞蒂到了。我们漫无目的地在卢森堡公园散步，他跟我谈论起《爱人》、里维埃、傅尼耶、纪德。我们坐在冷飕飕的长凳上，翻看着《文学消息》：里面有尼赞和一个叫做布斯卡的法律系学生的回应，他看起来人还不错。还有几句巴雷斯的话，看到这几句话我感到无比痛苦，因为它们是我们所钟爱的，雅克。我们在皮卡德书店闲逛，然后回了高师。我去听了一场鲁斯唐的教育学讲座，他讲到教师的职责，令我想起了那些寄宿学校的学生，想起了那些坐在教室里，在课桌前打哈欠的学生，他们会学着去承受痛苦，去崇拜，去爱……和秘书的见面太奇怪了，他替我在签到表上签了名。夏洛特[2]晚上来吃晚饭，她让我很难过，因为看到她，太多的回忆向我涌来。我去看了道格拉斯·范朋克的《高乔人》，很一般。我

---

[1] 雅克·德·拉克戴尔的小说，于 1920 年出版。——原注
[2] 西蒙娜的表妹。——原注

108

只有一个愿望，就是你在我身边，我的手能够搭在你的肩头，进入你的生活——我渴望你，雅克，哦！雅克。我终于把我的信寄走了……

十二月八日星期六

我认真研读康德，从上午九点到傍晚六点头都不曾抬一下。我去了斯蒂法家，她和费尔南多在一起，两个人都很伤心。我在她家百无聊赖地待了一个小时，去吃了晚饭，在电影院门口等夏洛特，其实我们本不应该来的，然后我飞奔去索邦街，我在那里碰到了米盖尔，他冒着严寒等我。雷蒙·邓肯①说过"存在的不安"，我想到了一个夜晚，那时你在我身边……一位女士在做笔记，我开始发言，我们在听众的一片笑声中争论起来。我们一起走到了蒙帕纳斯，斯特力克斯酒吧里挤满了人。里凯、卡拉和他的侄子正在最里头的一张桌子上和让·德布里打扑克，奥尔加坐在德布里身边，穿着一条好看的红白相间的裙子，带点灰色的大衣，留着金色的齐耳短发，鬈鬈的，真漂亮，脸上画着精致的妆，无比地吸引我。我们和米盖尔聊天。斯蒂法和列文斯基到了，斯蒂法和一些胖乎乎的瑞典人吵了起来，尤其是一个对她口出恶言的庸俗女人。我们谈论起生活中那些现实事物所带来的"阻力"，大家一致认为没有什么比自我更强大，必须义无反顾地生活下去，激情或者会消退，或者会带人走向疯狂或厌倦。我没有参与讨论。我知道在我心里有些东西比自我更强大，而这一点在座的所有人是无法明白的，我和他们所有人都不同。米盖尔送了我一束紫罗兰，替我们都结了账，跟我们

---

① 舞蹈家伊莎多拉·邓肯的哥哥雷蒙·邓肯（Raymond Duncan, 1874—1966）。——原注

道别，让我们有点不好意思。里凯来打招呼，完全把我们当成知识分子小姑娘，取笑我们。他和列文斯基谈了很长时间的《福尔蓬奈或狐狸》[1]，而斯蒂法则把卡拉当成了梅菲斯托。我们谈论《出发》，大家都觉得这本书很无趣。里凯开始抱怨世界单调乏味。但那些能给一切带来好的趣味，那些让人难以抗拒的东西，只是因为大家自以为了解，而实际上根本从未了解过它。比如像我的爱情，雅克……

我和斯蒂法沿着卢森堡公园的栅栏往回走，我们都没有说话，耳边依然回荡着这些夜晚的声响……幸好爸爸还没有回家……我躺在床上，我想……所以这就是你的生活，让·德布里，奥尔加，里凯……他们没那么让我害怕，并不是总是那么吸引人到把其他人或事都放在一边。已经成了一种习惯。然而，我把你想象成他们中的一员，而不是跟我一样的人。我是孤零零的一个人。我半睡半醒的时候，睁开眼睛，看到宝贝蛋从舞会回来，穿着粉色的长裙，一脸喜悦。

十二月九日星期日

我很晚才睡着。醒来读到莎莎的一封信，她向世界打开了自己，我为她感到高兴。我穿过严冬中的卢森堡公园，第一次看到草坪上覆着一层白白的霜，我要去若泽家，迷人的若泽。夏洛特来吃午饭，我对她的感情很复杂，有喜欢、有怀疑，也有伤感。我们一起去找若泽，之后我们三个人一起去了博斯凯大街，我们告别了夏洛特，然后坐四十三路公交车去讷伊，我们进了一家空

---

[1] 《福尔蓬奈或狐狸》是本·琼森于 1605 年创作的喜剧，由于勒·罗曼和斯蒂芬·茨威格改编，夏尔·杜兰于 1928 年执导。——原注

无一人的奶制品店，吃了点点心。我们聊着天，走着去星形广场，在那里我们又坐上四十三路公交车到蒙帕纳斯。在罗同德咖啡馆，我们要了一杯红葡萄酒，一直聊到深夜，酒吧打烊。我们聊着……哦！这些时光多么令人难忘。跳舞厅的爵士乐曲一直传到放在桌上的酒杯里，一直传到窗边，格子窗帘屏蔽了酒吧外拉斯帕耶大道上的另一个世界。我们彼此感觉是那么合拍，难以名状的合拍，在这些过于沉重的时刻，我们却一样心里满怀喜悦。她跟我说话的时候，嗓音清澈，深思熟虑，慢慢地寻找着每一个最贴切的词。我感受到了完全不一样的她，她的孤独，因为不相信所谓的"我胜利的想象"而带来的伤感，她对别人的依赖，我对他们无条件的付出，我带给他们的超越他们承受能力的力量——虽然我们对彼此的感情是不同的，甚至是相反的，但它们同样真诚，同样强大，甚至比我们自身更强大，也让我们能够对彼此敞开心扉。我跟她谈起了我自己，谈起了雅克，那个一直在我身边的雅克，坐在每一张桌子边，站在吧台前的雅克……她跟我谈起了梅洛-庞蒂，她说当一个人如此强烈地进入你心里的时候，那么这世上便再没有其他了……而且因为他将收到的东西无法言表，似乎一切都可以被一切表达，一切都将、都可能被拯救。有时对于这份温情的渴望是如此简单：两只手捧着他的脸，什么也不说，什么也不说……她对自我的分析那么清醒、那么真诚、那么动人，我因此感觉到世界的每一秒对她而言都有着不同的味道。有一些东西比死亡对人的冲击更大。想要的永远只有不可能之物，而我们又那么确信无法实现，永远，这样的空虚，这样的孤寂……她将出发去西贡——她在受苦。她如同一只在温柔之海上被捕获的小鸟，她甚至都不试着去挣扎，等待着最坏的结果降临。她太好了。她还跟我谈起了人类，她的道德要求。她说的这句话令人赞叹："那么迅速地去指责，只为了尽快去到原谅的边缘"，难道不就是如此，我才会对雅克产生怀疑，即便那时我都已经接受……被置于原谅的边缘，忍受着如此巨大的痛苦。我们的爱就在这里，在我们的眼前，每一秒钟都获得了永恒的价值。

蒙帕纳斯大道，看着窗帘里透出的那一丝粉色的微光，我很难过——曾经属于我的那个人，这个属于我们的领地，这些只有我们才能使之变成现实的瞬间。

我们和瓦朗蒂讷姨妈在鲁特西亚餐厅吃了晚饭，可嗓子口发紧，一口都咽不下去。音乐。冒着严寒回家。我在马塞尔·茹昂多的《乳白石》①中读到了几句话，表达准确，令人感动。

还有七个月……

十二月十日星期一

拉波特的课还挺有意思。我在国图跟冈迪拉克说了几句话，他告诉我说他并不认为自己有文学天赋，因为他不具备感知特殊的能力。但对我来说，即使这样也不能阻止我……梅洛-庞蒂也在，他的存在是那么沉重，沉重……晚上我给他写了一封信，他会怎么做呢？我在"那栋房子"前经过，一切都死气沉沉的，日耳曼娜姨妈可能也走了。我去了斯蒂法家，她让我重新读了《大偏离》②，她开始喜欢上这本书。

---

① 于 1928 年出版。——原注
② 科克托的作品，于 1923 年出版。——原注

十二月十一日星期二

今天上午我写完了这封信，去索邦上完课之后，我走进邮局对面的一家咖啡馆。我用一种看起来绝望的动作把信投进了邮箱——我感觉松了一口气，轻松了不少——他人这么好。整整一天，我面前放着康德，但心里想的全是他，想的是可能的未来，想到了一切。我多么热爱生活，这些动人的相遇，若我们无法再次经历，便再也不会激发出任何思想。

我读完了《乳白石》，我更喜欢的是开头，而不是结尾。但这部作品中也有关于友谊和宇宙的描述，我在书页的角落做了一些批注，深刻，迅速，精确，甚至让我发出一种快乐的呻吟。

十二月十二日星期三

国家图书馆。斯蒂法来，纯粹是为了找我一起吃午饭。晚上回到家，我读了一些马克·奥兰的作品，不是很有趣，我挨着壁炉工作。我想到了您，莫里斯，我重要的朋友，我收到了您的气压传送信，却只字不提我给您的信，只是约我星期六晚上见面。我因为给您写了这封信而觉得格外轻松，我想念您，莫里斯，眼睛盯着那些火焰，思忖着那么多的柔情为什么不能成为唯一的柔情，而您永远不会知道我对您的柔情是那么的汹涌——或许与那些爱您的女孩一样汹涌，只是她们可能因您不接受她们的一切而痛苦，而我根本不需要您接受。我的胜利在于超越了您以为能在我心中发现的一切……您就在那里，我拉着您的手，您站着，对我露出如此优雅的微笑，在您的微笑中我读出了尊重和爱意，而我只是说：您来了，您来了……哦！这份友谊让我那么快乐，而有时我觉得您太过于……或者说不够……这样或那样，但真实的感情远比任何一种冷漠或者坏脾气更强烈，而无论冷漠或坏心情都不重要。而您，您多么重要……我想星期三带您去骑师酒吧，然后向您解释。我们会一起谈论雅克，谈论我，或许也谈论您。哦！手足般的柔情，牢固又平和，来自我重要的朋友……

我给蓬特雷莫利留了言。

十二月十三日星期四

生活太美好了，我的双眼满含泪水。清晨掩映在浓雾中的高师代表着一种令人回味的记忆，亲爱的莫里斯，去年我们正是在这里相遇。课程没那么无聊，它原本可能是无聊的，但您坐在我身边，跟我说布兰斯维克是如何蛮横无理。

克纳姆是一个梦幻的地方，这里的香肠和俄罗斯肋排尤被称道。斯蒂法坐在我对面，告诉我她的商业计划，昨天她的罗马尼亚朋友跟她道别，这个罗马尼亚朋友在高师就坐在我对面，他老是看着我，因为我跟斯蒂法有点关系。他跟她告别，他有点过于喜欢她了——我们周围烟雾缭绕，还有一群正在打牌的年轻人，我们握紧了双手：生活。我一直聊到两点钟，完全放任自己沉醉于这样一种轻易便被接受的氛围中。在布雷耶的课上，我跟冈迪拉克简单聊了几句。若泽带我去卢森堡公园散步，她给我背了克洛岱尔的名篇：维奥莱纳和雅克，庞塞和奥里安[①]，法国和圣路易，这些段落我也曾多次诵读，热泪盈眶。她是一个那么容易被人俘获的小女孩，一个会付出爱的好孩子，会因为发现自己的内心而惊叹，但会有人回

---

① 分别是《给马利亚报信》和《受辱的父亲》中的人物。——原注

应她吗?

　　布兰斯维克的课。我要去教育学博物馆签到,我见到他,他和以往一样友善、迷人。我们看到了福科内[1]的脑袋,旁边还有其他几位名人(奥蒂贝尔、勒泰利耶),我们一直待到负责管我们的高师主任决定开溜,于是我们也溜了。萨万的表情真好玩,西蒙娜·韦伊在门口的表情很奇怪。我陪梅洛-庞蒂一直走到高师,然后上了公共汽车。我在这里看到了莫尼娜和宝贝蛋,她们画了许多漂亮的画。我收到来白美丽城的信(行动委员会的会议纪要),索邦大学的通知,告知我已经收到我的毕业论文,米盖尔的信,里面还附了一张"阻力表格",每一条都写得很棒,今晚我一起带过去。看到这些友善的话,字里行间闪耀的智慧,我感到无比快乐,我不禁绕着整间屋子跳起舞来,还吃光了糖果和蛋糕。我很快乐,很快乐……生活将会变得如此美好,哦! 雅克,你等着看吧。这些天我做了许多令人惊叹的计划,我们会有许多亲切的聚会,交许多好的朋友,我们会一起分享感情,又会把这份感情完好无损地留存在心里,分享各种事、各种人,还有我们自己。你等着看吧,你等着看吧,你得赶紧回来。

　　斯特力克斯酒吧。我和宝贝蛋一起去找若泽,我们三个人是最早到的,后来米盖尔、斯蒂法和列文斯基也到了。宝贝蛋非常兴奋,让人觉得很有趣。我们一起跟米盖尔开玩笑,斯蒂法送了他一些花,我们对面是一个德国大胖子,和卡拉坐在一起。还有一个小个子的中国女人,她双脚畸形,默默地微笑着,一边玩着军刀,一边在寻找什么。里凯没有跟我们打招呼,他是和奥尔加一起来的,我觉得这女孩没我想象的那么优雅,那么有教养。她的神情过于冷

---

① 保尔·福科内 (Paul Fauconnet, 1874—1938), 法国社会学家。1921 年任巴黎大学教授。

漠，毫无魅力——还有让·德布里。斯蒂法给米盖尔算命，他很高兴，而列文斯基则像老梨树一样，不时说上一句充满智慧的格言。我们都是有思想的人，这是肯定的，所以我们一边喝着鸡尾酒一边你一言我一语地打起嘴仗来，可为什么大家都在谈论一个阿尔及利亚的下士，奥尔加刚刚收到他寄的一张卡片。为什么他会给她写卡片？为什么他不在这里，为什么他从来不在这里，为什么我在这里？圆顶咖啡馆像是一艘在大海中沉没的船。玻璃窗上，玻璃杯中倒影的人笑得很滑稽。太热了，很少有人对我们的开心做出回应。玻璃碎了，一杯"边车"洒在空的花生壳上，冰镇水果在大家手中传递，我尝着两杯美味的"亚历山大"。这个"不正常人俱乐部"引起了反感。我们让一个斯蒂法认识的德国人目瞪口呆，他看起来很聪明却不太讨人喜欢，我们用有关"阻力"的问题把他问得哑口无言。一个年轻人给我们写信，还一直对我们露出友善的微笑。回家的时候很开心，不过……

十二月十四日星期五

无法工作，无法工作，伤心，哦！这么无边无际的伤心……为什么是他们而不是我？雅克——曾经那么真实，是他们的还是我的？我不敢相信你，我再也不敢了，我很难过。在宽敞的林荫道上，我体会到了同样的绝望，因为孤独、因为曾经让我如此害怕的怀疑而慌乱不安，我离开了国家图书馆，冒着严寒糊里糊涂地走到了这家电影院，我受了刺激，放声痛哭。百无聊赖地回家，度过了一个毫无快乐可言的夜晚。

十二月十五日星期六

在国图好好工作。晚上我去了弗莱塞①家找乐子，梅洛-庞蒂来接我，一起去拉丁电影院。妈妈很年轻，爸爸很开心，有段时间，我们一起坐在客厅，说说笑笑，很欢乐。我们一起去了苏弗洛街。我提出带他去骑师酒吧。他其实无所谓去不去，但为了让我高兴他还是去了。我跟他聊起了雅克，和往常一样我说得很凌乱。但我给他读了一封信，我想这样他会更明白一些。他说看到我在这样的地方不觉得震惊，但他不喜欢。是我喜欢吗？他不知道是怎样的妥协让人们在这种地方虚度光阴。他颇有智慧地引用了巴雷斯的话……我听到过其中有几句，我也曾对雅克说过，已经是两年前的事了。那时我说的对吗？或者说那时我还不知道有这样绝对的绝望、绝对的孤独，甚至连他也不知道？但我说的还是对的。保护好自己往前走并不是一种罪过，但是对于那些深陷其中的人来说，这无疑会让人上瘾，我们无法不去这么做！我很理解比如说像里凯或者其他人，但我自己还有别的事可做。我多么容易受影响！不，我并不后悔在那里度过的时光，但不要把那些时光看得太过重要。不要再渴望他所说的这种"疯狂"，我再也没有理由去渴望这样的"狂热"，因为我想要的是"美好的生活"——人们不会保护好自己，这是一种妄想：一旦思想被轻松的聚会所吞噬，好的价值便会丢失，艰苦付出才能获得的快乐便再也没有了。是一些难得的、庄重的快乐，而不是会被沉重的神经紧张骤然打断的欢笑。

我为雅克感到难过，我难过是因为所有这一切恰恰是他所需要的，然而我知道他在所有这些东西当中渗透了一种属于他自己的诗

---

① 德西尔学校的同学。——原注

意，一种真正有价值的诗意，我也知道梅洛-庞蒂错就错在不懂得如何抓住这份诗意。而且，如果你在我身边，我就不会像现在这么迷茫，雅克，一切都会被赋予一种深度，一种真理……

我们出了门，寒冷的夜晚无比美好，星光璀璨，我们沿着蒙帕纳斯大道、拉斯帕耶大道、圣日耳曼大道前行。我们谈起了爱情，谈起了若泽，他也注意到若泽努力地想要靠近他，但这样做反倒让人不舒服。我跟他说起她的时候很激动，已经知道她注定会受伤。他要去换一下科学文凭[①]。他也对我说："您妹妹就不会令我这么不安……"我们谈论友谊，他对我说他认为自己永远无法去爱。当然，当一个人不爱的时候往往会这么说，但如今我也明白了他的平静，明白了为何他不那么需要爱情。对他来说，他的母亲给予他的柔情已经足够了，他无需再从任何一个其他人那里获得。他说了许多关于他朋友的事，关于冈迪拉克，关于加鲁瓦，但当我告诉他一个人的存在会如何让我突然泪流满面，甚至感觉其他任何东西都不再存在的时候，他对我说："这也有点太夸张了……"在您身边，莫里斯，倘若我曾经爱的人是您，我有时也会深受折磨，就因为您刚才说的这句话。我感到，我告诉他我是如何爱别人的，这种方式让他觉得奇怪，我想到任何一句甜言蜜语时，内心都依然坚硬，因为这种内在禀赋是如此彻底又强烈，所以为了不让自己感觉它是一种奴役，不让自己因此受我所爱之人的摆布，我必须确保对方不知道我的这一天性。我不可以那么富有激情、那么无私、那么心怀感恩，也不能因失去这样的确信就迷失自己，我确实是自愿这样做的，我这样做并非出于某种召唤。

[①] 要想参加哲学教师资格考试，必须获得科学合格证书：数学、物理、化学、自然科学或普通生物学证书。西蒙娜·德·波伏瓦已于 1926 年通过了普通数学的考试。——原注

总之，这仍是一个美好的夜晚，让我受到了您的影响，我亲爱的良知，让我又一心一意地尝到了快乐的味道，也冲淡了我的伤心……能维持多久呢？您是多么完美，莫里斯，我多么希望雅克能喜欢您，特别是您能喜欢雅克。您知道吗？他表面钟爱自由，可骨子里却被无数苛求所束缚，而他也会明白，在您进退有度的外表之下是一颗多么自由的灵魂。您有这样的能力去理解，完全地理解其他人，您不需要设身处地去经历他们所经历的，您也不会迷失自我，您有能力毫无痛苦地接受，不会认为是被迫选择了您所接受的东西，您太好太好了，莫里斯，您是知道的。"亲切的微笑"——您说"这个，这也太夸张了吧"，不是的。我想念您的时候没有"狂热"，就如同想念自己最纯洁的一面，就如同想念我生命中的一个要素，若没有它，我将不再是我自己，就如同想念一个永远也不会离开我的人，难道不是吗？他不会离开我，直到永久的分离，每次我见到他，都会觉得他比我前一天所以为的更加珍贵。

十二月十六日星期日

　　我睡得很晚，我不喜欢星期日的早晨，疲倦又伤感。我感觉自己迷失在所有不同的"自我"中，这些自我喜欢不同的事物，我试图将他们都放在同一视野下来获得统一，却无法让雅克理解"愚蠢的"西蒙娜-梅洛-庞蒂，也不能让梅洛-庞蒂理解愚蠢的雅克-西蒙娜，更不能理解单独的两个西蒙娜——这就是西蒙娜最重要的三个面。

　　下午是在若泽家开始的，她坐在她的桌子上，面容瘦削、憔悴，脸上笼罩着一层阴影，而她的笑声是那么迷人，尽管掺杂着人类所有的苦恼，她有时笑得身体后仰，晃动着一头像小男孩似的短发。斯蒂法跟我描述她们一起度过的那个夜晚，那天若泽不停地说起梅洛-庞蒂。当她知道梅洛-庞蒂喜欢费尔南多的一幅画时，她也喜欢上了那幅画，带着一种令人感动的顺从。开始我跟她聊起了莎莎，我给她读了几封信，她很理解。莎莎，您在我们之中，您一直在我心里，亲爱的莎莎——而后我跟她说起了昨晚，我试着让她别抱希望，但也不想说得过多……她倾身向前，有时一副陷入思考的样子。她的嗓音中带着如此多的柔情，她说："我曾经爱着他，我爱这个男孩"，她也跟我聊起了她的姐姐，她很崇拜她。我陪她走到地铁站。"我已经习惯了承受不幸，"她对我说，"有些人天生就如此"……——可怜的、可怜的小东西，一个人迷失在巴黎的街头，一个人迷失在生命中，她所爱的人拒绝了自己，她所关心的只是自己内心的悲伤……

我回到家，斯蒂法来看我。我们说起了莎莎，我想让她对莎莎有更多的了解，我们又聊了蒙帕纳斯，我们以后都不想再去了。为什么会突然不想再去经历前一晚还如此令人震撼的事情？但只是这样而已，那些始终存在的东西还是会被保留……属于我的雅克，倘若你在这里，这一切会变得更加简单……如今，我等待你的来信，我感到害怕（但我知道，比起想着你的来信，不如收到你的来信，而比起收到你的来信，我更希望你在我身边）。

晚上看《福尔蓬奈》，最后几幕堪称完美——美好的夜晚——宝贝蛋穿着绿色的连衣裙，戴着一朵银色的大花，显得格外迷人。她撇下了让，和梅洛-庞蒂聊了很久，妈妈责备了她，但她还是那么高兴，因为他花时间跟她聊天，愿意与她交朋友，而且她多么希望……而我从星期六开始便不抱这样的希望了。世间的一切不会以我的意志为转移。但那个人是那么伟大，那么伟大……

拉库万太太和妈妈谈起了莎莎的事……"我不认识斯蒂法，我只知道阿夫迪科维奇小姐，她是孩子们的家庭教师……"——
砰！——"您想怎么教养西蒙娜都随您……"——砰！——"幸好
莎莎很爱我……"——好吧！亲爱的夫人，说这样的话真可耻，我
讨厌您，我和莎莎站在一起反抗您，尽管莎莎不该这么爱您。莎
莎，您值得更好的！

十二月十七日星期一

"带着一种南方人的热情"，人称笨蛋的埃尔芒在拉波特的课
上高谈阔论，而我开始给莎莎写信，接着我去了国图，工作进展顺
利。斯蒂法来了。在我所有的友谊中，我和斯蒂法的友谊最像人们
所说的爱情，也就是说，我不要求她有任何内在的完美，我不需要
她的尊重，也不需要得到她的理解。此外，我知道她也不看重我最
好的一面，但我喜欢她在我身边，我喜欢她的灰帽子，喜欢她轻轻
挥手，喜欢她的微笑。我希望她开心而不忧伤，我有时渴望拉着她
的手去感受她还活着，或者去亲吻她，我觉得她很精致，但没有任
何道德束缚，没有折磨，没有悔恨或担忧——就像我喜欢湿润的玫
瑰或紫罗兰贴在我的嘴边一样。

十二月二十六日星期三

上午在国家图书馆。我和若泽一起吃午饭，她穿着一身蓝衣，
沉默着，很伤心，很伤心。可怜的若泽。斯蒂法也在，她跟我说了
很多小事，很早就离开了。我在《会饮篇》和《斐多》中读到了一
些好段落，跟冈迪拉克简单聊了几句，关于柏拉图所说的善。来国
图已经成了一种让人珍视的习惯。我和若泽一起坐公交车回去，她

努力地与我搭话。但当公交车穿过我常走的这条路时，我透过窗玻璃，看到了您那张毫无防备的脸，可怜的朋友。我们收到一封信，邀请我们明天去梅洛-庞蒂家。其实我今天上午已经收到了他写给我的信，简单的一句话就让我热泪盈眶："今晚是圣诞节，亲爱的西蒙娜。我很想念您。"我曾经也像今年这样带着那么多新奇、惊喜来爱吗？今年，每一天都充满着温柔的惊叹。晚上去了美丽城，我读了《特里斯丹和绮瑟》，大家都很感动，这真是一件令人惊叹的事。我冒着雨回家，但内心是那么柔软，在地铁里，内心是如此柔软，我仰着头微笑，雅克在对我说话，似乎他真的在我身边。在温暖又孤独的客厅里，内心也是如此柔软，每一寸地毯都成为见证我们伟大友谊的独特瞬间。我走在路上，用手帕蒙住嘴巴，泪眼蒙胧中，我又见到你，啊！那么真实的你，这么简单，这么自信。我的雅克，一直以来我都追随你，我将永远追随你。

宝贝蛋在里雄家，穿着蓝色的裙子，涂着大红的唇膏，引起了大家的反感，她一直试图忘却自己可怜的小心思。我重读了季洛杜的《埃尔贝诺尔》[1]，很精彩。睡了一个好觉。

十二月二十七日星期四

在国家图书馆，我和冈迪拉克聊了几句，他十一点不到就离开了。我和斯蒂法一起吃午饭，照例是三明治，她说起了费尔南多，说起了她前一天看到的那个疯女人，说起了宝贝蛋和梅洛-庞蒂，边说边把她猫爪一样、深情的母老虎一般的手伸到我的胳膊底下——还是一样的斯蒂法。四点钟的时候，我跟她告别，去找

---

[1] 于 1926 年出版。——原注

梅洛-庞蒂。我瞥见他的朋友加鲁瓦一脸狰狞地坐在我身后的桌子旁看书。

等公交车，在苏弗洛街上，心中充满了愉悦，因为我经常和我爱的人一起走在这条街上，因为我找到了记忆中那家著名的面包店，那里有我许多美好的回忆，因为我来到了索邦大学，不是一个人，而是和爱我的人在一起，并在这些地方留下我生命中宝贵的时刻。列维-斯特劳斯已经和一些犹太同学在那里了，我到的时候他们准备离开。梅洛-庞蒂马上就到了。我们讨论，开玩笑，重读罗德里格斯[①]的笔记，他们讲述着大学生活的回忆，说着老师的口头禅，我们想象一些奇奇怪怪的实习，我们还提到了普鲁斯特、阿拉贡、吉卜林，与情感生活相关的，当然不能忘了克洛岱尔、安德烈·布勒东等等。这会很有趣。列维-斯特劳斯自信满满，不再摆架子，以前我是那么不喜欢他。我们聊起了心理学小组一起学习的情景，都已经成了回忆！而且同时拥有年轻女孩的生活和男人的灵魂是一件多么美妙的事，在他们眼里是个男人，但其实是个小女孩，我们冒着雨走在苏弗洛街、圣米歇尔大道上。我们约好去见教授，也就是校长，我陪梅洛-庞蒂去了莫尼埃的"书之友"，然后与他道别——他告诉我，我今晚会见到加鲁瓦。当然，友谊的故事和爱情故事一样美好，我感到无比喜悦，这是我应得的。我回家了，宝贝蛋有点不安，有点烦躁，我们穿戴整齐，精心打扮——我们被父母抓住，因为"年轻女孩独自外出是不合适的"，我们去了电影院。我们乘坐拉斯帕耶—帕西的地铁线，这条地铁线唤起了我们许多童年的回忆。我们相互提醒着，开心极了，有一个亲切的身影出现在我们面前，大衣上别着一朵玫瑰花——粉色在米色大衣上格外显眼，大衣

---

① 这是教师资格考试实习的预备会议。古斯塔夫·罗德里格斯教授是会议的组织者。他曾任人权联盟主席，1940 年德军入侵法国时自杀。——原注

还带着泛光泽的黑色毛领，若是红色大衣配浅色毛领，那这粉色恐怕要逊色不少。我们上楼时，内心无比感动。

第一印象：有点难受。一边是男士：瓦格纳、莫里斯、加鲁瓦，还有主持晚会的梅洛-庞蒂夫人——他们对面是身着普通礼服、面容冷峻的冈迪拉克小姐们和瓦格纳小姐们。莫妮克·梅洛-庞蒂看起来真的很迷人，宝贝蛋是她们中间一个明亮而欢快的音符，但这个聚会并不欢快……宝贝蛋玩得并不开心。晚会结束时，女孩们去了莫里斯的房间，莫里斯来陪她们，然后宝贝蛋和男士们（当然我也在其中）一起回来了，我喜欢她在我身边，冈迪拉克对我们说："波伏瓦小姐们，你们是故意把衣服搭配成三色旗的吗？不过真是好看。"冈迪拉克直到十点钟才到。这样真是太好太好了。我与瓦格纳谈起了格扎维尔·杜穆兰和让·达尼埃卢，和加鲁瓦谈起了拉福格，和其他人聊起了一切。哦！我感觉自己比在场的任何一个女人都更女人、更开心，我感觉自己举止放松，脸上洋溢着青春的光芒。与此同时，在这群男人中间当一个男人，让他们用同样的严肃、同样的直率相待，只略微带些恭敬，一丝格外珍贵的差别，这样说吧，他们惊讶地发现穿着一条丝绸长裙的我与他们竟然如此相似，因而被我深深吸引。在沙龙的时光太美好了，大家谈论蒙泰朗、瓦莱里，更美妙的时刻到来了，大家围着长桌，中间放着一个可口的大蛋糕，而在门边，我们依然意犹未尽地聊起了巴雷斯、匆匆吃饭、被迫工作的机会等等。冈迪拉克对我说："波伏瓦小姐，您一定是尼采的拥趸……而我们喜欢的是巴雷斯和斯宾诺莎。"但从他的声音中我听出了浓浓的善意！他年轻、活跃。他把一个废纸篓扣在头上，看起来像愚比王。他又模仿俄国婚礼上的东正教神甫。当他说起婚礼上的午餐时，大声说道："况且，我今天的心情与任何一个人都无关……"他说我一定会在教师资格考试中拿下第一名——哦！怎么会？

我还记得另一个时刻：站在客厅门口，梅洛-庞蒂和加鲁瓦也在，我们一起谈论速度和舞蹈带来的乐趣。加鲁瓦的评论非常细腻、有见地，带着那出人意料的朴实笑容，那种非常巴雷斯式的谨慎，那种善意，那种……哦！一切都深得我心。我很高兴看到他们放松下来，不像在图书馆里那样严肃，可以谈论一些很轻松的事情：加鲁瓦的套头衫、高师的同学、他们都喜欢的柯莱特。我感觉他们离我更近了，这是我从来不敢想象的，他们离关注实际问题的雅克和雅克的朋友们也更近了。他们身上有了人情味，我无比喜欢他们，我感到我与他们之间涌起了手足一般的情谊，而且在我看来，他们也同样感觉到了。我希望记住这个美好夜晚的一切，尤其是回来的路上。他们在楼梯上嘲笑那些为报考高师参加预备班的女学生，嘲笑西蒙娜·韦伊，加鲁瓦年少时对她恨之入骨。迎接我们的是清朗的月夜，和不愿为我们开门的门房，我们又想起了国图、俱乐部……冈迪拉克开始论述地球是从左往右转动，因此导致城市从东往西发展，河流从东往西流，说得激动时只见他不住地在站台上挥动手帕。做一个开心的人能让他快乐……啊，这最重要！加鲁瓦，达尼埃尔，您和我一起坐地铁，站在我对面，告诉我说"我不喜欢埋头思考的工作"，您跟我谈起对音乐的爱。抽屉里那些等着去读的书……到了拉斯帕耶站，我们道别，我恰好说到了《拱桥前的舞蹈》[①]，以及我们或许将分离的未来，您回答我的话是那么谨慎、庄重又坦诚。夜晚我久久难以入眠。头重得像某一次从骑师酒吧回来。我听着每一次整点的钟声，脑海中浮现着同一张面孔。哦！还是无法入睡……今夜并没有什么不同：就是今夜，就是当

---

① 《青春手记》第三卷中提到的亨利·弗兰克的作品（1912）。——原注

下，而明天将是新的一天，所有的一切都将过去。未来的计划，充满爱意的耳鬓厮磨，梦境，几乎没有一丝痛苦。

十二月二十八日星期五

我爱您，加鲁瓦，我爱您。您的一切，您也许从不会流下的泪水，您在我眼前的微笑，您成熟男人的微笑，却又如此年轻、充满热情。我与巴比尔、梅洛-庞蒂碰面时都不会那么羞涩，我对您是满满的信任，好似认出了一个认识了很久很久的老朋友，一个我心坎上的老朋友。我九点钟到达国家图书馆，尽管前一夜辗转难眠。冈迪拉克向我致意，我的内心油然而生一种伤感，看到这一切不过如此，美好的昨天已经过去。无人从玻璃门进来：既没有那个穿着灰色皮毛的可人儿，一看到她，我便能感觉到手被轻轻拂过、脖子被温柔围拢，心被甜蜜的微笑撩拨，也不见那个我等待多时的身影，整整一夜，我准备了那么多话想对他说。斯蒂法的一位同学坐在我身边，我差点以为他是陌生人，他还带我一起去吃午饭。他认识米盖尔，但他根本没有跟我聊起他。他看起来似乎学识渊博，但其实非常无趣。我还看到了拉波特、巴吕兹……我看到加鲁瓦坐在他常坐的位子上。和平常一样，我内心没有丝毫波澜，但我马上去跟他握手，就仿佛他已经同意从这一秒开始我们将永远成为朋友。似乎只有他的那一声"你好"才是最吸引人的，最吸引人的……我亲爱的斯蒂法已经来了半个小时了，她训斥了几句那位抢了她位子、坐在我旁边的同学……她跟我说话，如此温柔，让我即使在那么多人面前也不想浪费一分一秒去亲吻她，久久地、温柔地亲吻她。她跟我讲述了昨晚发生的事，一个看起来挺友善的匈牙利人坐在对面的桌子上，他和她曾一起去过蒙帕纳斯，匈牙利人过来跟我们搭讪，并说我的微笑"充满了智慧和细腻"。斯蒂法给费尔南多写信，说起了我。她说的是"我的西蒙娜"，她说"我必须告诉您我是如何想您，如何描述您的"，我看到她的眼神里充满柔情，心中感慨万千，她很快地抚摸了一下我的手。列文斯基、费尔南多、德·沙莫尼想念"他们的巴黎朋友"。哦！我的生命！我难以言表的生命！哦！世间的温柔，我将在你灿烂的脸庞上印下一个吻。我落入了温柔的陷阱里，我感觉到身后的加鲁瓦和他的善意。斯蒂法坐在我身边，激动得像是一个坐在心仪之人身边的小女孩，这个法国人，这个觉得我迷人的匈牙利人，费尔南多，还有把我记在心里的列文斯基，我爱我自己，我爱我自己，是因为这一年出乎意料的绽放，因为我露出的这个微笑，昨日在地铁的窗玻璃里看到这样的微笑，我是多么激动，因为我的这身红裙，因为我自在的举止，因为这份我毫无防备的内心所带来的全新的礼物。而我毫无防备的内心再也不会有任何危险，因为雅克存在于所有他无法企及的思想的最深处，存在于所有与他无关的柔情的最深处。

　　白天过去了。斯蒂法想让我五点钟跟她一起出门，但有人在这里，在我身后看书，嘴唇微微突出，让他看起来有些狰狞，也会让人因为见到他而惊喜，第一眼看到他，就会变成无所求的欢迎。所以，我抱着大胆的希望，拒绝了斯蒂法，并答应明天我们俩会一起度过美好的夜晚。我读着布特鲁的书，伺机而动。我的机会来了。我一直在观察，五点三刻，我起身把书放回原处，同时看着身后的人，他还是一动不动。我在那里做笔记，拖拖拉拉了很久，直到他终于坐到了我身边——简单地交流了几句，谈我的工作，明天香榭丽舍大街喜剧院要上演的维特拉克的《维克多》[1]，

---

[1] 《维克多或掌权的孩子》，于 1928 年上演。——原注

谈《贝壳与僧侣》①——他热爱所有的事物，他就是那个我原本会爱上的人。我们走到地铁站，我买了两个一等座，是我付的钱，他也就欣然接受了。他认为冈迪拉克对自己选择的道路过于自信，对自己能成功也过于自信，他跟我谈起了莫里斯，觉得他完美出众——我爱他们所有人，而今晚我对加鲁瓦的爱又增加一些，因为他的与众不同，因为他就是那个我长久关注的人，我知道在他身上潜藏着我快乐的源泉，而今源泉迸发了。在地铁里，我故意坐过了站。我们还是一句话也不说。我知道要是我们愿意，明日我们便能无话不说，因为他厌恶避开自身不谈这样虚假的羞耻心。亲爱的新来者，您是怎么样的，是不是和这些眼泪一样温柔、甜蜜，丝毫不会像我常常在经历一场完美的邂逅之后感到忧虑？我是不是已经觉得得到了这份友谊？我是不是知道明天会再见到您，之后还会经常见？更重要的是，因为您所具备的做您自己的恩赐。达尼埃尔·加鲁瓦，这个名字与您如此相称，甚至让我以为我曾在另一个人身上爱过他。

我去了阿德丽安娜·莫尼埃的"书之友"，在那里，我见到了让·普雷沃。我又去了玛丽姨婆②家，她告诉了我一些关于雅克的消息：他往南边去了，谋了个闲职，参谋部的秘书，有人会给他带去领带和香肠，他七月回来。这些话落到我身上，没有激起丝毫回响，我冷漠地听着，亲爱的你，这些都将掉入遗忘的长河。

达尼埃尔·加鲁瓦，今晚我将与您一起度过，我将读一读您昨晚提起过的柯莱特和乔治·穆尔③。我对您期盼颇多，而您已经给

---

① 热尔梅娜·迪拉克执导的《贝壳与僧侣》，于 1928 年上映，受到超现实主义启发的作品，编剧是安托南·阿尔托，但他认为没有反映他的意图。——原注
② 雅克的祖母。——原注
③ 乔治·穆尔（George Moore，1852—1933），爱尔兰作家。——原注

予我足够多了，您越是您自己，我越愿意将您当成朋友。您就是那个……那个我原本等待的人，那个我原本可以突然发现的人，渴望从他身上获得一切快乐。但这样也很好，要是我认为命运在这里定分晓，那我一定不会有勇气把您占为己有。我把每一步都联系起来，才感受到"大量的共同可能性的存在"……不过现实是如此充实，这就足够了，其余的将继续存在，难道不是吗？难道不是您吗？您一定不会猜到我在这里写下的一切。哦！我的人生，我的人生，哦！各种各样的事，形形色色的人，我心尖上的各种人。

（今晚屋子里空荡荡的，大家都去了阿拉斯——安静，快乐，爱世界，爱我自己。）

我亲爱的宝贝蛋，你今晚在做什么？阿拉斯该是多么凄凉。你穿着蓝色的裙子，你一头粉金相间的头发，漂亮，开心，你悲伤的内心却依然充满勇气。你想念你的"蒙娜"，你很清楚今年你的"蒙娜"是一个愚蠢的大姑娘，她一想到自己深爱的那些人就泪流满面，在这些人之中，只有你和另一个人才是我生命的血、肉和呼吸，而不只是一份美好时光的馈赠。

十二月二十九日星期六

加鲁瓦之前对我说会来，但他没有出现。我见到了冈迪拉克，并祝他新年快乐。他亲切地回应我，我很喜欢他。我和斯蒂法以及她的监护人一起吃了午饭，监护人是个乐天派，很讨人喜欢——我只与令人开心的人打交道。斯蒂法不让我工作，让我有点烦——我心里甚至有了怨恨——我直率地让她自己出去逛逛。她与我告别时，那么亲切地用手拂过我的头发……我发觉身旁的扶手椅空了，幸好她今晚还会来。这份柔情犹如男人对女人的柔情，没错。我不知道这属于内心的哪种感官活动，但她既不能算是朋友，也不是与我相当的人，对她，我也从不表露我自身最直白、最真实的部分。加鲁瓦，您不在，我想念您，我甚至想痛哭一场，这种感受好似雅克晚饭过后过早地离开时一样。

我渴望回归一种更加谨慎、更加神秘的生活，而不是被自己的行为所左右，哪怕一点点也不行，我渴望孤独，而不是投身于一种普遍的柔情中。我渴望回到蓓蕾尼丝封闭的小花园里。

斯蒂法没有来吃晚饭，为此我甚至有点高兴——精彩的阅读之夜。《新法兰西杂志》，里面有瓦莱里、马塞尔·阿尔兰、费尔南德斯的文章，还有一些很有意思的评论，贝艾纳的《在思想的目光之下》[1]，乔治·穆尔的《已逝人生回忆录》[2]。莎莎的信陪伴着我，她对我说起了梅洛-庞蒂，他这么好……我睡得很晚，完全沉浸、陶醉在书籍和友谊之中。

十二月三十日星期日

中午，天空湛蓝，犹如一个春日的上午。我去坐地铁，如今我一坐上地铁就无法不想起加鲁瓦。为此我上了一等座的车，我一边读着普希金的短篇小说，一边看着在这个温和的季节里金色的巴黎在我眼前经过，满是过去的气息和令人回味的当下，我在帕西的小路上散步，内心还是一样喜悦，亲爱的莫里斯，还是和

---

[1] 勒内·贝艾纳（René Béhaine, 1880—1966）著有《一个社会的历史》，这是一部庞大的编年史，其中第六卷《精神之眼》（西蒙娜·德·波伏瓦记录的书名有误）于1928年出版。——原注
[2] 于1906年出版的小说，1922年被翻译成法语。——原注

刚开始认识您的时候一样在意、一样感动，那时我说：就是这里，他就住在这里[1]，这些小路有着过去外省小巷的面貌，但无一不透着平和、友善、热情……列维-斯特劳斯站在摆钟底下，穿白风衣的人应该也快到了。三位实习生（一女两男）像表演喜剧一样进入一家老式沙龙，一位满脸胡须、殷勤热心的先生走进来，与实习生们亲切握手，一边说得滔滔不绝，一边分发说明书。我小睡了一会儿。列维-斯特劳斯跟我们告别，我可以跟梅洛-庞蒂说一些萦绕在我心头的话：那么多爱意，那么多带着忧郁的幸福，那么多信任和期盼。他就在我身边，离我这么近，这么友善，这么善良，当我开始依恋另一个人的时候，我以为对他的依恋会减少，但恰恰相反，我比以往更加珍视他。哦！让我们拉着手吧，我的伙伴们！我们手挽着手一起往前走，每个人都走在通往自己人生全新的道路上。哦！让我们抬起头吧，就这样快乐地走向那些歌唱的大树，世界对我们多么重要，这个世界难道不就是我们！哦！结识更多与我们心跳同频的人，让我们的快乐成倍地增多。相信我们自己，也信任所有其他人，我们一起前进，依靠我们共同的力量，每一个人都无法在其中分清自己是支持别人的人还是被别人支持的人。哦！让我们好好地注视彼此，我的伙伴们，在彼此的眼中倒映出各自的模样，彼此的倒影又融合在一起——团结但又保持不同。因为我们在一起很年轻，因为有朝一日，我们会一起迎接死亡，会为彼此哀悼，因为我们将会拥有相同的人生，而我们也知道人生也不过如此。

　　星期四，我会再见到您，莫里斯，我也将见到其他人。我匆匆忙忙地吃了午饭，去斯蒂法家、若泽家。我没有找到她们，但

---

[1] 巴黎十六区，帕西，拉图尔街24号。——原注

也并未因此失望，因为我内心已经足够喜悦。这便是我的内心，在圣米歇尔大道上，一束束玫瑰和紫罗兰在阳光的爱抚下显得格外清新，长假给原本的平静带来了一丝喧闹，人们欢快地擦肩而过。我去了迪亚芒放映厅①，我在那里看到了多维尔的生活，让我更爱你们了一些，我的朋友们，你们永远不会去多维尔。一个叫莫里斯·舍瓦利耶的傻瓜，《歧途》中的布里吉特·赫尔姆在这种类似《悲情花街》②风格的剧里演技绝佳——她纯洁、聪慧，面部表情张力十足，如果我是诗人，我会为她的脸写一首诗。清澈的星空下，我坐公交车回家，穿过大街小巷，在那里，幸福的波浪汹涌起伏。我想过，我愿意把这些事情都写在给你的信中，雅克。我想过，我爱你，雅克，我们会拥有美好的生活。但愿你的一切都不会再令我感到害怕，但愿你能和我一样幸福。没有人能再令我感到痛苦，除非我为他所受的折磨感到难过。我要为幸福呐喊。

雅克，你是他们中的一个，与我的过去牵扯最多的一个，离我最近的一个，但同样，也只是他们中的一个，幸好不是任何一个其他人（他们中的一个，可若你在我身边，亲爱的，当我感受到无以复加的幸福时，我还会这么想吗？）

哦！我热爱万物，这样生活才是充实的——哦！我热爱众生，这样死亡才是可怕的。

我写了许多祝福新年的信。给家人的信，给蓬特雷莫利、里凯、贝纳尔、米盖尔、默西尔小姐的信。

---

① 亨利·迪亚芒-贝尔热（Henri Diamant-Berger, 1895—1975）在比昂古尔的涅普斯和塞特旧工厂建立的放映厅。——原注
② 《歧途》是帕布斯特导演的一部默片，于1928年上映，与《悲情花街》（1925）一样，也是葛丽泰·嘉宝的成名作。布里吉特·赫尔姆在朗格执导的《大都会》（1926）中饰演女主角，随着有声电影的出现，她的演艺生涯也宣告结束。——原注

十二月三十一日星期一

上午我在工作。而后去了斯蒂法家，她告诉我汉斯·米勒在巴黎，晚上想约我、她还有其他人去蒙帕纳斯。我拒绝了。斯蒂法过于轻浮。是的，我爱她，如同男人爱女人一般，会有情绪，会有怨恨。听到我说这一声"不"，她很失望，也让我有点烦躁。

蒙帕纳斯对这个我独自一人度过的平静白天来说是那么遥远，我从中午到晚上七点一直沉浸在梅雷迪思的小说《博尚的职业生涯》中，令人称道的作品，我是在莫尼埃的"书之友"找到的。内维尔、勒内、塞西莉亚在暖和的客厅里与我做伴，我一会坐在壁炉前的地上，一会坐在这扶手椅里……我的朋友们让我如此感动，令我无法承受自己因为沉迷于新来的面孔和叽叽喳喳的聊天声中而失去他们，一分一秒都不行。我完全不在意这些人是不是"有趣"，就像她说的那样。他们的思想，我知道我自己也会有。我感兴趣的只是他们存在的方式、他们深邃的态度、他们内心的秘密。能引起我关注的只有那些我有能力去爱的人。

下午被蓬特雷莫利的一封气压传送信打断了。他这么迅速、这么迅速地给我回信，真是太好了。他的信中充满善意。我有一点点想念他，带着爱意。今晚……

不，我不会再做总结。我知道明年我要做什么，未来的时间里我要做什么——回首过去又有什么用呢？我很平静，我不愿意浪费时间，经历冒险，既然现在这些我都已经体验过。今晚在丛林酒吧，我会感觉很自由，我也知道在那里等待我的是怎样的快乐，坐在那里，只不过是一种消遣而已。而安安静静地读这本《奥龙特斯河上的花园》[1]的渴望更让这种消遣黯然失色。

---

[1] 莫里斯·巴雷斯的小说，于 1922 年出版。——原注

我爱他们——我爱我自己。这就够了。没有什么是无比庄重的，都没有用，但一切都是纯粹和真实的。今晚伴随我的是最真实的灵魂，它曾于三年前在同一个地方为加利克和佩吉而兴奋，两年前曾无比热切地渴望雅克的存在……更有分寸的热情，少了许多不切实际的幻想，同样的热情变得更加克制、更加稳定，不患得患失的爱情，不那么贪婪，是淬炼过的、或许更有意识的爱情。从前的绝望消失了，彻底消失了，我并不因此感到遗憾。今晚，和以往所有的夜晚相比，我觉得自己提升了，而且或许我反复提及的这精神上的提升不是一句空话：我不再相信虚假的幻觉，不再赋予一个瞬间以我生命的全部意义；每个瞬间都有自己的味道，蕴含着一种强大的真理，与我称之为不可挽回的瞬间同样强大，但我知道如今我已超越了这样的瞬间，我觉得自己很坚强。

相框里我的照片在对我微笑，我爱照片里的自己。我想保持平衡，从此以后永远地拥有平和的心态，不被一些冠冕堂皇的大话所欺骗，不被诗意所迷惑，也不会突然被绝望占满心头。

我刚刚在洋溢着节日气氛的街头漫步——内心平静又快乐——一切都是活生生的，夜晚依旧迷人，蒙帕纳斯大道依旧热闹，要是我希望的只是这些该多好，可这些都是无用的。我想念你，那么平静，我信任你，也信任我自己。如果你曾犯过错，有什么关系，我并不需要借由你的完美来相信这个世界的善意。你可以犯错，也不会因此而不如其他人——亲爱的痛苦——我请求你的原谅，我知道，当你不再出现在我面前的时候，想念你是一件多么伤心的事。这就是我的平静，我深爱的人。这就是我对你的信任，永远不会被辜负，这就是我人生的渴望，那么高尚、纯粹，只为了让我们两个人融合在同一个命运里。我的朋友也能成为你的朋友，我的力量也能加强你的力量，我的弱点靠你来消除，我的要求靠我们一起来满足。这就是我的快乐，让你也来分享，我的郑重，让你不会远离我，我的伤感，让你来轻轻地抚平。这就是我伟大又平静的爱情。请你不要让这份爱有朝一日变得不那么伟大，请你不要让我有朝一日不再为这份爱而感到如此自豪。

午夜的钟声即将敲响……祝福您，亲爱的莎莎，祝福您获得您值得拥有的幸福和爱情，祝福您完全绽放。我深爱的宝贝蛋，祝福你，你知道我们怀着怎样相同的梦想。莫里斯，对您……祝您一如既往的完美、平和……冈迪拉克，为您期盼的一切和我不知道的一切祈祷。加鲁瓦，我几乎不了解您却如此珍视您，空白支票上写着所有幸福的可能，或许我本可以把这样一张支票交到您手中……里凯，祝福您得到生活中一切期待之外的东西……米盖尔，祝您多挣点钱，成为自己想成为的人。斯蒂法，蓬特雷莫利，新年快乐，祝福所有人新年快乐。雅克，祝你幸福。午夜的钟声敲响了……祝福你梦想成真。午夜的钟声在回荡——我就在这里，雅克……祝你舒心，很快结束兵役，回来的时候一切完满。

我自己呢？与对雅克的祝福一样。在这个午夜，我们离彼此如此遥远。但愿明年的跨年夜，我们能在彼此身边，我们都能获得爱情和幸福。新年快乐，我的爱人，我的伙伴，我的表兄。新年快乐，我的伙伴们，你们是我生命的力量。新年快乐，亲爱的朋友们，亲爱的宝贝蛋。而你，雅克-夏尔，你，哦！想起你还是有一种撕心裂肺的痛苦，一种难以言表的冲动。

一九二九年

一月一日星期二

晴朗平静的一天。在家工作。晚上，斯蒂法来找我，跟我讲述她跟罗马尼亚人、跟匈牙利人的艳遇……我们一起读了之前莫里斯、莎莎的信，我聊起了雅克。她说："不，他不需要写信。如果事情是这样的话，他什么都不需要……我见过许多种爱情，但这比我见过的都要好。"宝贝蛋心花怒放地从阿拉斯回来，我们一起吃巧克力，一起聊天。午夜的时候，宝贝蛋跟我们道别。斯蒂法一直待到深夜，房间里静悄悄的，我们的眼皮困得垂下来。低矮的台灯，我们的窃窃私语，成了这寂静的黑夜中唯一生机勃勃的小岛，亲密笼罩着我们。米盖尔给我留了言。

一月二日星期三

我完成了关于柏拉图陈述报告的准备工作。蓬特雷莫利下午来找我。我们一起讨论，既不觉得无聊，也不觉得高兴。我读了《危险的关系》^①。晚上，去美丽城见到了莫诺，她很友善。妈妈从阿拉斯回来。

一月三日星期四

今天是美好的一天，正是这些美好的日子才使我正常的生活更加充实。在罗宾②家做陈述，他向我表示祝贺。冈迪拉克也祝贺我，仅仅因为我是个女人，而且很聪明。伊波利特·迪拉塞等人也表示同感。我感觉自己被他们接受了。但天气很冷，我又很疲倦，这使我无法全身心地享受与梅洛-庞蒂在克纳姆共进午餐，是我请的他。上完布雷耶的课之后，我还请了冈迪拉克，他说了一句"您真可爱"，便接受了邀请。我们在半个小时里先去了高师的院系办公室，又到了 D 教室，我坐在黑板前的桌子上，上午的时候上面写满了我写的字（$i'\sigma\alpha$ 或 $\overset{\backprime}{\alpha}\nu\iota\sigma\alpha$？）③——他跟我谈论起他的工作方式、考试、柏拉图，无论说什么，他说起来都铿锵有力、和蔼可亲，我的内心感到无比快乐。

马厄在布兰斯维克家做了一次很有趣的讲解，而布兰斯维克的回应则更有趣。今天，都是内心和思想带来的愉悦。

我去了斯蒂法家，碰到了费尔南多，然后去了他的小房间。我们聊起了爱上我的列文斯基，聊起了斯蒂芬·茨威格、约翰·高尔斯华绥等等。而后我们又回到了斯蒂法的房间里，抢着吃盘子里的蛋糕，开心地聊了足足两个小时，他坐在椅子上，我坐在床上，我们沉浸在如此纯粹的友谊、专注和真诚中，直到斯蒂法八点钟回

---

① 肖德洛·德·拉克洛的《危险的关系》，于 1782 年出版。——原注
② 莱昂·罗宾，柏拉图专家。——原注
③ "平等，或不平等？"，影射柏拉图在《理想国》第六卷中关于知识的论述。——原注

来，我才匆匆忙忙地回了家，回到时钟摆动、时间一分一秒过去的世界……我很喜欢费尔南多。晚上，我读了《丑》[1]，我开始翻译亚里士多德。

一月四日星期五

国图。我来这里是为了见加鲁瓦，我原本可以在家工作的。我见到加鲁瓦了！我们刚刚一起吃午饭，聊巴雷斯、绘画、音乐等等。他杰出，完美，我很高兴。他是我的朋友，他星期六还会再来。我很高兴，我要好好工作。

他八岁至十岁的时候开始读维克多·雨果，彻底为之着迷，到现在还一直很喜欢，他一直保持着对伟大的向往……当他在从圣日耳曼到巴黎的火车上得知巴雷斯去世的消息时，悲痛万分，但他其实只读过巴雷斯写的几篇文章。斯蒂法傍晚的时候到了，我和她、那个匈牙利人一起回来。

晚上，我和米盖尔一起去了香榭丽舍大街剧院，那里正上演一出木偶剧[2]，美好的夜晚。我看到了斯蒂法，那个匈牙利人温柔地靠在她身上。我很不安，特别是米盖尔也看到了。可当我上前去，既没有脸红也没有试着扯一扯嘴角，露出一丝微笑，那个胖男人马上就松开了斯蒂法，斯蒂法看到我高兴极了，她还是那么迷人、那么温柔。我们后来去了香榭丽舍大街的塞莱克酒吧，在那里度过了夜晚的时光。今天下了初雪，沿着白色的人行道，一路上，玩具店的橱窗里灯光闪耀，飘散着一种清新的愉悦。我和斯蒂法兴高采烈

---

① 德里厄·拉罗谢尔的作品，于1928年出版。——原注
② 维托里奥·波德雷卡带着他于1914年在罗马成立的牵线木偶剧团进行大型世界巡回演出。——原注

地上了地铁，而她那位朋友，我真心不喜欢。我收到了亨利·贝纳尔的留言。

一月五日星期六

从九点到六点在国图钻研亚里士多德，中间只停下来一会儿吃午饭，我边吃饭边读了《绿鹦鹉》①，而后去了玛丽-路易丝家，她非常友善。晚上去了宝贝蛋的学校，很不错。跳舞、唱歌，友好、快乐，宝贝蛋穿着牧羊女的衣服，打扮成小姑娘——漂亮的年轻女孩们，洋溢着生机的微笑，绽放的身体，还有我妹妹的优雅和细腻，这些都是令人快乐的事情。但可怜的宝贝蛋！如此出众的魅力和智慧就这样被无用地消耗掉了……她这个人拥有获得成功的一切条件，我不知道命运为何从中作梗，让她永远无法为自己带来任何快乐。当我们看到她时，我们认为她应该占据第一位，但她并不关心是不是在首位，而她所渴望的，她能实现吗？对我来说，在学习的这一天，我只是惊叹于我邀请来的这个人如此平静，而这种平静只源于一个事实：您原本可能就在那里。我坐在那里工作，知道在我身后的那张桌子上，他正在工作，尽管我看不到他，却无比确信，这是一种完美的安全感，是一种让人回味无穷的抚慰，可以称之为充实和幸福。我并不是想进入您的心里，我对您并不那么好奇，但要是您对我微笑该多好，这不太可能，因为您不太笑，要是您像这样向我伸出手，带着几乎没有犹豫的轻松，该多好，要是我看到您在那里，即使不是常常，该多好，要是我知道您可以在那里，该多好。没关系，这就已是一切了……洗了个澡，身体得到了

① 比贝斯科公主的作品，于1924年出版。——原注

休整，现在那么放松，才知道之前有多累。这具身体清新又敏感，不错过一丝空气中的细微变化，也不再害怕任何疲倦。我就这样坐在扶手椅里，为自己思想上的智慧而欣喜。这次见面之后，一切都没有变，也没有建立新的联系，或者产生任何问题，但横亘在我和他心中的苦涩或烦闷的阴云已经驱散了。星期六再见……我一点也不着急。这一切都已尘埃落定，这一切都已无法挽回，在入局之前该赢的已经赢了。

一月六日星期日

我在书房工作，挨着暖炉，上午我在卢森堡博物馆看了半小时的书，面前是印象派的画作，因为您喜欢这些画。读了一本让·盖埃诺的书（因为您看重他），关于米什莱[1]的书（因为您感兴趣），晚上又花了半小时去斯蒂法家，可斯蒂法不在。一会儿我要研究休谟。我再也不会感觉孤单。我的生活是如此完美，充满了智性的光芒，如此丰富，带着强烈的情感，我再也不会幻想过另一种生活……然而……我们把事情办好，你看看，陷入沉默的荒原。你不会一直沉默……

一月七日星期一

拉波特的课很有意思。国图。那位匈牙利人请我去喝咖啡，我们在图书馆的大厅待了将近一个小时，他跟我说了很多有趣的事情，关于匈牙利、莫拉斯、文化、文明。他把斯丹达尔与巴雷斯作

---

[1] 《永恒的福音——米什莱研究》（1927）。——原注

比较，他比较的方式让我明白了不少东西：一个像巴雷斯这样的大资产者可以鄙视他已超越了的所有精致生活，这是没错的，但对于那些还处在下层的人来说，这种鄙视意味着失败——然而……个人的崇高，社会的蔑视。他对我说，我们不可能在与非我的关系之外实现自我掌控，他说得很对：柏格森，康德。我们一起走路回来，他告诉我一些关于以娇媚之态面对生活的问题，有意思——在幸福面前可以娇媚，没错，但在生活面前不可以。游戏理论，我很想参与游戏，但我一旦付出了爱，就不再是一场游戏，死亡也不是一场游戏。我们到了圣热娜薇耶芙图书馆，斯蒂法要来，但最后她没有来。晚上，工作、阅读。我很聪明，我也有一些这么聪明而亲切的朋友。

一月八日星期二

索邦大学，在克纳姆吃了午饭，我还在那里看了一会康德，拜访了让松中学①的校长。和列维-斯特劳斯一起回来，他谈论起了超现实主义在文学、绘画、电影中的表现，很有意思。在天主教学院研究康德。晚上在家，研究休谟。

一月九日星期三

一天花在毕业考试上，一切有条不紊地进行。做了些事情，很高兴。和匈牙利人的见面推迟了一会儿。梅洛-庞蒂送了我一张体贴周到的卡片，祝我生日快乐。我要去工作了。

二十一岁的生日，我内心没有一丝的波动，我想起在十九岁和

① 让松·德·萨伊中学，坐落在巴黎十六区，西蒙娜·德·波伏瓦要在那里实习。——原注

144

二十岁生日时，我是那样害怕。

这种沉默变得近乎带着敌意，沉重得像一个永远不想知道的秘密，但至少有可能不再去想着它。

一月二十六日星期六

在一个寒冷、明亮的冬季，悠长美好的三个星期，沉浸在智性的生活中，充满生机、丰富多彩，思想变得清明，任务变得简单，朋友们笑逐颜开。

莎莎和玛德莱娜·布洛玛都传来了好消息。

斯蒂法决定嫁给费尔南多。他们两个都是善良的人，我们曾在于叙利纳度过了一个美好的夜晚，那天放映了一部有趣的抽象电影，一部蹩脚的美国电影《孤独》，以及卡瓦尔康蒂的《小丑吃醋记》[①]，略带新意，但并不成功。另外，她还和那个匈牙利人发生了点故事，那个匈牙利人常常晚上和我一起从国图出来，又和我一起散步走到双叟咖啡馆或梅迪奇广场，我们喝着热巧克力，谈论着斯丹达尔、文学、生活和斯蒂法，他对斯蒂法的爱是一种我不太喜欢的爱，因为他喜欢的是她的外表，从不会想要去了解她真正的内心，帮助她生存。他代表了一个对我来说完全陌生的世界，却深深地吸引我，毕竟，他非常有智慧。

宝贝蛋在工作——有一天我去工作室接她，我们一起走进巴黎的夜晚。我不再外出，我多乖啊！那是因为我的存在已经足够充实，感受其他的可能性对我来说已经是无所谓的了。索邦大学，高师，国图，这些地方充满着思维活跃的人，每个人都在读书，每个

[①] 保罗·费乔斯的默片（1928），卡瓦尔康蒂的电影《小丑吃醋记》也是 1928 年上映的。——原注

人都有着独到的见解，独特的思想。伊波利特很友善，和我一起吃午饭的迪卡塞、里夏尔小姐都是属于参加教师资格考试的学生中特别勤勉的那一类。在罗宾的课上，我们笑得如此开心，说要在柏拉图的洞穴留位置。冈迪拉克，我们从索邦一路走到高师。

和冈迪拉克、梅洛-庞蒂、斯蒂法、加鲁瓦在家里度过了一个美好的夜晚，我很久未见加鲁瓦了，我想念他，如同想念一种为时已晚的幸福，没有悲伤，一笑而过。我的朋友们，朋友们，想到我是为了你们而存在的，我变得多么坚强。

若泽很伤心，在她眼里，我是梅洛-庞蒂的朋友，就像在匈牙利人眼里，我是斯蒂法的朋友。我所得到的快乐，对别人来说就是生活本身……有一天，我在她家待到很晚，甚至忘了吃晚饭。随后，大门口都是参加校长聚会的人，我想从窗户跳出去——可怜的若泽，她很伤心。

最重要的是，我的实习期即将结束，在暗淡、昏昏欲睡的日子里，学生们都是面无表情的恶霸，罗德里格斯变得令人讨厌，而我自己的话也激不起一丝回响。在另一些日子里，罗德里格斯是有趣的，列维-斯特劳斯和莫里斯在讲台上和我一样孩子气，那一双双充满讽刺和同情的眼睛注视着我们。有时，金色和棕色的头发上洒满了美丽的阳光，长凳上留下了无数密谋带来的笑声和欢快的打闹，年轻迷人的塞缪尔有着一双乌黑的眼睛，他高雅又轻浮，经常做一些无伤大雅的恶作剧。有几个下午，天气出奇的好。有一天下午，我饱含激情地说着我喜欢的观点，而当我把这些观点说出来的时候，它们似乎真的存在了：关于快乐，关于我们把握爱情和把握现实的能力。又一天下午，莫里斯靠着墙站着说话，他这么单纯、这么年轻、这么沉稳，他是所有年轻男子都渴望成为的那种人。一天他读了《爱人》中的一页，他发出的每一个抑扬顿挫的声音都释放了他内心坚强又温柔的感情——他在那里，那么真实，毫无遮掩，他是全新的，一股巨大的爱意涌上我的心头，我看着他，眼中溢满了泪水，带着感恩，带着无限的柔情。这样一起工作的感觉很好，漫步在学生们打打闹闹的喧闹院子里，咀嚼着松露巧克力，沿着亨利-马丁大道或庞培街散步，在学生们的注视下继续我们已经开始的讨论。列维-斯特劳斯比我想象的更有同情心，当他冷静地谈论疯狂的激情时，他板着张脸却又是那么滑稽……而莫格与我想象的不同，他简单、真诚，总是很直接，带着令人回味的讽刺。昨天，我们三人一起在科克兰餐厅用餐。首先，我喜欢他们俩相亲相爱的样子，也喜欢梅洛-庞蒂，他有着孩子般的单纯、老实和严肃，这让莫格也变得单纯起来。他向我们阐述自己的体系："激动"，通过不停的行动压制一切感知，仅通过行动来创造成功，因为世界不过是表征，而我们掌控着这些表征——这种有意识却不做作的洒脱是有趣而迷人的。"我曾经认为自己是一个很坚强的人，现在我还是觉得自己不错，但没有我想象的那么好……我很累，我太忙了……"迷人的莫格，不是单纯聊聊天，应该和他生活在一起，和他一起做一些事。这位雅士身上故意显露的粗暴……很有趣。想到再过两三年，他和其他许多人都将离开我，我甚至连遗憾也不能了。

今天还是很愉快，天气很冷，莫格在院子里向我们介绍了德鲁安先生，他是个害羞、谨慎、善良的人，而后我们一起出发。梅洛-庞蒂和列维-斯特劳斯争论起了关于斯宾诺莎的话题，莫格以一种疏离的尊重给他们的争论火上浇油。他先离开，然后列维-斯特劳斯也走了。我和梅洛-庞蒂一起去了一家茶室，这家茶室完全是为我们量身定做的。亲爱的莫里斯，我们之间有着所有的过去，还有今年的工作，我们对未来的渴望。我们在路上看到许多好看的花：兰花、玫瑰、石竹。我们坐上了一辆 AX，我们面对面地交谈，谈论一切，又似乎什么都没谈……我们在单调又平和的生活中互相依偎。

生活简单又充实，不会遗忘，也不会让人再幻想其他。然而，今天晚上，我所期盼的，只有你，雅克。我期盼你的一切，雅克。想到这里。这些日子，没有疲倦，没有悲伤，充满行动、冒险的热情，思想活跃，情感丰富，真正的无欲无求，这样的日子多么简单，多么自由，在这样幸福的平衡中，甚至连你的样子，我都不会想起，然而，我知道我期盼着你的一切。我可以这样生活，依靠我自身的力量，这会成为我能抵达的生命的极限，那里有我对斯宾诺莎的热爱，我对朋友们的柔情和成为我自己的喜悦。

我可以这样生活，我知道你掌握着一个生命的秘密，连想一想都会让我痛苦万分，如同一件无比沉重的事。雅克，我的雅克，这一切完全是另一回事，六个月之后，哪怕你说的任何一个字都会让我变得完整。我的雅克。我可以不思念你，但只要像今天一样，我一旦想到这些……啊！我知道我只是在期盼你，我生命的真谛没有人知晓，连我自己也不清楚，如果没有你，我只是芸芸众生中的一员，只有在一种永恒的不安中我才能找回这生命的真谛。即使会痛彻心扉，又有什么关系呢？今晚你离我这么近，过去长长的一个月，我只是远远地知道你存在着，如同一种当下无法听到的呼唤，如同一个与我所有乐趣都无关的要求，一个与我的游戏无关的真理，几乎可以说是一种悲伤，我如此强烈地觉得自己处在你的存在带给世界的引力之下，接受平淡，并感到幸福。

哦！我知道我的人生、任何的一切，只有在这张书桌旁，只有看你站着的样子，自信又羞涩，才变得真实。哦！这种痛苦，这种存在，这份爱，是多么突如其来，出乎意料。只有我，只有你，才是最坚强的。只有我，只有我对你的爱才是最好的，我对你的爱是唯一与我的死亡一样神圣、残酷的事。

我不再是那个会哭的小女孩，她也不会忘记曾经那么爱你，而也许你也是爱她的。无论给我写信，或不给我写信，都快回来吧。还是说我刚才所说的都不曾存在过？不，这过去比刚过去的这一天留下的印记都更清晰。是你，还是对某种强大自我的回忆，如此猛烈地向我涌来，而我自以为可以暂时不在意，直到你回来？可我能把这两者分开吗？我又如何能够承受这样离你、离我自己远去的放逐，而不发出一声反抗和痛苦的呐喊——哦！生命是如此短暂，而一年的时间又如此漫长——突然的爆发，漂洋过海来找你。能那么快忘记你吗？

哦！我那么深爱的人。如同一个人已经习惯了大雪与寒冷，从此只知道有冬季，没有其他季节。但在某个清晨，被遗忘的春天气息唤醒了干草的味道，月光照耀下的夜晚，蝉声沙沙作响，夏日的宁静绵延不绝。哦！我那么深爱的人，我能相信我只知道有冬天这一个季节吗？我能说，不管怎样，这也是一种生活？可你在这里，这里只有你，时间再也无法给予我所渴望的，除了它的流逝。我只是想听听你的声音，只是想见见你。雅克，我请求你，我请求你。另一个是这样，还有一个是那样，可与我又有什么关系呢？无论你将要做什么，无论我将要做什么，都不重要，无论是生还是死，都不重要——我要一年的时间——再少一点，一个月，这样你才能明白，才能让我知道你明白了。仅此而已。啊！对我来说，你能做到什么才是重要的……我爱你，跟你的行为无关——跟一切的一切无关。

二月十五日星期五

长长的冬日，在严寒中，我想到的只有柏拉图和康德，透过 G

149

教室或国图的窗户观察，太阳出来的一瞬间才让人回过神来，生命还存在着……

周四那天，冈迪拉克与我在高师的走廊上亲密地聊了一会，我很开心，后来他又马上离开了……若泽一来，她的绝望便笼罩了我。星期日，我们在骑师酒吧度过了一个夜晚，我听出她极其痛苦，而我伟大的朋友梅洛-庞蒂却是那么平静，时不时地、有分寸地出入我的生活。可怜的若泽！昨天下午，我们也一直在谈论她所爱的人，因为一个人可以爱得那么深是荒谬的，他值得爱，但与他给予我的相比，他永远不会付出更多，而他给我的已经够多了，亲爱的莫里斯，但是……啊！在寒风中走过若泽的家门，我计算着我知道而她却还不知道的悲伤结局的几率……昨天跟若泽见了面之后，我去见了斯蒂法。我们一起在哈尔古度过了一个晚上，来消磨油然而生的难过，或许也只是烦闷而已。星期四，我们在骑师酒吧度过了一个美妙的夜晚，最后又去了一家俄罗斯酒吧，她讲了许多故事，关于蒙帕纳斯那些女孩的，关于她的青春期的，她太迷人了……那个匈牙利人赫维西在闹了一出出可笑的闹剧之后，终于不再骚扰她。他每天都来请我喝咖啡，但我经常拒绝他。上周一，我和他一起吃晚饭，尝到了一种他们国家的香肠，很有趣。

莎莎回来了，陪我度过了染上流感的那几天，她跟我讲了在德国逗留期间发生的事。

看了几本书，看了几部电影，和宝贝蛋聊了会儿天。其余的一切，全然无趣，像动物一样休息、睡觉、放松身体。精神不再紧绷，不再思考。不是伤心，而是疲累。

我刚才看见加鲁瓦了——感受到了与真的爱他的假设下同样的不安和痛苦。同时，还有对所有人、所有事的视而不见。我无法忍受痛苦，也无法让自己幸福……也许只能等待春天的到来。可重要的是，啊！雅克！我不太有时间想念你，可我做的也只有期盼你，我那么需要，那么需要你。每次我意识到你的存在，我回顾过去，我都无法再相信我无比确信的未来，这样的未来太过美好。只有你才是我看重的。我厌倦了你不在我身边的日子。

我还记得在罗格里格斯家的晚餐，那时梅洛-庞蒂多么优雅，列维-斯特劳斯多么友善。我们三人在午夜时分，在如此美丽的夜色中漫步。然后，我和莫里斯如此快乐地前往夜晚的地铁站。莫里斯如此可爱，我美丽的青春，严肃而无忧无虑。我是多么爱您，超出了您的需要！今晚，我只需要一个人，一个看着我、让我一无所失、向我索取一切、给我一切的人。可怜的我。五个月的时间，多长啊。

三月九日

十四减十一定等于四。我们摇动这些数字，就像摇动万花筒里的玻璃片，却无法体会到任何变化的奇妙。

你如何能从那么遥远的地方，感觉到这里已是春意盎然，而埋藏在寒冬中的梦想也在悄然复活？

三月十三日

今天聊些什么呢？聊聊布兰斯维克家的下午茶？还是聊聊我、莫里斯和他的妹妹、冈迪拉克、莎莎，我们一起"游遍蒙马特"的美好夜晚？还是徘徊在冈迪拉克和梅洛-庞蒂之间的忧郁日子？是经常能碰到朋友的国家图书馆，还是和莎莎一起观看《伊戈尔王子》[①]的美妙夜晚？或是那个我和莎莎一起去蒙马特接宝贝蛋的迷人夜晚？还是和宝贝蛋、热尔梅娜·杜布瓦[②]在一起，身无分文却在丛林酒吧里度过的那个疯狂夜晚？还是那些昏暗的夜晚，宝贝蛋和我在蒙马特僻静的小路上漫步，有些看起来可疑的房子——其实，连看起来都不太像！——都亮起了灯光，还有一些吵闹的咖啡馆，那里的原始狂野音乐让我们头昏目眩？那些夜晚，疲惫和厌倦疯狂地席卷全身……

或者聊聊在卢浮宫度过的那疯狂的一天，春天的第一缕气息飘过，我在那里游荡了四个小时：从亚述到埃及，从埃及到希腊，在卢浮宫里，米洛的维纳斯给了我一种纯粹的快乐，一种我已经很久没有体验过的快乐。

但是只有今天。哦！祈求那些恶魔赶紧滚开，我的斯蒂法，一头泛着浅粉的金发，穿着粉金相间的蕾丝衣服，昨天有些百无聊赖地躺在床上。斯蒂法，再过两周您就是费尔南多的妻子了……还有您，我亲爱的若泽，刚才，您还躺在自己的小房间里，上周六当我们一起去香榭丽舍大街看《无病呻吟》[③]时，您看起来是那么迷人，您穿着那条黑色裙子，领口白色褶边巧妙地勾勒出您纤细的脸庞，充满了一种奇异的美感。还有您，身着蓝色缎面衣服的莎莎，莎莎……从柏林回来后变得与众不同的您，看起来是那么幸福和充满爱意。还有我心爱的玛德莱娜，我在您身边度过了一个漫长的下

---

① 《伊戈尔王子》由鲍罗丁创作，俄罗斯歌剧院演绎，季阿吉列夫组织到法国巡演。节目单上还有《波罗维茨舞曲》，由米哈伊尔·福金编舞。这个知名的芭蕾舞团里有芭蕾舞演员巴甫洛娃以及尼金斯基等等，舞台装饰带有巴克斯和毕加索风格。——原注

② 亨丽埃特·德·波伏瓦的这位朋友是前者在上画画课时认识的，昵称为若若。——原注

③ 在加斯东·巴蒂的版本中，他把阿拉贡塑造成了一个真正的病人，但是仍不为他的周围的人所理解。——原注

午，您靠在垫子上，旁边摆放着从摩洛哥带回的矮桌，您是那么幸福、专注，而且那么有朝气，光芒四射，拥有完美的爱情却依然清醒。我爱你们所有人，特别是你，我亲爱的金发宝贝。今晚请给我些许怜悯吧，不要让我独自一人面对这种缺席。

是春天如期而至了吗？还是说依然在这些充满病痛的日子里，面对空虚的夜晚，唯一的那张面孔在我脑海中挥之不去？我不知道这到底是什么，过去的八天我又饥又渴，而那个能给我食物和水的人却不在这里。今晚我太疲倦了……我无法再继续下去。重新阅读《大个子莫林》的这几页，与玛德莱娜一起回想的那些记忆，还有在当代艺术画廊里欣赏的藤田嗣治的画作，让我越陷越深，走向一个遥远的国度，然而我没有通往那里的钥匙，所有的美好都成了一种沉痛的缺失。我太疲倦了，无法再远离这个国度，踏入一个畅通无阻但陌生的世界，而在我的国度，我却不能独自前行。每一天都是我将再次见到你的前夜，今晚我知道明天我不会再次见到你。如果你不立刻对我说："你好，西蒙娜"，我感觉我立马就会死去。

我不能写信给你，我只能重复：拜托了，写信给我吧，我心爱的人，写信给我吧。我的爱人，我已经不记得你的一切，只记得你过去的一举一动、一字一句，这些回忆让我流下了太多的眼泪，我感觉我的眼睛都要因为回忆而融化。我的爱人，我已经忘却你的一切，只知道你会回来，然后我就可以摆脱一切，摆脱一切……我多么需要你，我的大孩子，我的大孩子，我的期待是如此苦涩，犹如我家里的景象，无数个夜晚我对它念念不忘，但也是徒劳。哦！期待已久的利穆赞之夜，伴随着一种焦渴的不安。哦！雅克的微笑，想起它的时候我的狂热从喉咙冲向鼻子两翼、耳朵嗡嗡作响，直到前额，你成了一个萦绕不休的幻影。

我想要写信给你，我想要收到你的来信，或者说我想要睡个好觉。哦！总的来说，这十个月过得太快了，但我感觉现在是一天过去了还有一天，每一天都是沉甸甸的，每一天都是孤独的，即使单独的一天，也太沉重了。你是谁，你在想什么，你想要什么？我什么都不知道，脑海中只萦绕着过去的某个动作，某句温柔到让人难以相信的话语，它们一直在我眼前，伴随着我度过疯狂的时光。

我因为你而痛苦，我因为你而痛苦。

三月十四日星期四

今天在巴黎高师和索邦大学度过，中途我还去圣雅克街吃了午饭。我想起玛德莱娜，想起她温馨的家，而我们则是一群勤奋、孤独又疲倦的年轻女孩。里夏尔小姐友善、温和、顺从，又勇敢，带着一丝反叛，不过并不苦涩。她跟我谈起了南锡，那是大个子莫林的家乡，她在那里当过老师，她向我们描绘了那里的学校，晚上扫地的场景，还有在深邃、荒芜的乡村骑自行车的经历……莫里斯来布兰斯维克家接我，我们看到了列维-斯特劳斯和加鲁瓦，我们一起在圣日耳曼大道的面包店品尝点心。谢谢，我非常需要您，真的，非常需要！谢谢您的温柔，在今晚带给我的一点陪伴……他说我变了，变得不太容易理解，更加锐利——请您不要怪我，我不再相信我们通过冥想或在角落里闲聊便能发现真理。我只想得到幸福，但我那么渴望真理。我爱您，一想到您，我心里就暖洋洋的；在您面前，我感到无比脆弱，只要您愿意听我说。您知道我在这些夜晚是多么疲惫吗？

我读了一本小说，是毛姆写的，叫《月亮与六便士》[1]。我想

———————————
[1] 于 1919 年出版。——原注

大声哭出来，特别大声地哭，哦！只是因为疲惫，并没有感到任何事情是无法挽回的。我的上帝，雅克，我的上帝，雅克，难道你不会走进来，驱散这难以承受的悲伤。哦！我失去了你，我失去了你，我多么爱你，我可怜的兄弟，你消失了，可我如此渴望你。

三月十五日星期五

在国家图书馆。我太累了，差不多有十次，差点就睡着了。我喝了咖啡，和班迪一起吃午餐。他跟我谈到了斯蒂法，他向我揭露了一个不太忠诚的斯蒂法，她惯用那些有点卑微的、像坠入爱河的猫咪般的伎俩，如果不是因为我已经对她无感，这些伎俩可能会让我感到不适。她只是一个有着金发的柔情姑娘，有点轻率，尽管她有缺点，但她还是迷人的，是吧。在高师遇到一个年轻的植物学家，他仿佛是雅姆的诗篇里走出来的人。他温和，他爱他的母亲，他在乡间漫步时会教他的未婚妻这些花都叫什么名字。

在纳迪娜·兰多夫斯基家共进晚餐。她有个人人都想去住的屋子：装饰完美，简洁却独特。她妈妈穿着一件黑色连衣裙，领口镶嵌着白色珍珠，美丽依旧。我们还看了她父亲①的作品：有点经典的味道，带着"已成功的艺术家所作"的气息，但都很有趣。

三月十六日星期六

在国家图书馆。很疲倦。和班迪稍微聊了会儿天。我隐隐约约

---

① 保罗·兰多夫斯基（Paul Landowski, 1875—1961），法国雕塑家，1900 年获得罗马奖。1928 年，他雕刻了《贵妇小径战役的胜利》以及托内尔桥上的《圣女热娜薇耶芙》。作曲家马塞尔·兰多夫斯基的父亲。——原注

地想着那些不太确定的事物，我没有在工作。我等着莎莎，想念雅克。我想哭，或者在街头漫无目的地行走。渴望一份新的情感，一次奇遇，一次发现，无论渴望什么，都不是等待过去的回归。

三月二十五日星期一

那又怎样？

十七日，星期日。一个天空碧蓝、街道空旷的星期日。天空碧蓝、街道空旷。在卢森堡公园里，早晨阳光耀眼，我在巴黎灿烂的春日里踟蹰，沉浸在电影里缓不过来，放映的是有声电影《爵士歌手》[①]，漫步回家时穿过杜伊勒里花园，在那里，因为那位刚坐到我旁边的先生，我的心突然变得支离破碎，太过相似的夜晚，在那里，他阅读报纸的沙沙声在荒凉中响起，仿佛是在荒漠中被压抑的控诉。可怕的悲伤。一群小男孩在比赛跑步，巴黎人在夜晚悠闲漫步，与家人一起。内心空虚，腿软无力，渴望在某个肩膀上哭泣，渴望哭泣……我去若泽那里，房间里充斥着美妙的孤独，从开着窗的房间，可以看到屋顶和那片如此碧蓝温柔的天空，这是一个半梦半醒的时刻，春天的天空在其中难以辨认。我边等待，边读着欧亨尼奥·多尔斯的《戈雅传》——一位百无聊赖的年轻女孩在那儿，我们没有交谈。晚上在家阅读。

十八日，星期一。今天上的是拉波特的课，我们讨论了休谟的怀疑论，挺有趣的。在卢森堡公园的露天座上享受了美妙的午餐后，我下午去了索邦大学。冈迪拉克匆匆从栏杆下走过，不知道干什么去。有个年轻人在离我不远处读书，另一个在看报纸。我一边

[①] 艾伦·克罗斯兰于 1927 年导演的作品，第一部由对话和歌唱组成的有声电影，由阿尔·乔尔森演绎，在奥贝尔宫殿影院上映。——原注

156

吃着三明治一边阅读《正直者的罪行》① —— 阳光明媚，新生焕发，世界美好，我的生活闪耀着光芒。在拉朗德的课之前回到圣热娜薇耶芙图书馆，马路开始散发出温暖的焦油味。我在索邦大学一直工作到六点。

十九日，早晨。在高师的一个寒冷早晨，我不小心早到了一个小时，十点才开始上课，所以我有足够的时间享受生活的宁静。电车带我到战神广场，我感觉暖烘烘的，真好。一边读着朱夫的《赫卡忒》②，一边吃着牛奶面包。

拉波特③让我在博斯凯大街七楼的一个红色客厅里等了半个小时，那里的光线很刺眼。等待很舒服，然后我去了他的办公室，他非常和蔼，说我品格优良……作业却相反：相对于我们谈论的哲学内容来说……风格晦涩，假装深沉。对布兰斯维克、布隆代尔、勒鲁瓦的抨击（"我不说别人坏话"）。斯宾诺莎：一个怪物。古代哲学家：一群傻瓜，还有阿默兰！可怜的笨蛋……纸牌城堡。然而休谟……但是，存在实践的问题……哦！实践不会产生问题！哲学？一种乐趣罢了……我们也可以喜欢别的（我确实这么认为……）——一种约定俗成的东西？——啊！不，小姐，这一次您确实是夸大其词了……唯心主义，精神活动，我嘛，全都不理解……我知道现在不流行怀疑主义了。当然，您大可以去找个比我的观点更具乐观精神的学说。哲学的潮流……（奇怪的家伙），但我很高兴……您会成功地通过教师资格考试的……

---

① 安德烈·尚松的小说，于1928年出版，《塞文系列小说》第三卷。——原注
② 于1928年出版。——原注
③ 西蒙娜·德·波伏瓦曾经写了一篇关于休谟和康德的论文交给拉波特。在论文里，她更偏向于康德的观点。——原注

差不多五点了！我火速去了莎莎家。我们去雅典街，《努力》杂志①在那里放映电影。我们看了《围绕〈金钱〉》和杜拉克的《邀请旅行》②。毫无意义。一些小年轻认为电影里谈到的事情真的发生了，但并不是很普遍，他们为无声还是有声电影争论不休。我与莎莎告别，她出发去巴约讷③。我回了家。我无比渴望听到蝉在夜晚的尖叫声，牛用力踢牛棚门的声音，以及那绿色的一隅，它们用人类的声音呼唤着我，我越渴望便越痛苦。

二十日，星期三。我去找斯蒂法，我们决定一起在卢森堡公园共进午餐。坐在椅子上，我们吃着香蕉，沐浴着温暖的阳光。整个下午，索邦大学图书馆清静明亮，靠着我脸颊边的那扇窗户一直开着。列维-斯特劳斯坐在我旁边工作。我的工作进展很顺利，也没胡思乱想。生活真美好……我去斯蒂法那里修改一些文章。夜晚太过美好，不适合窝在家里。我有一件浅色的外套和一顶红色的帽子，它们很搭，也很适合我，晚上我去了香榭丽舍剧院。上演了勒诺尔芒的《秘密生活》，不太有意思，但也不无聊。在美妙的夜晚，在塞纳河边待了快一个小时。

二十一日，星期四。我在高师和索邦大学里忙到筋疲力尽。马厄在我旁边画欧仁，并且开始谱写一首关于春天的赞歌，不过只写了题词："献给我的祖母"。我很喜欢他，他是个阴阳怪气、我行我素、年轻、无道德观念的家伙，他看起来似乎非常独立，可能是因为内心冷漠。他从不说"我家"，而是说"我妻子家"，我觉得他很

---

① 以文学、社会学和艺术为主题的一家刊物。——原注
② 《围绕〈金钱〉》是关于马塞尔·莱尔比耶拍摄的电影《金钱》的一部纪录片，《邀请旅行》上映于1927年。——原注
③ 莎莎是去照顾一个堂姐。实际上，她的母亲想要她离开巴黎，让其不要受西蒙娜·德·波伏瓦的影响，开始限制她在柏林拥有过的自由。所以她会离开两周。——原注

有趣。莫里斯，您真是太好了，来接我下课，这节课令我感到那么疲惫。我们喝茶，您坐在我前面，我好喜欢您。我累了，回家，睡在沙发上，头脑发热。一直睡到早上。

二十二日，星期五。在国家图书馆里度过了忙碌的一天。我在交易所广场和班迪一起喝咖啡，他很有趣。他给我讲小说，谈论他了解得很深入的诗人科克托。晚上，我还在图书馆里工作，感觉真好。

二十三日，星期六。在国家图书馆，我在王宫花园吃了午饭。六点的时候我出门，夜风微凉，悄无声息。我沿着那些充满激情和生机的大道漫步，一路上，橱窗、电影院，我每走一步，这些都吸引着我的注意力。马勒泽布大道的温柔，此刻的宁静，我行走的身体，承载我身体二十年的坚实的双腿，我的内心充斥着平和、安宁。托克维尔街上，斯蒂法迎面走来，金发雪肤，在她的毛领和淡褐色毡帽的衬托下显得娇艳动人。她讲述着她的小故事，而我则分享我的。我们在克利希大道买了一块美味的馅饼，在蒙马特山空无一人的街道上边走边吃晚餐，月光在寂静的夜里闪耀。红磨坊旁边，一杯好喝的柠檬汽水就让我们暑意全消。咖啡馆里有男有女。我们在宝贝蛋的工作室门口等她们——宝贝蛋和若若。我们一起往下走，齐声歌唱。若若唱着"贫穷的佩特罗尼娜……"舞蹈、欢笑。她那美妙的笑声充满活力，无忧无虑。斯蒂法用胳膊挽着我，宝贝蛋和她的朋友唱着歌。塞纳河宁静而深邃，有点发蓝的黑色桥梁在深蓝似黑色的天空中形成了一幅完美的古典铜版画，今晚的塞纳河比人们所见的以往任何时候都更美丽。这个世界真美，我亲爱的朋友们。

我们送斯蒂法回家——因为走了太多路，脚疼。我们走到骑师酒吧，谈论起雅克，若若很想嫁给他。来到亮着灯的房子面前，有人走了进去，但不是他，多么深重的伤痛！爵士音乐，女人，舞蹈。淫秽的歌词，酒精，轻抚：我怎么能不感到震惊，怎么能做到在这里接受我在别处无法接受的事物，并与这些男人说笑，确信今晚我魅力四射？我怎么能用这么渺远又如此执着的激情来喜欢这些事物？我跳啊，跳啊……我看到了一些熟悉的面孔，我看到了那个我曾爱过整整一个晚上的男人，他友善地向我提到那个"我们在小角落里度过的开心夜晚"。就在昨天。不，已经过去十个月了……然后就是"小小的日常冒险"，我在这里寻找些什么：首先是国家图书馆里年轻的瑞士小伙子，他和我跳起了舞，还对我表示感激。显然他有点钟情于我，因为就在这里，这个冷漠的人待我像亲密手足一般……然后有一位先生微笑着问我"是不是研究风俗的"——他是医生，他跟我聊起刚刚离开的宝贝蛋，说她是我的姐妹，因为她有深蓝色的眼睛和天真红唇，还有一种天使般的神情。他盯着若若看，若若玩得像疯子一样，他还带我跳舞，一边问我关于这些女孩的问题，也问关于我的，他对我们来这里感到有点吃惊，微微带着一些讽刺，和看似漫不经心却是十足的关怀。凌晨一点钟，我们坐上出租车回家。若若有点醉，列举着她已经安排上了的约会。他意识到我和他单独回去时显露出轻微尴尬，默默地用眼角偷偷看我。他是否猜到，在接下来的两天，甚至更长时间里，他将不可思议地存在于我的心中，而我会感受到他投向我的既无责备也无认可的目光，感受到他的无私关切，因为我们再也不会见面。这不就是一种错过的遗憾吗？对于那些曾经相遇却未曾改变他们作为陌生人的美好的遗憾，我究竟要在这些充满矛盾魅力的地方寻找什么？只为了您是一个没有名字的男人，在我这张不知名的脸上投射出好奇心和人性的热情。让我记录下您在我心里最美的那一刻，尽管我不知道您比他强还是不及他，让我在人类中因身为人类而感到激动和幸福……

二十四日，星期天。一觉醒来，充满了遗憾和懊悔，沉重的清晨，珍贵的痛苦。卢森堡公园今天阳光正好。我去找斯蒂法，结果却遇到了费尔南多，真是位令人愉快的绅士。下午，我在热闹的街道上漫步，进入一家热闹的电影院：虽然布里吉特·赫尔姆很美，但《金钱》①对我来说不是很有趣，在我面前的这对年轻情侣，轻松地互相戏弄、亲吻、微笑，但是并不让人感到庸俗，因为她挺漂亮，而他看起来很和善……这就是度周日的人的生活……但这生活……傍晚六点时，我感觉自己像个轻浮的女人。我去找若泽，我们在夜晚散步。她谈到天主教，谈到她无法快乐地摆脱教规，无法违抗也无法相信，无法爱……"被剥夺了基督教"，她说是的，但又能怎么办呢？变得更坚强吧。我讨厌这种折磨人的宗教，很讨厌……

那么今天呢？在国家图书馆，我和舒勒小姐聊了两个小时，她跟我提起了新婚的弗朗索瓦丝·卡扎米安，她不认识我，而我经常怀着友情想起这个年轻的棕发女孩，想起她那宁静而带着微笑的脸庞，她对自己和自己的幸福充满信心。对于这个成功、鲜活、仿佛姐妹一般的女孩，我怀着深深的友情，我觉得自己永远不会嫉妒她，即使不在身边也会一直记挂她。我在书中遨游。我很早就回了家，现在我开始写作。我今天思考了一些事情。我现在觉得，与去年相比，我成为了一个女人。现在的"生活"对我来说比从前更加丰富——可能不那么纯粹，也许不那么热情专一，却能够包容一切，渴望一切鲜活的事物。我明白了何为态度、激情、欲望和沦陷。我理解一切，一切在尘世间可能经历的事情！……而且我感到好奇、渴望，渴望比任何其他人都更热烈地燃烧，无论燃烧出怎样

① 马塞尔·莱尔比耶根据左拉的作品于1928年拍摄的电影《金钱》。——原注

的火焰。

天啊！我内心有多少个互相矛盾的我，或者只是我的臆想？那天晚上在骑师酒吧，以及和梅洛-庞蒂一起漫步的，是同一个我吗？（您知道我深深地爱着您吗？）我有那么多可能会堕落，最糟糕的本能：感官刺激，卖俏，虚荣，像一些好奇的小动物一样住在我身上，我偶尔会兴致勃勃地让它们在我的眼前游走。而在其他时候，这会激起我如此真实的厌恶，我甚至不知道这种情感存在。只有一个人能够使我对自己的真实意识有所认识，只有一个人能够定义我，是能在我依靠时让我留下印记的阻力，而不是那种让我毫不费力地穿过的空虚，不留下我焦急寻找的痕迹。这些天我渴望你，当我说话时，没有回应，但有时突然间，你的声音，你曾经说过的一句话会从过去中涌现出来。这句话驱散了一切，它变得越来越大，越来越大，直到消失得无影无踪。

三月二十六日星期二

整天在家工作，直到下午五点都在研究科学哲学。我去了莫尼埃的"书之友"，阅读了最新几期的《交流》杂志：里面有纪德评价蒙田的文章，还有瓦莱里谈论达·芬奇的文章。在这些文章中，我高兴地发现了一些我前几天试图向拉波特解释的想法：哲学作为一门独立的学科，像数学一样严谨又专断，不受任何外界事物的控制，而是受制于内在的逻辑和美学。今天斯宾诺莎的作品就是如此。然后我去了斯蒂法的家，我们一起散步。

晚上，我阅读了勒内·施沃布的《我，犹太人》[1]，不是很有

---

[1] 于 1928 年出版。——原注

意思，以及约翰·多斯·帕索斯的《曼哈顿中转站》^①，作者缺乏足够的细腻和让我真正着迷所需的那一点疯狂，而且他这种手法太过敏感。

三月二十七日星期三

　　国家图书馆。在王宫花园里吃午饭。四点回家。梅洛-庞蒂来了，我们在卢森堡公园散步，树上开始冒出嫩绿的枝芽。阳光有点奇怪，带着忧郁。我们聊起了实习、布兰斯维克等等。回到家，我们和宝贝蛋聊天。梅洛-庞蒂觉得她很有才华。我们非常开心，大家一切度过了两个小时的美好时光，甚至都忘记了时间，去美丽城之前我来不及吃晚饭了。我们讨论福煦的葬礼，讨论得非常激烈，就像在任何资产阶级沙龙里一样充满智慧，但更朝气蓬勃、更富有活力。斯蒂法来接我，此刻她真的很美，我们在费利克斯那里边吃巧克力、蛋糕、英式冷盘，边改她乌克兰报纸上的文章边聊天。美好的夜晚，步行回家。我们聊起了她的婚礼。她真迷人。

三月二十八日星期四

　　国家图书馆。阳光明媚。工作进展顺利。我们送爸爸去车站，然后和亲爱的妈妈一起步行回家。晚上度过了愉快的时光，把自己埋在书房的椅子里阅读夏尔·杜博斯的《日记摘录》^②。特别振

---

① 约翰·多斯·帕索斯的小说，于1925年出版。——原注
② 夏尔·杜博斯（Charles Du Bos, 1882—1939），1927年皈依天主教，1908年开始经营一家杂志社。——原注

奋：我们谈论巴吕兹、加斯东·马塞尔、费尔南德斯……一群聪明的人，他们吸引着我，都是知识分子。对写作的思虑，对思想的颂扬……这种欲望再次紧紧地攫住我，让我重新运用全部智慧去生活，而不是用它来积累知识。对书籍、绘画、音乐、对话的渴望……私人日记的形式是多么迷人啊！我以前经常想，写私人日记，这是一件有意义的事，可以给我的日子带来更真实的存在感，可以不错过重要的思想或感受的碰撞，但无论如何，我总是太过随心所欲，受快乐驱使。但更重要的是，尽管有些时候那些充满智慧的生活让我陶醉，有些时候我会为未来做规划，等等，但这一切在本质上并没有引起我浓厚的兴趣，在我心底被唤醒的这张面孔使我感到无比焦虑，充满期待，驱散了那些只发生在大脑中的或多或少与言语相关的游戏。

三月二十九日星期五

今天在图书馆的宁静中，我再次感到渴望写作，渴望了解有趣的人，看到有趣的事物。渴望小心翼翼地将这些财富保存在每天记录并用来阅读的笔记中，这些笔记不是为了唤起回忆，而是为了让它们成为回忆。渴望过更丰富的生活，热爱我的生活，重新对自己产生兴趣。夏尔·杜博斯的书里有许多特点，我在其中认出了我自己：在某些时期他不会走一步思考一步，但这些时期很有意义，在某些过于忙碌的日子里，感知力会消失，让人感觉像在一段时间旁边走，它不会侵蚀你，但是会让你像尚未与岸边分离的木枝一样无力。

我必须接受自己是一个知识分子的事实，至少我要知道如何运用作为知识分子的特征。我用写作来试图定格那些恩赐的完美瞬间，那些整个存在都充满了生命力、直至让人泪流满面的瞬间。除了激情澎湃、不可预知的热情之外，其他的对我而言都无足轻重，但这些瞬间，哪怕只是品味它们时，也能让我想到死亡。这就是我开始写作的整本书。但我知道，写作始终只是对非文字的苍白转述，其实又远远超越转述。相反，我们应该对文字有所要求，就像夏尔·杜博斯那样，为那些没有被这份恩典所触及的时刻增添一些东西。赋予我的面容、我的一举一动以一种距离，　且失去这种距离便令我无法再对它们心生欢喜。我只有在写作的时候才能真正思考——今年，当我不思考的时候，我任由一切与我擦肩而过，然而我感觉到我拥有与以前一样多的思想，而且此刻如果我有时间的话……

　　不要留有遗憾，我还不算老。今年注定会被牺牲掉。还有四个月！但那时，那时……我要关注这个被我忽视得太久的亲爱的自己，我感觉，她在不经意间已经变了很多，重新开始尝试写一本书，并用心去构建作品、生活，用心地关注它们、热爱它们。（我需要一些精神上的刺激：比如普鲁斯特的书，里维埃和傅尼耶的《书信集》，纪德的评论。）我将独自一人，这将是一种与雅克带给我的完全不同的体验。但这是对自律的追求，像若尔热特·列维所说的"头脑职业"的东西，一种认真对待自己的愉悦，更可能是阻力而不是助力（哦！我也不清楚）。我们等着看吧……

三月三十日星期六

　　上午，在家研究哲学。下午，我去卢森堡公园，宝贝蛋在那里等我。我们去东站坐火车，去马恩河畔诺让。我们沿着河散步，一直走到圣莫，小船，舞会刚开始的小咖啡馆。

夜间和煦的春风吹过尚未冒新芽的树枝……晚上，我和妈妈、宝贝蛋一起去了农夫电影院，看了赫斯林的《一种没有快乐的生活》[①]，最后有轨电车带我们走了美妙的一程。《方谢特》[②]，一部蹩脚的电影。

三月三十一日星期日，复活节

温和、善意的上午。我去了卡纳瓦莱博物馆看十八世纪戏剧展览。那里有华托的作品，包括一幅非常漂亮的《意大利喜剧》，以及卢浮宫的《吉尔》的复制品。太有《大个子莫林》的味道了：弗拉戈纳尔的两幅画作，活灵活现，比卢浮宫的要差一些，朗克雷的画作、佩特的画作也中规中矩。然后，我又去了网球场现代美术馆：外国画家的油画，我几乎一幅也不喜欢，除了日本油画，尤其是令人钦佩、始终如一的藤田嗣治的画作《友谊》，还有一幅俄罗斯老农妇的肖像画，格吕克曼的油画我大部分都不喜欢，只有上面的棕色背景让我着迷。伯恩-琼斯的一些画作过于梦幻，不作丝毫抵抗，也没有丝毫现实感。但是，这些画中最平庸的也带给我快乐。我回想起杜博斯在他的日记中所说的，他无法感受，只有通过绘画才能唤醒他的感觉。因此，我对油画有一种生理需求。我内心生活的主题不再是片言只语，而是面孔、色彩和一角风景。华托的《吉尔》笼罩在朦胧的夜色里结束了美丽而空虚的白天，一动不动，无所事事，因为无事可做——无事可

---

① 电影导演让·雷阿诺执导，由其妻子卡特琳娜·赫斯林主演的电影《卡特琳娜或一种没有快乐的生活》，于 1924 年及其后的 1927 年上映。——原注
② 或许是夏尔·韦尔的《樱桃的季节或方谢特》。——原注

做……弗拉戈纳尔笔下的女人表情傲慢，她的领饰大胆出众。达·芬奇的《圣母子与圣安娜》。毕加索的《旅行者》，完全看不懂……

今天下午，我又读了一遍《苔蕾丝·德斯盖鲁》。我喜欢莫里亚克，因为他深爱着这个热爱生活的女人，她为陌生人伸过来的打火机而快乐，也为如织人流而欣喜，只需随意走动，就能感受到生命的流淌。在皮卡德书店，我读了朱利安·格林的《利维坦》[①]，这本书让我哽咽。在我看来，这是一位非常伟大的小说家。这一次，人类的戏剧不只涉及一个人的命运，而是涉及多个悲剧人物，他们像魔鬼一样可怕却又与我们如此亲近……他还喜欢惊慌失措的危机感，喜欢半妄想的冲动，太容易被用来解释一些行为，而莫里亚克则认为这在个人心中是必要的、无可救药的，还有书中对激情的夸大，这里主要是好奇心，这种激情吞噬了整个人，他成了一种被不复杂动机所驱使的精心描述的表象。但他叙事的天分即使到今天也无人能及：结尾凄美动人，令人钦佩，而格罗乔治夫人的性格在整部作品中是最美好的。这本书值得长期研读。

然后，我沿着河畔散步，给自己讲故事。在这些日子里，我感觉自己又活过来了，考试的烦恼和依赖我的人都被抛到九霄云外。我想知道我现在的处境，我似乎失去了很多，最糟糕的是我无法因此而感到痛苦。起初，我热衷于心理分析，我想把自我感受中最细微的差别考虑进去——之后，我热衷于我的精神生活：去年这个时候，我正在培养奇异的热烈情绪。而现在，经历了热忱、高强度的生活之后，我却失去了生气，被当下的消遣和胡思乱想所左右。我

[①] 于 1929 年出版。——原注

对任何事物都不执着，我既不执着于一个想法，也不执着于一种感情，却有一种亲密的、可怕的、令人兴奋的纽带长久以来将我与许多事物联系在一起。我对一切事物的兴趣都有分寸。哦！我多么理智，甚至对自我的无价值都不会感到焦虑。或许正是这种状态的所谓临时性无法让我因此而痛苦。无论如何，今年是被牺牲了。我内心的生活不会支离破碎，我要摆脱赋予它不可战胜的强大力量的一切，但相信这种力量会延伸到尚未涉足的领域，未免有点不可思议。一瞬间，一切都变得脆弱——雅克让离我最远的一切靠近我，因为我所认为的空虚并不是一种痛苦，而是无动于衷。因此所有的完满都是一种呼唤。我爱你的时候，我多么爱我自己！我对自己严格要求，是为了能在心里对你有所要求！世界和自我都存在着，这样的存在又多么需要意义，需要规则。我想念你，如同期待一份幸福、一份平静，其实这不是什么大事。在一个个疲乏的夜晚，我轻声呢喃着"亲爱的雅克""深爱的人"，这些话是因为我觉得疲倦，而不是因为你。与你有关的，是我内心炙热的痛苦，是突然变得重要的内心，是我重温沉默的回声。我多么害怕再次受苦，我多么渴望再次受苦。

如今三年过去了，我先经历了痛苦，而后体味了我的爱情和它的力量，如今感受这份爱在我心里的位置和它对我的人生所起的作用，它是我唯一的庇护所，来抵御我的自私、冷漠、想要压榨一切的迅疾风格。唯一比我强大的力量，让我知道我存在着。我不想要一句甜言蜜语，不想要那个微笑，不要，但想要你说，比如……啊！你想说什么就说什么。我会继续生存，我知道我会继续生存，而时间也会停滞在我的心怦怦直跳的时候。

四月一日星期一

上午，我在家阅读，下午去塞夫勒街的一家电影院，听达米娅[1]的演唱会，《我忧郁》和《欢乐街》真的很好听。我想到了米盖尔，朋友间的想念，他现在怎么样了？还放映了一部电影《风》[2]，不错，唯一的主角是无人草原上的狂风，还有《红与黑》[3]，让人看到电影对一部优秀作品的粗劣改造能达到怎样令人扼腕的效果。我去了斯蒂法家。我们商量晚上一起过。费尔南多对宝贝蛋的画提了一些建议，然后我们去了骑师酒吧，大家玩得都很开心。坐车回来，可怜的司机被好好作弄了一番（要说给雅克听）。

四月二日星期二

醒来看到梅洛-庞蒂的一封信，我只是想起"我勤奋写作的时期"就心绪难安。上午我在书桌前给他写信，下午去了卢森堡公园，坐在我们常常一起坐着的露天座上，我看了会儿书，我推心置腹的话写了整整四大页。天气有点灰暗，有点伤感，快要下雨的样子，犹如我的内心。眼泪的巨大释放，完整的柔情带来的深深幸福——我对您说的话带着多大的爱意！回过头来审视自己，痛苦地意识到内心的衰退，部分原因是考试，部分原因是这种可怕的缺失——谦卑——我自己一文不值——我多么不自爱，我多么不自爱！但至少，我尝到了这种揪心的感觉，想要付出更多，感受到面

---

① 路易丝·玛丽·达米安（Louise Marie Damien，1889—1978），又名达米娅，现实主义歌手。——原注
② 维克多·斯约史特洛姆执导的无声电影《风》（1928），由丽莲·吉许主演。——原注
③ 真纳罗·里盖利的版本（1928）。——原注

对一个与自己极其相似的人的兴奋，无比渴望他能读懂我对他的感激和我对自我的极大厌恶。莫里斯和我，每晚六点，我们一起沿着塞纳河畔散步。我去奥赛火车站接爸爸。在渐红的天空下，树木像一条灰白的花边；平静的水面上，所有灯柱的倒影突然一起亮了起来，还有您在我心里的倒影，我的兄弟……那么平静，一种复苏的春意盎然……

谢谢，怎么能不说谢谢呢?

四月三日星期三

图书馆重新开门。晚上去了莎莎家，她刚从巴约纳回来。和莫尔纳克一家一起吃晚饭，晚上在卡尔迪纳，宝贝蛋在那里画速写。在国图读了纪德的《太太学堂》[①]。

四月四日星期四

国图。在哈维纳尔家，和瓦内蒂、洛松一起喝下午茶。我很喜欢瓦内蒂，其他人也喜欢，但他们身上带着很浓重的天主教和民族主义的色彩。他们对于行动的幼稚看法，对友谊的蔑视（亲爱的莫里斯），对生命的无视，都让我感到困惑。我多么想念你，雅克，是你拯救了我，雅克……但她们对我也很重要，她们那么正直、严肃、年轻。我在国图看到了马厄，他真的很好：完全出乎意料！！

晚上重读了手记里记录的今年发生的一切。

---

① 1929 年发表在《新法兰西杂志》上。——原注

四月五日星期五

国图。莎莎过来跟我打招呼，我们在波卡迪喝了杯咖啡，简短地聊了一会儿，皮埃尔·德·瓦代尔陪她一起，他是个很有趣的人。晚上，班迪在花神咖啡馆给我读了他写的小说的开头——还不错。我又去了斯蒂法家。

我还是一样，没什么喜欢的事，也没什么讨厌的事。

收到了一张维朗德里城堡的卡片，多么漂亮，多么情意绵绵。莫里斯，您的关怀，您的智慧。没有您我该如何活下去，哦！您是离我灵魂最近的人，比任何一个人都乐于助人，无人能及，您那么自信，您总是呈现出全新的一面，但又始终没有变过，您带给人平静，让我认识到自己的价值。还是这一声，谢谢。

四月六日星期六

国图。我看到马厄。晚上阅读：霍桑、斯特林堡等等。

四月七日星期日

晚起——在卢森堡公园待了一小时。下午，工作、阅读，一个人安安静静地待在书房里。傍晚，在一成不变的巴黎百无聊赖地散步，有点让人伤感。晚上，我读了梭罗[1]，很喜欢，也让我幻想一种远离书籍、自由、非常自由的、无忧无虑的乡村生活。

---

[1] 亨利·大卫·梭罗（Henry David Thoreau，1817 — 1862），著有《瓦尔登湖》(1854)。——原注

四月八日星期一

假期结束了。上午，在天主教学院研读莱布尼茨和洛克，我曾经误以为，一门接着一门考试的学年末很容易过去。下午两点，我在索邦大学与梅洛-庞蒂碰面，我们一直走到明媚的卢森堡公园，谈论起了格林、莫里亚克、巴雷斯。见到他，还是和他一起坐在这里的露天座上，仅仅只是这些，我的心头便油然而生一股暖意。但上完拉朗德的课，听冈迪拉克跟我聊了几句关于达沃斯的事，我又感到抗拒，不愿隐藏某个不同时刻所产生的好奇心。我陪里夏尔小姐逛了卢森堡公园，走到王港大道，直到把她送回家。我又继续走。茶室，黑暗，一张忧伤的脸，脸上的皱纹在阴影里也慢慢模糊。沮丧的心不想再振作，在独自一人的青春悲剧中屈服。她跟我说起巴比尔，他们的关系很好。我有一种很奇怪的印象：要是我再年长两岁，我也有可能给他写下"我亲爱的同学"。他出发去了悉尼。这个孤僻的人变得有人情味，巨人变成了普通人，但她口中关于他的一切，就像其他参加教师资格考试的同学一样，不会对这份直率的爱意有任何影响，也许即便她作为他的朋友，也从未像我一样对他怀有这样的感情。接着，她又讲了一些悲惨的故事。正对我们的电影院亮灯了，车在我们身边经过。一位二十岁的年轻女孩开枪自杀，充满激情却孤独的年轻女孩，成了一个女人的猎物，成了一个男人的猎物，她很孤独。我带着一丝颓废的浪漫情怀，走进这个朦胧柔和的夜晚。某种"不健康的"、痛苦的东西向我袭来，我无力抵抗。奇怪的夜晚。（在这平静、湛蓝、清澈的正午，如何重又提起呢？）我心中幻想的是一个比若泽、里夏尔小姐更加痛苦、更加神秘、更加无助的女人，是一个可以成为我朋友的女人，在她身边能够感受到绝望的气息，她的身上一定有着某种软弱、某种疯狂，无可救药地怀念美国酒吧或者某条我们走过的阴暗小路。我想到的不是一个男人，而是这种软弱的共谋，并和他一起将共谋变成令人回味的现实，即使不和他，也可以和艾里斯·斯托姆[1]或其他我永远也不会认识的人……我随便找了个借口，在外度过了一个晚上。

　　克里希，一个可怜的歌手，坐在四法郎的楼厅座位上，身边是放肆亲吻的情侣——一个面色苍白、冷酷的女孩，在一排的另一头，一个面容镇定的母亲，身边有两个迷人的金发孩子，一个年轻漂亮的金发女人，戴着粉白相间、带小褶的皱领……在楼下的更衣室里可以看到一位女士和几位衣冠楚楚的男士。歌声从舞台传到观众席，或粗犷、或感伤、或滑稽、或诙谐，喝彩声和口哨声此起彼伏。我看着这一切，内心无比惊讶，不知自己为何在那里。是怎样无声的默契将我与这普罗大众的生活——不仅仅是通俗，更是粗鄙，一切都被享乐所占据，与精神背道而驰——如此紧密地联系在一起。重新找回小女孩懵懂的灵魂，它一直都在，歌手黑发环绕着的苍白脸庞使它陷入无法言说的兴奋之中。重新找回一颗孤独的心的懦弱、无力，它怀念着最后一课，并以此为滋养，在每一个别人的微笑中寻找走向奴役的呼唤。我想知道，在这些自鸣得意、傻气十足的面具下，或许在最可怜的、对生活的狂热厌恶中，都隐藏着什么。我永远也不会知道……在我与每一个生命之间，创造一种考验，把我自己交给他们的同时也让他们把自己托付给我。音乐，探戈茶舞，《贝都因女孩》……在克利希大道和巴贝斯大道上，为什么会爱上那些生活在危险中的粗野男人，爱上那个叼着劣质香烟的英俊、瘦弱的男孩，爱上那个站在街角卖弄风骚的女孩，爱上那个在

---

[1] 迈克尔·阿伦的作品《绿毡帽》（1924）中的女主人公。——原注

暖昧酒吧里等待艳遇的女孩，而艳遇对她来说只是维生的手段，为什么会是这种感觉，不是惊恐或冷漠，甚至不是好奇，而是渴望……

渴望在那个地铁口说："四十八小时我不在乎，我都已经经历过了，我都说过了，当心一点，十区的大逮捕……"我以为，吸引我的是生活的简单粗暴，粗俗的快乐和伤心，不得不戴上骗不了人的面具，矫揉造作恰好与它所掩盖的毫不矫揉造作的生活形成鲜明对比。在我心里，我不知道有着一种怎样强烈的渴望，一直都在，沉重地压在心头，对嘈杂、对斗争、对野性，尤其是对陷入困境的渴望……要怎样才能让我成为吗啡成瘾、酗酒或其他那些我也说不上来的人？也许只需要一个机会，是对我永远无法了解的一切的一种更强烈的渴望。他们的悲惨遭遇很好地捍卫了这些存在。

我经历了怎样的时光，害怕的只是光天化日之下自己会脸红，但没有——今晚在欧洲人音乐厅，在高师的教室里，我都全力地印证过。我只是因为思考而痛苦：我是个双面人，我虚伪，我因为高贵的外表而被人所爱，但其实我并非如此。莫里斯的想法掠过我的心头。他的朋友会因为其实是一个他并不了解的存在，而停止存在了吗？我无法舍弃自己的一切向他看齐。我不是冈迪拉克，没有他的智慧，我想要生活，全部的生活。

无论这里要写的书是什么，女主人公与我不同，她不会想着去写一本书，的确，昨天，我酝酿的并不是回忆，而是我被吸引了，我只是一头更复杂的野兽，被困在当下身体所感受到的悲伤中。

乘地铁回去的路上很奇妙，一位年轻的无政府主义者正和一群人大声讨论，她戴着大帽子，穿着衬衣，打着领带，非常漂亮。男人们则都留着长发，一脸从容。

但不可能从这一切中感到任何真正的苦涩。我不可能感觉到自己融入了多样性之中，因为我知道这种多样性是被理解的，是被完整地爱着的。我不把这一切说出来，那是因为这太显而易见了，而不是出于不信任。然而，你知道我的这种疯狂吗？它会是一种致命的惩罚，要是我在放任自己的时候，想到它是致命的，对自己所冒的这种风险感到懊悔的话：找出自己最糟糕的部分，才能确定我是否会厌弃自己。

四月九日星期二

上午我在这里工作，很好。在高师上里沃的课。我和冈迪拉克、梅洛-庞蒂一起回来，走到卢森堡公园的时候，我停下来吃了午饭。我在索邦大学图书馆研读洛克，将近七点的时候回家。晚上和宝贝蛋去了巴比诺音乐厅。两场表演很精彩：做单人杂耍的先生，不带球的手技（确实是手技），没有秋千（真的秋千）的高空秋千，原地轮滑，甚至边滑边后退——慢速动作。很精彩。他的名字叫勒梅尼耶，以后应该再来看。还有一个是小丑表演，一直在摔倒，但他笑容温和，嗓音独特。演出的名字叫《幻想的梦》。歌手也很有魅力：丽丽·梅。吸引人的是大胖子马约尔，只是微微打开了一扇门。但如果我无法跟你讲述这一切，这些又有什么意义呢？即使和宝贝蛋在一起，又有什么意义呢？

四月十日星期三

烦闷——四个人的小团体变成了三个人，怎么会这样？多少东西，只有你去好好品味，才会带给你乐趣。但我甚至不再知道你是不是存在。如何改变人身上的这种神话，如何期待一个奇迹的发生？我走得越近，却离得越远。过去已经再也不是昨日的过去，未来却是失去了一切的未来。

现在正在下雨，假期结束了，相同的面孔又出现在我面前，一切都是无关紧要的，而你，透过眼镜一角所看到的你，那么遥远……如同这堂没完没了的课的尽头。

索邦大学。冈迪拉克的讲解课，罗宾的课，课上我一直在睡觉。玛丽-泰莱丝[①]的婚礼，鲜花、音乐——必须这样吗？穿着一身蓝色的莎莎很迷人……手忙脚乱的午餐。和热娜薇耶芙、雅克·德·纳维尔、皮埃尔·德·瓦代尔、埃德加·杜穆兰待在一起的时光很开心，杜穆兰穿了一身红色，特别帅气。香槟、舞蹈，是软弱让我留在了这间会客厅里，而其他人也和我一样，假装玩得很愉快。玛丽-泰莱丝很漂亮。瓦代尔家的三个孩子像三个可人的洋娃娃，歌唱得很好听，引得人们不禁想把他们抱在怀里，因为他们的童声，他们的笑容，他们将来不再会拥有的可爱。我有点伤感，因为莎莎[②]，因为没有更好地感受到这场婚礼的平平无奇，因为被放逐，离开了我骄傲的美丽天堂。而今晚，我刚刚读到了米凯利斯的《女人们》[③]，一部动人的好书，书中的女人们受苦受难，生活简朴，以博大的胸怀在人群中找到唯一的那个人，或默默地忠诚于唯一的那个人，以这样的一颗心……

若是活生生的一颗心，该有多么沉重！今晚这并不是最美好的爱情，我渴望哭泣，不发一言，没有真正的痛苦，我的眼睛盯着那看不到的一点。给你写信吗？我可以这么做吗？我能说的只有一句话，从来只有那一句，那是在我听不到你的声音的时候，我能听到

[①] 莎莎的姐姐，小名"宗"，嫁给了阿尔贝·德·瓦代尔。——原注
[②] 莎莎是拉库万夫人的名单上下一个要结婚的女儿。——原注
[③] 卡琳·米凯利斯的作品，于1926年出版。——原注

的唯一的一句话。若你在我身边，我只知道是你，我甚至不知道我爱你——若是你离开了，我还能知道什么，除了我的爱情，我从未向你说出口的爱情，从来没有人会经历这样的爱情，从来没有人。别人爱一个人，从来不会像我这样吗？这是另一回事，与爱情无关的另一回事。但这也是爱情。当他远离我的时候，我的情感会复杂化，变得细腻、令人不安，又很有意思——而当他在的时候，一切都变成很简单。当他在的时候，也就是说只要他的脸上挂着微笑，给予或者索取，只要他对我说：你是为我而存在的，即使他没有说出口而是写在纸上，我人生中的一切，所有的一切都不会在别处。雅克，这就是我们之间的联系，那么奇特，那么不容置喙，无法逃避。无论我们做什么，我们彼此都联系在一起。过去是那么壮丽，我甚至无法相信，但我就是相信它曾经如此壮丽，若它就是这样的话！啊，四十年或更久以后，我终于明白，你可以在尘世之外追寻生命中的一分一秒，以及关于你自己的最后一句话，那是别人无法向你透露的一句话。

　　如今三年过去了，这三年来我都是属于你的，自从那天，我们一起在小树林散步，我感受到一种犹如心痛的空虚，只能用泪水来排解的空虚，那是一九二六年四月，从那之后，我们一起经历，承受痛苦，逐渐成熟，因为彼此而受折磨，而有时你又离我很远。但这对我又有什么重要的呢？即使你爱上了另一个人，那和我爱你也截然不同。我多么害怕，害怕你跟我说话时会带给我痛苦，如同女人分娩时害怕疼痛，可怕的疼痛，甜蜜的疼痛，我再也无法摆脱这份爱，因为一个女人无法与自己带到世上的孩子分离。然而正是这一天，这份爱诞生了，被全部的真理照耀着，但我依然害怕，对不起。

　　而同时，我感受到一种让人激动万分的快乐。

没有人会知道，甚至你也不会知道，除非有朝一日你像我爱你一样爱我，但永远不会如此。我也不愿意这样，哦！一定不要，不要那么爱我。

我无法再等待三个月，请原谅我，我做不到。当我听到他的声音在对我说："我特别不愿意"，哦！这是在时间面前的无能为力，无能为力。哦！给他写信，告诉他这一切，告诉他这一切，哦！我多么痛苦。

四月十一日星期四

高师。又见到了正直的罗宾！我和马厄、施沃布一起坐公交车，施沃布讲了许多关于达沃斯的故事。冈迪拉克请我跟他一起吃午饭，但是斯蒂法在等我，我们在索邦大学的餐吧一起修改报纸上的文章。在这个明媚的午后，冈迪拉克特别友好，他跟我谈论起德国哲学、我的文凭。"要是您的那些朋友想要读一读的话该多好。"他对我说——我的朋友们……你们对我多么重要，多么不可或缺，在你们之中，我的位置才是稳固的，可是……课间与伊波利特、布瓦万、施沃布、里夏尔小姐、冈迪拉克聊天，真愉快。假期里得到了放松，不管怎样，这些都是很好的伙伴，谁又没点小缺点呢？而且我们都是年轻人在一起！我们一起欢笑，没心没肺的，而瓦纳一直滔滔不绝地讲解！我看到梅洛-庞蒂在教室外等我下课。我去了莫尼埃的"书之友"，看到了法尔格。晚上待在家里。

四月十二日星期五

上午我在家工作，很好。下午一点，我去了斯蒂法家，趁费尔南多吃午饭的时候，我们一起工作了半个小时。他戴着一条精致的领带，乌黑的双眼炯炯有神，非常温柔，他对我有着一种殷勤的爱意，让我很受用。斯蒂法给我吃了一块美味的米饼，费尔南多陪"红帽子"聊天，这是他给我取的绰号。我们计划一起出游、散步，很开心——他友好的举动，他就这样把手搭在我的肩上……

我去了索邦大学，内心得到了安慰，很开心。我继续研读莱布尼茨。在圣热娜薇耶芙图书馆，我读了卢梭的生平。我渴望自由地阅读，读文学或者其他。我离开图书馆去电影院。安妮·翁德拉在《蒙帕纳斯的安妮》①里的扮相很精致，但电影不是很有意思。在公交车的站台上，吹着夜晚的凉风，头脑清醒，身体活跃，满心自由，真好。巴黎是自由的，我的人生是自由的，我为遇到我人生中的过客而高兴，为看到从蒙马特到蒙帕纳斯一路闪耀的灯光而高兴，为塞纳河边悄无人烟的黑暗而高兴，为我自己在心里暗暗许下的承诺而高兴。我想给雅克写信，向他讲述这个简单又美好的夜晚……

至少，我们的生活不是苍白的，不是封闭的，不是沉睡的，至少，我们会感觉，会快乐，会痛苦，会爱。我们还年轻，我们不会让一切溜走，没有享用过所有的菜肴，我们是不会离开饭桌的。

四月十三日星期六

今天上午和莎莎去了卢浮宫。首先，在塑像工作室，我看到了拉斐尔可爱的半身像、普拉克西特利斯的《爱神》《普赛克》，以及极美丽的舞者的半身像。我们迅速参观了远东博物馆里的瓷器，然

---

① 阿雷执导的电影《蒙帕纳斯的安妮》（1929），安妮·翁德拉是一位捷克女演员。——原注

后去参观展览法国绘画的新展厅：雷诺阿。混杂的愉悦。两类截然不同的画作，毫无悬念，我只喜欢前者：《裸女》《煎饼磨坊》，小巷中的邂逅，肉体和布料在淡紫色和粉红色的光斑中活泼欢快地跃动。对事物的外部视角（雷诺阿的风景与塞尚的风景形成鲜明对比，渴望躺在草地上，采摘这些罂粟花，回忆夏日在相似的乡村里漫步，这片绿色散发着清香，唤醒了身体上的一种飘飘然，但塞尚的这个港口是对灵魂的呼唤，是一种变成感性的反思，是赋予风景以精神，这风景不再仅仅是风景，而成为这种精神所在的整个宇宙），视角鲜活——恰恰相反，他的伟大绘画（在我看来，许多形式都源于此）让我感兴趣，但并不吸引我。整幅作品与我喜爱的所有绘画截然不同。在马奈那里，我重新发现了更多的自我。这里的一些肖像画很美。它们在虚假的精准中蕴含着巨大的魅力：面部的线条似乎是确定好的、构建好的，但轮廓、色调却摆脱了精神上的僵化，将这种赤裸裸的现实中难以捉摸的虚荣与思想的一致性融合在一起。伟大的绘画，甚至包括《奥林匹亚》，都不如这幅女人肖像和男人肖像更能打动我。有几幅德加的作品很吸引我。西斯莱看起来像大个子莫林，毕沙罗有时显露出一种直接的简洁。莫奈对我来说是难以理解的，我无法喜欢《午餐》、花园、大教堂、车站，我喜欢的（两幅表现船的小画）不再是莫奈，或者说不再是《睡莲》展示出的伟大胆识和表现上的伟大失败，尽管和维克多·雨果的过度抒情一样伟大。塞尚的画只有两幅，看着这些画，不需要再去寻找，只需要默默地爱。能成为我们生活支柱的画家——实在是太少了！

在索邦大学，我工作效率不高。我渴望只做一件事，那就是徜徉在各个时代、各个国家的文学中，这种渴望与日俱增。六点钟和梅洛-庞蒂在埃弗利娜吃了点心。我们冒着雨，一副开心又傻乎乎的样子，一起变成傻瓜，真让人玩味。还有斯特林堡和契诃夫。每天早晨，我都觉得我过不了这一天，哦！你还是不在我身边，还是不在，日复一日。已经整整十一个月了！

四月十四日星期日

早上，我散了一会儿步。空气那么温和，令人心旷神怡。

下午，我带妈妈去红磨坊看巴尔贝特①。这个节目让人感觉不到一点绝妙，连巴尔贝特也没有打动我，这是预料之中的。晚上我无法在这里安安静静地工作，我去了斯蒂法家，但她不在。我又和宝贝蛋一起去了若泽家，她刚刚回到巴黎。埃莱娜·奥杜朗也在那里。我们一边吃晚饭，一边在蒙帕纳斯大街上散步，又一起在圆顶咖啡馆吃了冰激凌，但没有说一句交心的话，然后又回到她家。十点钟，我与她告别，回家，我被她如此优雅的身影深深吸引。

四月十五日星期一

上午我在这里工作，下午去了索邦：上拉朗德的课，去图书馆。晚上，我们去了欧洲人音乐厅。和爸爸妈妈在一起生活与我独自一人生活有着很大不同，一个人的生活充满了冒险。我们坐在乐池的加座上，但我们只是观众。以前有一次，我演过一出剧，这出剧在教室里、在舞台上都表演过，它代表着一种生活，渴望消遣、遗忘、吟唱的生活。然而，今夜我依然怀念，怀念那无望的空虚生

---

① 本名范德·克莱德，这位年轻的美国人是杂技演员，1923 年被科克托发现，1926 年科克托与曼·雷合作为他出版了一本书。——原注

活，怀念那献身于肉体的生活，怀念那在平淡的享乐中沉睡的生活。我体谅，原谅一切，这些事我自己也可能会做。一个充满魅力的喜剧演员特里奇让我笑得直掉眼泪。我们在韦普勒吃了冰激凌——大家心情都很好，我对他们怀着一股柔情。

四月十六日星期二

上午在高师，瓦纳的讲解课上得滑稽可笑，他和伊波利特起了争执，我和迪卡塞、马耶等人在门口聊天。（为什么当我听到有同学说"波伏瓦小姐？"常常会感动？我是感动于自己的存在吗？为存在于其他人之中而感动吗？因为感受到尊重和同情，因为自己能在那么多年轻女孩中轻而易举地成为独一无二的那个而感动吗？我是多么用力地活着，我是多么用力地活着！哦！有朝一日我会把这一切都说出口，难道不是吗，不是吗？）

我在索邦大学的餐吧一边吃午饭，一边准备关于莱布尼茨的讲解。我在索邦的图书馆读卢梭。三年了，图书馆几乎没有一点变化！同样的学生在那里调情，开着同样愚蠢的玩笑，将近五点时同样的疲惫袭来……幸好这时，米盖尔突然出现。

他给我寄过两封信，但我都没有收到。我陪他一起穿过卢森堡公园，一直到夏特莱，谈论起达米娅、喜剧演员特里奇，还有许多其他人，谈论起巴吕兹、他的文凭和他自己。聊了一个小时之后，我觉得轻快、愉悦、放松。我回到圣米歇尔大道，非常思念您，您才能给今晚带来乐趣。走进卢森堡公园，冷冷清清的，那里慢慢被黑夜笼罩，我回到家，坐在书桌前，一直研读莱布尼茨直到深夜。早晨，冈迪拉克跟我说起宝贝蛋的画，说起电影，他很有魅力。

四月十七日星期三

关于莱布尼茨的讲解课不是很成功，但是拉波特讲得很精彩，之后是罗宾那让人昏昏欲睡的课。还好冈迪拉克坐在我旁边，我们聊了会儿天。他给我看了他去希腊旅行的路线。我在卢森堡公园吃了午饭。天气真好，我想白天都待在公园里——但理智还是占了上风，我去了圣热娜薇耶芙图书馆研读卢梭。我又去了麦克斯·林代电影院，看了《新绅士》[①]，加比·莫尔莱太迷人了，电影也细致、风趣，我度过了一段愉快的时光。我想到了许多许多的事情……

我回家吃晚饭，晚上是和歌德一起度过的。路德维希的《歌德》[②]是一本很好的书，第一卷写的是十六岁到三十二岁的歌德。从他的信件、作品、肖像看来，他似乎比我最亲密的伙伴离我更近。他的一生带给我很长时间的思考。为什么我感觉这样的生命不会对我产生任何影响，而我其实是一个很容易受到影响的人？我不喜欢歌德——无论是谁，不管他是否伟大，我绝不允许自己被一个不喜欢的人所影响。他的作品却让我佩服得五体投地，但不能提起那件无需被崇拜的事情——他对我来说完全是陌生的。为什么？他的性情过于偏爱感官，或者说应该更偏爱带有悲剧性的感官，默默赋予感官生活以重要位置，没有痛苦，没有疑问，令我非常震撼。最糟糕的放荡，如果是纪德为自己的心灵寻找食物，是一种辩护，一种挑衅，会让我感动。歌德的爱情冒犯了我：既不与他的个性相悖，也没有走进他的内心，与他的灵魂相合，没错——人们总是吹嘘歌德式的灵与肉的和谐，但正因

---

① 雅克·费代执导的影片，编剧是罗贝尔·德·弗莱尔，于 1928 年上映。——原注
② 于 1920 年出版。——原注

为陌生才会和谐。由深刻的友谊中所诞生的不和谐才是美好的！他是多么节省，即使他自认为是慷慨的，他又是多么不自然……如果说他痛苦，那是因为冷漠，而不是因为满溢的爱情。他感到空虚，是因为汲取了一切，而非因为纯粹的空虚，这也是他一切的中心。继而是幻想的恩赐、讽刺、我所需要的一丝疯狂，但他没有。帕斯卡尔？不，但歌德也不行！可为什么要选择别的，而不是我自己呢？

四月十八日星期四

　　为什么每次见面都会感到忧伤？为什么流着泪的心还被那么多希望和爱意所包裹？我永远不会带着微笑说再见！早晨起来，已经能感受到明显的夏意，我坐上去高师的公共汽车，绿茵、阳光的味道扑鼻而来。我坐在 D 教室的硬长凳上，冈迪拉克对我微笑，马厄向我伸手，都让我战栗。我多么爱你们，人类！十一点钟，我们去了一个花园，那里的一切都开始复苏。萨特、尼赞、马厄用小石子打水花。后来布瓦万、伊波利特、博尔内也来了，他们看着水里的金鱼微笑，扔地铁票、香烟、"白手套和拼写错误"。施沃布和冈迪拉克出现在窗台上，简直像马奈的一幅真迹。大家在笑声中议论着：带着学究气地嘲笑罗宾和歌颂萨特，但学生们的课间休息确实不错，夏日的院子里，朋友或敌人，都团结在一起，互相友爱，结成联盟，对抗考试和衰老，一起歌唱生活，歌唱身体的快乐、精神的快乐。本该用爱包围的早晨，可以穿越时空却依然完好无损，是的，即使是胖胖的雷诺也不要忘记，最冷漠的人也是朋友，每张脸都是敞开的大门。

　　我在郁郁葱葱的卢森堡公园吃了午饭，一边读着歌德的信件和科勒韦尔的一部小说，然后去听了布雷耶的课，我坐在冈迪拉克和若泽中间。若泽戴着一顶草帽，十分优雅，她和我一起下楼，来到院子里，安安静静地待在我身边，我们之间什么话都没有说。院子里一片欢腾，到处都是友善的面孔，萨万露出莫里哀式的神情，看起来非常开心，他嘴唇微微突出，绽放出奇怪的微笑。我看到了米盖尔，他跟我聊了几句，关于他毕业的事。我去布兰斯维克那里，听萨万和里夏尔小姐的讲解课，我不太关心他们所说的，我坐在马厄身边（哦！可我不能像一个傻瓜一样流泪……）

我对他怀有温情吗？没有，当我看着我内心的他时，我没有被任何美妙的温情所包裹，就像对加鲁瓦或梅洛-庞蒂那样。我对他怀有尊敬吗？没有，我不像对冈迪拉克那样感受到一种强烈的尊重。我对他只有一种手足情谊吗，就像跟米盖尔一样？不。我不喜欢他的朋友们[①]，我听说的有关他的事情也并不值得尊敬（比如他的婚姻，就为了八十万法郎，而其实他的妻子看起来也不像是个优秀的人），他那突出的下颚，他那半讽刺半天真的奇怪的微笑，并不能让人对他产生温情。就因为新鲜感，才使我如今为了他同时放弃了冈迪拉克、梅洛-庞蒂、加鲁瓦和米盖尔吗？不是这回事。他也是"我们中的一员"，他身上有一种智慧，是我无法抵御的，他的让·科克托式的绘画，他对西拉的个人主义，对阿尔西比亚德斯、巴雷斯、斯丹达尔的见解，都让我大开眼界。说是他把我推向了雅克，那或许是胡说。这就是一种氛围，迄今只有雅克才能在我身边创造这种氛围。如果说第二天一早，我在春意盎然的书桌前哭着写下这几行字，那我也是怀着同样愉悦的心情，在同样的早晨回味前一天的谈话。是与勒内·马厄相遇，还是与自我相遇？无论是谁都

---

① 这里指萨特和尼赞……——原注

让我如此感动! ［旁批：五月二十六日 —— 战胜昨日沉默的柔情。］

我们讨论个人主义，他很惊讶，觉得我离他很近，而他在听到我的看法之前，以为我"笃信天主教，善于社交"，他谈论起科克托、巴雷斯，他只喜欢他们身上的"自我崇拜"，而不是他们政治上的败北，他说得真好，他还说起所有不值一提的小事，这些事对他如此重要! 对话中断了，我们相约到国图再进行长时间的交谈。他对我说他要写一本书。他喜欢讽刺，哦! 讽刺是引领我们走上通往真实自我之路的女神。他敏感吗? 我认为他不敏感，这也是他与雅克之间的巨大差别，他既没有忧虑，也没有痛苦，至少我认为没有，但充满了活力，看重自己的精神世界，爱冷静又笑容满面地剖析，爱开玩笑但不搞恶作剧，我觉得他始终戴着面具，他喜欢看到人们相信了他的面具，说他的坏话。我想与他说话，告诉他我对他的情谊，让他了解我，就如同雅克了解我那样。为什么他那么友善，却又和所有人保持距离? 为什么他会那么看重我?

也许一个月之后，他对我就不再重要 ［旁批：五月二十六日——恰恰相反! ］ —— 今天早上，我非常不舒服，似乎真的发生了些什么。

但这并不妨碍我对梅洛-庞蒂的到来感到欢喜，我欢快地陪着他去了"书之友"，然后乘坐一辆 AX 到了帕西。但这只是为了和他一直谈论马厄。六点三刻才到帕西! 这个时候我原本应该在戈布兰的。在车窗大敞的出租车上度过了美妙的半小时，我重温了那满是人、话语、激情的一整天，我重温了马厄说过的每一句话，我向路过的那栋拉下百叶窗的房子挥手致意。我思忖着："如果马厄没有结婚，我会不会感到巨大的忧伤? "——答案是肯定的——可为什么呢? 无论如何我……这种安全感是因为我们之间的不可能首先源于他吗？我天马行空的想象突然被按了暂停键吗？我还会想：在某些挫败甚至厌烦的时刻，一个强大、温柔的男人也能扰乱我的身体、我的心，而且，在完全真诚的情况下，或许能征服我（在骑师酒吧的感受，等等）。无论是谁对我的心灵说话，让它如此微妙地受到触动，都不仅不能扰乱我，甚至不能激发我对更温柔的亲密关系、保护姿态的丝毫渴望，因为连雅克……如果他要抵达我在他心里"安放"的一切，那该要通过一条怎样耐心、缓慢、艰苦的路。再一次，为什么？我在这辆出租车上想了很多……

在里夏尔小姐家，我遇到了两个乖孩子（勒库安，或者差不多的名字），我曾和他们吃过一次午饭。我们一起去了大学城。我有点喜欢里夏尔小姐，同情她的自满，同情她的软弱，这并没有让我重拾骄傲。她的朋友让娜·勒库安看起来像个纯洁、坚强的天使。我们五个人在一起聊天，度过了一个晚上，聊的内容非常无趣。但在寂静荒凉的夜晚，大学城简直是梦中的王国。天空在月光下显得纯洁、无边无际。五颜六色的灯光窥视着造型别致的窗户。窗帘后的面孔专注于书籍，公园里有人影经过。生活朴实而热烈，被环绕而又孤独。餐厅里充满了青春气息和喧闹声。中央凉亭里，几对情侣翩翩起舞。浓浓的诗意，近乎戏剧般。

我坐地铁回家，筋疲力尽。美美地睡一觉。

四月十九日星期五

今天早上，我在这里，我似乎再也想不起来很久以前自己曾经是什么样的。我很不自在，却又很高兴，满心都是模模糊糊的回忆，关于巴雷斯的书，关于在科克托那里读到的句子，或者是当我打开巴雷斯和科克托的书时感受到的世界的滋味。我心里满是骄傲，满是言说的意愿，满是存在的兴奋。我无比想要歌唱，想要流泪。哦！回归自我，哦！和从前一样，我只想完成一项伟业，那就是让自己的感情和感受变得尽善尽美，用自己的思想去厘清这些感情和感受，用文字将它们凝固在纸上，用自己所有的时间去耗尽它们。哦！重新生活！和雅克一样，我也想找回那个曾经那么深爱他的人——在斯特力克斯酒吧喝酒，沉浸在内心强烈的感受中。

我收到了若泽的一封信，让人难安。什么？昨天下午三点看到了梅洛-庞蒂？我都没有发现他在那里，但对她来说是巨大的喜悦。哦！爱情的力量多么可怕，那么坚实，可又有那么多人排斥你……那个叫歌德的人，他爱过吗？将我对这个或那个人的强烈冲动与我唯一的真爱进行比较，是抗辩。我相信，大部分相信这样就是爱的人只体验过爱情里的欲望、悲伤和妙不可言的愉悦，这是许多人曾带给我的，当我和另外一个人在一起的时候这些感受会消失、会重燃，但对歌德来说，这些感受都在他的人生中靠边站，甚至连死亡都无法成为证明。但像若泽这样的爱情，谁曾经历过？因此这不完全是爱情，而是比爱更深的情感。

生命！夏日唤醒了生命的第一天，曾经的欲望，曾经的兴奋，全新的热情，全新的快乐。啊！我自己，我的孩子，违背我的心，只为了让我自己重新变成一个神，这迷醉的午后……

一定是疯了才会这么年轻就写一本关于自我绝望的书。起码还需要一两年的时间，才能知道我喜欢的和讨厌的到底是什么。生命，你是让人既爱又痛的主宰。在你充分绽放的时候才能与你诉说一切。

波德莱尔，莫里亚克，音乐，绘画，友情，这些都让我陶醉。我坐在这张桌子前，拥有了全世界。我们可以赋予这样一个难得的时刻以生命。我的身体拜倒在这美丽的风景面前，这份美丽却在我的心头冉冉升起。哦美好，哦诗意……如果把痛苦说成是一种纯粹的呐喊，那承受任何一种痛苦又有什么关系呢？该回来了，我的雅克。我无比需要你。我重读了莫里亚克的《肉与血》，每读一行，一种恐惧就攫住我，只有你才知道如何抚慰我。我害怕我自己，我害怕我自己……

该回来了！这颗心不应该再因偶然的相遇而散落在苦难中，不应该再求助所有人来寻找它的美好点滴，让它只为一个人而痛苦。没有你的日子是空虚的，如此美丽又如此无意义，充满了你的存在，就像平静的呼唤一样伟大。在这样一个充满泪水和欢乐的日子里，你我之间将再也不剩下些什么！雅克，我多么想找回你的一切，我们两个之间的一切。哦！我到处都疼。一年以来，这是第一次我重燃对生活的热情，不是像假期里那样对物质生活的热情，而是对动人的、金光闪闪的生活的热情，巴黎的每条街道都散发着特别的味道，每分每秒都充盈着特别的忧郁，而你不在那里，只有你才可以和我一样感受到如此强烈的渴求。我到处都疼。

但这一天的结束是美妙的，随着这悲伤慢慢被放下——一些诗句寄给了那位正在遭受折磨的忧伤而脆弱的朋友，有莫里亚克的诗，也有克洛岱尔的诗。另一位朋友来了，我和她一起漫步在郁郁葱葱的圣日耳曼大道上，心情愉悦、平静，指尖萦绕着写字台上纸张中唤醒的往事的细腻气息。在巴黎的街头慢慢散步，耳边吟诵着保尔·艾吕雅的诗句，在卢森堡公园，读了纪德的一篇小说。慢慢回到这里，满心欢喜。美好的夜晚，和心不在焉的玛德莱娜、有点伤心的宝贝蛋在一起，幸福一点一点地占满了我的心。整个晚上都在公交车的站台上，我们要去皮加勒。雅克在烟雾缭绕、风景如画的狡兔咖啡馆，他的存在令人目眩，而在朦胧的山丘上，在晦暗的巴黎，我的存在也令人目眩。

四月二十日星期六

我一整天在房间里，准备毕业论文，学希腊语，重读了一篇我喜欢的短篇小说的开头，我也将写一部短篇，同时我想到了我的朋友，贪婪地享受着存在带来的无声的快乐。我是多么爱你，我的孩子，当你如此快乐时，你甚至变得更漂亮了，我是多么爱那些我迫不及待想要看的书，如此迫不及待地想看到你写作，这种沉思的孤独，这种安全感，这种无缘无故、无声无息的快乐，如此庄重。

四月二十一日星期日

懒惰，早上长久地陷在对你身体的幻想之中……美丽的卢森堡公园满目绿色，星期日上午，我在这里读《文学消息》。哦！下午，我在巴雷斯那里找到了那段给予我生命却又难以名状的音乐，我感到一种令人心碎的幸福。哦，维奥兰特[①]，哦，图勒国王[②] 的爱，哦，雅克……在莎莎家吃晚饭，普莱耶尔音乐厅的夜晚，莱顿和约翰斯通演唱歌曲，但在偌大的大厅里，这些歌曲过于细腻、生动。从前排攒动的肩头上方传来小声的呼唤，并不是听得很清楚。无尽的柔情，没有多愁善感。

---

① 可能是指普鲁斯特的《欢乐与时日》中的《维奥兰特或上流社会》。——原注
② 歌德《浮士德》中的《图勒国王叙事曲》，于 1806 年出版。——原注

四月二十二日星期一

或许有一天，我会怀念白天在家安安静静地工作一天之后，如此安静、一成不变的夜晚，我在索邦待了一个小时，和冈迪拉克约好以后互请对方，然后和蓬特雷莫利在卢森堡公园散步，去看了郁特里罗的画展，在埃皮纳勒图片旁边挂了很多精美的画作，又去了塞纳街，他指给我看西莉亚①的画，我并不是很喜欢。平静的夜晚，陪伴我的有书籍、朋友们的面庞、宝贝蛋的画、莎莎的蓝裙子、冈迪拉克的手、马厄的坏笑、鸡尾酒的香味、心中吟唱着的"光天化日之下的神秘"之歌、对莫里斯的期盼，我明天就要见到他了。平静的夜晚，我在信封上写下了一个名字，唤醒了所有的幻想，我的兄弟在焦虑与幸福中成了我的同一。我会给你写信吗？

四月二十三日星期二

一大早，最大的快乐就是把《梵蒂冈地窖》②一书借给马厄，我看着他一边读纪德一边写下关于斯宾诺莎的笔记。跟伊波利特聊了一会儿于勒·罗曼。出众又高傲的尼赞在和布格勒交谈。下午在国图，我看到赫维西匆匆经过。之后我在杜伊勒里花园闲逛，在那里读了一会儿季洛杜和萨拉克鲁，我是为了应急买的黄绿色小卷本。四周绿茵茵的，很暖和，也让人伤感。我厌倦了在忧郁的协和广场上等待，我不为见到梅洛-庞蒂、跟他在林荫大道上闲逛而高兴。我不想跟他做任何事，而我却想跟雅克做所有的事（这不太友

---

① 西莉亚是一位舞者、画家，她是蒙帕纳斯的吉吉的朋友。——原注
② 安德烈·纪德的小说，于1914年出版。——原注

善，说这样的话……）我们在一家花店对面一边喝热巧克力、吃蛋糕，一边聊着歌德，我们在蒙马特高地上闲逛，去哈德勒那里找宝贝蛋。高地上的大街小巷那么亲切，在上面俯瞰巴黎，林林总总的人影陷落在星星点点的灯光中。多么孤独，多么悲伤，但又是那么纯粹而自由！我们一起聊着友情，美好的夜晚，的确如此。我想到了另一个人，我想念马厄，我有点疲倦，有点紧张。

四月二十四日星期三

今天上午，去拉波特那里听施沃布的讲解课，旁边坐着大胖子布瓦万。我既不伤心也不快乐，我注意到"他"的耳朵是粉红色的，看起来就像半透明的、被照亮了的花瓣，脖子很滑稽，金色的头发有点毛糙，额头呈三角形。我和他握了握手。我带走了与他的握手，带走了伊波利特借给我的《克隆姆代尔-勒-维耶伊》①，带走了他看这本书时想着我的激动，这位正直、谨慎、聪明又粗放的男孩，也带走了冈迪拉克说的那些动听的话，而能当我火腿面包最佳调味品的还是王宫花园清新的绿和天空清新的蓝。而后，因为有着这么多快乐，我变得坚强，着手准备毕业论文。今天出乎意料，他——小小的焦虑：今天我们会说吗？还是不说呢？但他把纪德还给我，他说他不喜欢，因为拉夫卡迪奥的姿态毫无用处，我不想记起要和玛德莱娜、让娜一起去玛格丽特伯母家吃一顿无聊的晚饭，这样我才能想念您，马厄，如同接下来的两个小时，从杜伊勒里花园到卢森堡公园，夜间美轮美奂，一个陌生的孩子迈着像成人般缓慢而匀称的步子，在漆黑的树冠下慢慢走远，想念

① 于勒·罗曼的《克隆姆代尔-勒-维耶伊》（1920）。——原注

您，勒内·马厄。

在您面前，我没有一丝焦虑，没有一丝羞涩，只有快乐，更确切地说，是高兴，全身心的放松——从外表上说，您有着未经雕琢的傲人青春，红扑扑的面容如此清澈纯净，十六岁的眼睛，大孩子般金色的头发，以及您对自己力量的认识。您还记得吗？在池边，您曾说过您害怕看到自己的身体变老，那些话多么打动我。我们一开始在图书馆里谈论纪德和斯丹达尔，我给您看了关于个人主义的那份作业，您小心翼翼地接过，如同您已经期待我的友谊许久，但那时您还不认识我，您以为我是托马斯主义者，擅长社交。我们在波卡迪喝咖啡，您向我阐述了您的体系，与我的体系很接近，但更加成熟，更加稳固，甚至将社会生活、教师资格考试课程的内容也纳入对个人的讨论中。我们一起谈论功成名就的危害，比如婚姻，多么容易自我迷失，我们还对高师学生评头论足：他认为尼赞出类拔萃，确实如此；还有萨特，我不喜欢他的假眼〔旁批：他只有一只眼睛，我亲爱的小男人——八月六日〕，但他说话很风趣。

在池边，我们一起谈论死亡，他和我一样害怕死亡：再也见不到小草，哦！树木……他跟我聊起罗马，看到古罗马广场时的心潮澎湃，这个持怀疑论的男孩带给我无限的感动，我们是多么一拍即合！没有浪费一句话，没有为接近彼此做过任何努力。当我跟他说起上帝的时候，他说"那么宇宙的面貌就会发生改变"，他的微笑中流露出无比的严肃。关于乌泽什，他说得真好！对于他的婚姻，他开玩笑说：这是一种"功成名就"，但不会在他内心占据任何位置。他说"我害怕男人和女人之间的纯友谊"，雅克曾经也说过同样的话。

昨日，我在心里对您说："您是这世上我会喜欢的那类男孩。这动听吗？也许没您想象的那么动听，如果我只有通过您才能找到另外一个人的话。"您可知道，您今天为我做了什么吗？首先，在愉快的言语交锋之后，我感受到精神上的筋疲力尽（我想感官上的感激应该与精神上的是类似的，但更容易弥补），还有骄傲！因为我们常常因为疲倦而向别人伸手。不管怎样，布瓦万是一个好小伙，施沃布有着聪明的头脑，伊波利特和蔼可亲，里夏尔小姐悲惨不幸。但我们冷酷无情，不会表达善意，与我相当的您，我们希望别人鄙视我们，我们也喜欢鄙视别人，我们把自我实现所带来的短暂陶醉看得很重要。我们之间的巨大差异在于：他渴望功成名就，而我向往内心的丰盈。

谁能把这一天还给我？即使在睡梦的死水中，我也无法拾回它的倒影。

四月二十五日星期四

多么惊人的一天！上午，我在国图准备毕业论文，进展顺利，跟冈迪拉克打了声招呼。我想起了昨天发生的一切，想到了马厄。在布雷耶的课前见到他，我多么忐忑。他把他的文章递给我，跟我说了我的作业，他发现里面有天主教和浪漫主义的痕迹。这是显而易见的。伊波利特跟我说话，聊起《克隆姆代尔-勒-维耶伊》，马厄溜走了，后又为溜走这件事跟我道歉："我不喜欢伊波利特。"整节布雷耶的课上，我都在想别的。若泽也在，但她什么话都没跟我说，我还看到了纳迪娜·兰多夫斯基。在布兰斯维克课上，冈迪拉克跟他讨论起来，很有意思。下课我们一起走，伊波利特陪我们走回家——开心——他是和莫蒂默一个类型的，但是个好男孩。莎莎已经到了，我们一起吃点心。宝贝蛋给我们看她的画。梅洛-庞蒂到了，开心，活跃，友好。冈迪拉克留下来吃晚饭，爸爸很喜欢他。我感觉大家在索邦都很照顾我，这让我觉得有点难过——若尔热特·列维不顾我的感受中伤我，让我很伤心。

我、莎莎和冈迪拉克一起去老鸽子棚电影院，影片不好也不坏。不出所料，冈迪拉克又聊起了婚姻这个话题。回家的路上，我们去了利普，我向他解释这种"痛苦的激情"到底是怎么回事，我的口吻一下子变得无比亲密。三个人在一起，交流更顺畅，尤其是像我们三人这样相处，在彼此的激发下很快就推心置腹。无限的柔情，让人回味无穷。他认为我是个野心勃勃的人。我太骄傲了，更重要的是，我太热衷于获得快乐。

四月二十六日星期五

我整夜梦见的都是冈迪拉克：在国图的大厅，他伏在我的肩头哭泣，而在一个大花园里，则是我伏在他的肩头哭泣，我们在花园门前撞见了一辆小汽车，拉库万太太坐在车里看着我，看到我拥抱一个年轻男人令她很是反感，我们坐在一张崭新的长凳上，我称他为"我的兄弟"，之后宝贝蛋来了，她打扮成舞者的样子。唉！一大早做了那么多令人难安的梦，再也没法讲知心话了。我很想哭，心碎了，就像喝了一整晚鸡尾酒。我很想哭……

幸好马厄坐在我旁边，又请我去了一家不错的餐厅吃午饭，那家餐厅的名字叫"百合花"。巴吕兹也在那儿吃午饭。马厄跟我阐述他的个人主义，其中包括爱情、崇拜等一切，除了疾病。我们在王宫花园散步。他告诉我他渴望达到一种希腊式的平衡，那种安宁与和谐。他很快乐，他就是他，这就够了。他的体系很高级。纪德式的句子，画，每一页底下的箴言……我觉得对自己的热情越来越浓烈。

六点钟，我从国图出来，心神不宁，疲乏。我在卢森堡公园湿漉漉的树底下散步，也不知道要去哪里。难以忍受的孤独，焦虑。我再一次提笔写信（给雅克写信，写手记），写作拯救了我。

和马厄在一起的开心、快乐，对冈迪拉克的柔情。我怀着这样的情绪走在大街小巷，雨水的味道扑面而来，我来到于尔叙利纳，片子很棒：《影子玫瑰》 [1] 、《反差》、《珠穆朗玛峰和友谊》。

我回家睡觉，梦到自己变得坚强、快乐。

四月二十七日星期六

多么希望雅克在这里，这样我就能在他身边思考那么多事，然后做出新的决定！啊！与天主教的扭曲永远划清界限，永远不要多愁善感，无端焦虑，永远不要陷入悲伤，厌弃这些，把这些统统踩在脚下。二十一岁，自由的身体，丰富的思想，书籍，绿草……什么？还有道德上的束缚，另一些顾虑困扰着我。但还是应该享受这个世界，享受看这个世界，啊！爱自己。啊！我深爱的人，啊！我自己……我曾需要自我陶醉来重新成为一个神！马厄在我心里的位置之所以如此重要，是因为他容纳了所有一切，甚至包括教师资格考试，却并没有把自我局限在固有的小天地里。为了获得最大的快乐……

冈迪拉克的谦卑和他的负罪感打动了我内心最珍贵的那部分……我知道我有多么害怕自己会堕落。但我们去做想做的事并不意味着我们想要拥有一切。"给予我内心的美好。"这与一整年的变

---

[1] 亚历山大·阿尔努的电影。——原注

化是相辅相成的：想要的只有快乐。我必须小心谨慎，不要把快乐
寄托在这些"虚无的狂喜"状态中，至少不要让这些状态仅仅成为
综述中的要素。总之，只有有建设性的判断才能触及做判断之前所
不存在的事物。我必须小心谨慎，不要后悔，不要把每一瞬间都与
自己的命运联系在一起。每一个瞬间只是命运长线中的一点，而一
生包含着许多许多年。永别了，美好的昨天，永别了，我曾备受折
磨的悲惨的昨天。而我甚至再也不会允许雅克带给我不快乐。必须
不断看顾好自己。

"我活着！单单这一点就值得赞叹……"

四月二十八日星期日

天气真好。早上，我去散步，很快乐。下午，我走在绿茵茵、
有点燥热的街头，去往香榭丽舍喜剧院。阿尔玛广场上竖起了一尊
布德尔的雕像①，穿波兰服装的女人们兴高采烈地走过。阳光温暖
柔和，生活温暖柔和，宽敞的大街也一样温暖柔和……放映的电影
是《让·德·拉吕纳》。阿沙尔的台词非常优雅，雷诺阿、泰西
埃②、儒韦，尤其是米歇尔·西蒙的表演臻于完美。但泰西埃与
角色不太搭，她本人太高贵、太漂亮，整部影片不免单调，蕴含
的哲理有点浅显。我知道影片中的让很聪明。儒韦扮演的他真正
地达到了一定高度，但男女之间的冲突实在无法打动我，解决问
题的方式要么过于做作，要么过于道貌岸然。或许应该再好好读
一读剧本。

---

① 密茨凯维奇纪念碑落成典礼。这是为当年逝世的法国雕塑家布德尔举行的典礼。
1912 年，他还为香榭丽舍剧院雕刻了浮雕。——原注
② 指让·雷诺阿的兄弟皮埃尔·雷诺阿和瓦伦蒂娜·泰西埃。——原注

我喜欢香榭丽舍喜剧院，留声机里的音乐和幕间休息时的餐吧……走廊上展出的照片上张张脸蛋令人赞叹不已。或许让·德·拉吕纳想要用灵魂拯救的就是这样一张脸蛋……但我不认为是这样。不，一定不是，当我面对这两个人，他们的爱让他们形同陌路，让他们成为对手时，我总是无法克服这种逆反心理。

我回来去了若泽家，不过没找到她。我读了《上帝与玛门》，在她的床上躺了一个半小时。莫里亚克这本有点奇怪的书打动了我。然而，没有变成像他一样的人，并能摆脱复杂的基督教影响，是一件多么令人愉快的事！……

非常快乐的一个夜晚。宝贝蛋让我读了她的杂志，我们一起唱了舍瓦里耶和米丝廷盖的歌。

四月二十九日星期一

国图。三点钟在索邦大学有拉朗德的课。五点钟回到家，少有的情况。阅读，幻想。我又开始读科克托的《波多马克》，欧仁们和莫蒂默们①，无数的语句直击我的内心。越来越强烈的自爱，在属于自己的小花园里的宁静。存在的快乐和热爱那么多东西的快乐。

我读了马丁·杜·加尔的《父亲之死》②。我还读了《堂吉诃德》……我被深深地吸引，天马行空地幻想。

---

① 受到《波多马克》的启发，马厄的"欧仁宇宙论"将欧仁置于最高地位，包括苏格拉底、笛卡儿、马厄、萨特和尼赞，而将他们的其他伙伴贬为低等人，要么是在无限中徜徉的马尔汉，要么是在忧郁中游荡的莫蒂默。——原注
② 《蒂博一家》的第六卷（1922—1940）。——原注

四月三十日星期二

上午在高师上课。在卢森堡公园待了两个小时，一个叫萨尔德的奇怪的家伙找我说话，直到我把他赶走。下午去了图书馆。我在工作，可心不在焉。傍晚的时候，我拿了一本古罗马历史的书，萨卢斯特写的，我在理发店里思绪还在游荡，理完发回家。都城，这座城市。我们的母亲，当我们要叫出你的名字的时候，心里该怎样怦怦直跳。崇高的罗马，还有什么比你更伟大，更强人，更傲慢？马略、苏拉和那些勇于开拓的军团，还有元老院，它的骄傲和它顽强的意志。罗马，被爱的人如同将会死去的人，女神将在不朽的征兆下诞生，也将死去，因此被哀悼。我是如此不适合赞颂历史，你在图书馆里突然抓住了我，从我的童年开始，我就对你充满了热情。我被神圣的温柔和悔恨淹没了，就像在古老的圣坛前一样。去罗马——但在我看来，我怕会立刻心碎。

晚上，我感觉太高兴，都无法潜心看书。我和宝贝蛋约了朋友热尔梅娜·杜布瓦在圣米歇尔广场见面。我们一起等到十点钟，去听莱顿和约翰斯通的唱片。

我们拥抱的是巴黎的整个夜晚。巴黎的夜晚，灯火通明，星星都显得黯淡。一个面色苍白的男人被两名警察押解着走过。其他几个男人从咖啡馆出来，被警察包围，警察将我们推开。隐约的恐惧气息，渴望有足够坚定的信念，准备好施以与接受拳脚，而周围的人却在微微颤抖。巴黎的夜晚，沉浸在蓝色的"醉舟"中，冷冷清清，我们大口喝着鸡尾酒，然后放声高歌，惊扰了楼上尚未准备好接待客人的房间。圣米歇尔大道、蒙帕纳斯大道、圆顶咖啡馆、罗同德咖啡馆、西戈涅餐厅的歌声环绕着我们，而骑师酒吧则是我们狂欢的地方。音乐、舞蹈、鸡尾酒。认识的男男女女。带着利刃的诗歌，在轻声细语中切割着人心。

我看到了亨利·贝纳尔，去跟他打声招呼。我很惊讶自己再没有因此而不安，我听他跟我说起雅克："他变了，长岁数了，要到八月二十三日才能回来。"他相信雅克，认为他是值得尊敬的人。"十年之后，他会大有作为……"雅克在我心中的存在感再次变得异常强烈，同时我也意识到，我的生活如今已与这样一种完全属于他一个人的氛围无关了。我们谈论了《让·德·拉吕纳》——聊起让·德布里、友谊、爱情。他聪明、敏感，太过相信自己的感受。我明白，我经常接触的这些年轻人有多么大的优势，浓厚的古典文化为他们提供了退一步的可能，使他们能够审视个人冒险。例如，马厄与里凯之间的差距：巨大！

一种钝痛，一种欲望的枯竭，一种心灵的麻痹，这就是我隐约背负在身上的东西，但这一切都被自信、确定和期待所包裹。五个月之久，我还要忍受这无尽的沉默，他却会给别人写信。我什么都算不上吗？还是我太过重要？哦！不可能这样，我知道。

五月一日星期三

但是，对对方一无所知，我能把这看得那么无所谓吗？发现你如此耀眼，独一无二！哦，我的心在作怪，想让你堕落，以减少我的痛苦。这是痛苦吗？无论如何，我觉得你离我如此之近，而且你是在向我走来，不是向另一个人走去。但那光芒四射的明天又是如此遥远……哦，亨丽埃特正在演奏《我永远爱你》，科克托的名字和在巴黎蒙帕纳斯看到的他的肖像在我脑海中浮现，这一秒的风景多么令人难以置信，谁在召唤你……今天上午两个小时的课，在场的每个人都感到头晕目眩。随后，我在圣热娜薇耶芙图书馆读了

《奥德赛》，把人类整体放在我和我个人的痛苦之间去考量。精彩的书页，新鲜得就像昨天写的一样，简单得可以解释最复杂的事情。我回到家里，读《新法兰西杂志》，一边等着玛德莱娜·布洛玛和她的丈夫来，她丈夫很有魅力，完全吸引了我，我想再见到他们。但这些不重要……

有我，有你。我在你面前，甚至想要摆脱你而生活，却只能依赖你而生活。至少不能再这样了。"你还记得吗，亲爱的，两年前的春天，你声称要过一种完全属于自己的生活，跟他无关的生活，就像他要过一种也与你无关的生活？"是的。这如同走在大街上，我看着那些张贴画，却什么也不懂。如今你已经拥有了属于你的生活，有国图、索邦、高师、莫尼埃，有冈迪拉克、梅洛-庞蒂、马厄、米盖尔和所有的伙伴，还有若泽、斯蒂法、费尔南多、宝贝蛋，还有电影院、剧院、普莱耶尔音乐厅、带歌舞表演的咖啡馆。狡兔咖啡馆、欧洲人音乐厅、醉舟酒吧，和蒙帕纳斯的一切。哲学、教师资格考试，还有书籍，或许还有荣耀和成功。

更重要的是，你也有属于自己的小花园：加比斯的《黛安娜》①，郁特里罗的白色教堂，华托的《吉尔》，达·芬奇的《圣母子与圣安娜》……科克托的欧仁们，舍瓦里耶、莱顿和约翰斯通的歌曲。声响、语句、书籍。还有昨天让你流泪的伟大罗马，阿尔西比亚德斯和雅典娜，埃及的狮身人面像。那里是你的和谐花园，有着秘密的褶皱和广阔的视野。最重要的是，花园里有你自己，有你的新愿望：让每一种感觉、每一种痛苦和每一种姿态都成为你这幅无可替代的画作的一部分！你说："连雅克也不会让我不快乐"……没错，今天我没有因为心中这巨大的失望而哭泣。即使看到你的笔

---

① 在拉丁姆古城加比斯发现的普拉克西特利斯雕像的复制品。——原注

迹也没有落泪，因为年迈的荷马让我平静了下来，因为我没有感受到对死亡的强烈渴望。因此，我必须成为一个完整的人，成为自己宇宙的中心，而不是你的卫星，围着你转。然而既然现在这场征战已经结束，就把我的世界和你的世界连结在一起吧，啊！在那里一起感受幸福。不，不再在崇拜时颤抖，也不再在无法崇拜时痛苦。我知道你爱我，我知道你是谁。我渴望你亲近我，渴望通过你的眼睛看到我的一切变得更加真实，渴望你的一切让我陶醉。在一幅画前，在一本书前，在一次冒险中，我的目光转向你，愉快地说"难道不是吗，雅克？"，却没有得到任何回应。就是这样，就是这样。在这个世界上，我只爱你和我自己，但我们是不可分割的，无法从彼此身上寻求庇护。

雅克，你是多么不同寻常的人，不同寻常！为什么你总是不敢向我承认我所相信和面对的东西，而要藐视我内心的评判？你是一个不同寻常的人，是唯一一个让我感觉天赋异禀的人，你的才华、成功、智慧和天赋都是无与伦比的。唯一一个人，把我带到一片如此充实、再也不会空虚的领域，超越平静，超越快乐。你朋友的信念让我受益匪浅！人们活着就是为了知道你还活着，你是个慷慨的人，ὦ ἄνερ[①]，你是个伟大的人。我现在哭泣，是因为能心态平和地崇拜你，是为自己是爱你的天选之人而陶醉，是因为你的坚强与我的脆弱形成鲜明对比。更重要的是，我知道你的内心是脆弱的，可在你面前，我知道我是如此坚强。我同时憧憬着你能为我做的一切，也憧憬着我能为你做的一切。我不知道这两种憧憬中哪一种让这种等待更加苦涩。今晚占上风的是我的崇敬之情，它让我在你面前心悦诚服，泪流满面，心碎不已。

---

① "哦，人啊。"——原注

五月二日星期四

高师。在圣雅克街午餐时的遐想和沉思。布雷耶的课。在布兰斯维克家举行的博尔内的讲座。精神讨论的愉悦。穿上新衣服，与坐在高窗台上的男孩们一起说笑，轻松地谈论伊波利特、博尔内、生命的节奏……和莎莎在乌迪诺街见面，谈论冈迪拉克，比起梅洛-庞蒂，她更喜欢冈迪拉克，梅洛-庞蒂实在太清心寡欲了（她已与梅洛-庞蒂约好在周三下午见面）。晚上和宝贝蛋在一起，忙着搬一些旧东西。

五月三日星期五

友情，工作。友情更重要。

冈迪拉克说我野心勃勃，我在他面前为自己辩护：我太看重自己。他要我向他解释该如何协调自爱与婚姻的关系，我很喜欢他。但能带给我巨大幸福的人是马厄。他用非常男子气概的手势推我的肩膀，他用那种年轻、顽皮的笑容一边嘲笑人，一边用手指威胁我，当我谈到列维时，叫我"我可怜的朋友！"，他对我的想法和对他自己的想法赞不绝口……我怎么也说不完。我们只是在波卡迪、广场小花园、路边聊了一个小时。之后的几个小时虽然过去了，但我们之间的谈话还在我心里蔓延。当他离开的时候，整间教室瞬间黯然失色……我只能等待明天，让明天把他还给我。

如此冷漠吗？不，是敏感。但愿雅克会喜欢他，但愿他也会喜欢雅克！哦！亲爱的生活，亲爱的，亲爱的生活。

回家之前去了一趟玛丽-路易丝家。

我没有去寻找的这位朋友，您会对我感到陌生吗？

五月四日星期六至五月五日星期日

这是一件真事。我无法抵达他的高度吗？我有双重庇护：信仰或骄傲。爱他或爱你自己，我的心，这样才能得到幸福。而且不要忘了，你已经接受（也许暗自希望这没有用），并正在接受一切都确定的当下。

我知道，斯特力克斯酒吧从不会让我无动于衷，那里有一些凄美的东西在等着我。我在进去之前犹豫了，什么都没有做，差点因为渴望回到毫无危险的家里而退缩。然后我摆脱了这种胆怯，在一朵玫瑰前坐了下来。里凯正在和朋友们聊天。酒吧里有一个女人，我一看就知道是她，玛格达。一颗心在听到这些话时便开始遭受折磨，就像听到了梦呓一般："你有雅克-夏尔的消息吗？……他没问起我吗？……这家伙，他一年前就滚蛋了，他甚至从来没有问起过我！……我们在一起甚至没有超过两年，啊！我化过妆，骆驼……"当时没有痛苦，几乎是一种抚慰。原因是她穿着裘皮大衣，是那么漂亮、那么优雅，迈着两条丝滑的大长腿，那么精致，雅克终于爱上了她。而且，她的嗓音有点糟糕，一点也不温柔，因为她很痛苦（因为她的欢快是虚假的），她因雅克而痛苦，但不是真的为了他而痛苦。我可以肯定我比她更爱他。最后一种更低劣的想法：他没有过问她的消息。他对她的爱并没有持续很久。

这就是为何当我听到这些话的时候，我还能保持冷静，还能若无其事地与里凯和他的朋友们足足聊了一个小时。痛苦的一夜，辗转难眠，口中苦涩，满眼的泪水。我想到了科隆贝①，想到了那个

---

① 科隆贝·布朗谢，阿兰-傅尼耶第二部小说的女主人公。——原注

自杀的科隆贝，因为她所爱之人已经不再像她那么纯洁，所以她纵身一跃，跳进池塘。我也疯狂地想要死去。但这样的逃避又能解决什么问题呢？哦！第一次感到，做一件无法不做的事是多么沉重，听到那些我们不得不听到的话是多么沉重。第一次感到，什么叫无法挽回。是天主教的偏见让我放大了这样一场众多年轻男人所追逐、众多年轻女人所接受的艳遇吗？但我希望我们不要像别人那样。太痛苦了，我的上帝！痛苦到想要呼喊。是嫉妒吗？哦！不是。我记得很清楚，雅克背负着一段非他所愿的爱情。我同情那位给他带来沉重负担的女人，同情她没有因此而厌恶自己。是嫉妒吗？在你心里，我难道不比其他人更重要吗。但"多么遗憾啊，伊阿戈，啊！伊阿戈，多么遗憾！"

我渴望结束，我渴望对过去没有任何念想，因为过去完全不是我所以为的那样。我渴望，或嫁给另一个人，或独自一人去悉尼，做一个彻底的切割。我渴望切断与过去的一切联系。但我也坚信在这世界上没有别的位置留给我，我坚信自己无法重新开始，坚信无论发生什么，这段爱情永远会比任何一切都更重要。于是我渴望写信给雅克，向他呼喊：救救我！

怎样的夜晚！我所有的回忆都带着可怕的嘲讽对着我做鬼脸——真没想到我把他的沮丧、怀疑都归结于一些细枝末节的原因，归结于完全形而上的忧虑……真没想到我眼中的他在酒吧里过着旁观者的生活，没有人搭理他，真没想到我把别人和他相比较，苛刻地评判别人……真没想到三年的友谊竟只是我一个人的美梦……真没想到我是因为这段友谊业已过去而珍视它，这段过去如今却被摧毁了——一切都坍塌了！哦！在他家的那么多日子——比如，他说起马克西姆的那一天，我因为觉得他过着一种野蛮人的生活而痛苦的那一天，我看到他开着车带一个女人兜风的那一天——

一定就是这个女人，还有个孩子……多少怀疑，多少眼泪，如今这一切都向我袭来。

借口……一定是借口。我知道我原本或许会做出更糟糕的事。我知道年轻男人会被一张漂亮的脸蛋所吸引……我知道这与善或恶无关，那又是为什么呢？

醒来的时候我哭了，还是很痛心，毫无防备——不单单为了这段友谊，也因为这些男孩都平庸乏味，甚至包括里凯。他们友善，还算聪明，喜欢讨论，热衷时事，但懦弱，没有思考的能力，没有内心汹涌的激情，只会忙着应付唾手可得的爱情，谈论一些老掉牙的话题，以夸夸其谈来掩饰他们的贫乏：梅洛-庞蒂、马厄、冈迪拉克、米盖尔，你们对我多么重要，还有您，加鲁瓦……萨尔芒的话一针见血："我们只与我们的让步同样水准，绝不可能超出它。"这句话一直萦绕在我心头。我知道雅克告诉我他只有一个朋友：让·德布里，但是他和上面提到的那些人度过了一个个夜晚——他真的与他们有很大的不同吗？

我要逃离他，我对自己说："我构建了这样或那样与他有关的生活图景，而且我通过他去改变这样的图景。他是一种托词。我在他面前一直是孤独的，以后我也一直是孤独的。要是他愿意，我将嫁给他，我还是会爱他。只要静静地待在他身边，只要让这份爱在我心里占据一个合理的位置，即使我错误地认为这份爱是伟大的，又有什么关系呢？我需要在心里遇到一些伟大的事情，才能让我相信伟大的存在。"要想逃离他有一种很简单的方法：回归我自己成功又充实的生活，没有他的生活。但真正的方法，是在他面前逃离他，接受他原本的模样，不对他有任何期待。或者说，不应该阻拦过去，应该向我的朋友雅克求助，摆脱他给我造成的伤害。他曾经强调过朱夫的一句话："我信任的是这位朋友，而我亲吻的是另一个人。"我想的是："好吧，雅克，我同情的是另一个人。"亲爱的雅克，你在我面前说其他女人坏话的时候，却告诉我我不是一个女人。你想让我认识玛格达。你说我是你的"立正姿势"的时候，你不会使用任何一个或许在其他女人身上用过的词。你尽力让我明白一切：为你竖起英雄的丰碑是一件多么容易的事！我以为这份友谊是超越人的。我见到了它的暧昧、它的困境和束缚，但同时它又是真诚的。正因此，它是富于人性的，这份友谊无比美好。雅克，我相信你，我相信你。

一天，我预感到你人生中发生的事，我说：所有他能做的事对我都不会有影响。我相信他，不论他是否软弱，不论他是否会做一些让我瞧不起的举动。是的，西蒙娜，不要忘记你对他的爱是从这样一份决心出发的：无论他的人生如何，我都会理解他，始终在他身边。你接受了你称为"最糟糕的事"——站在他面前，不要说一切都基于一种幻觉。但不，这也包含在你对他怀有的柔情中。当马略说出这些话的时候，你想的是"即便这些话是真的"，而当你收到雅克的来信，他对你几乎也说了这些话，你给他的回答是"我理解一切"。据说，年轻女孩都会轻率地对待这样的推心置腹，对我来说，却让我心情沉重，很沉重。此时此刻我是因为共情而哀叹，我回忆得越多，就越痛苦，如同不幸会降临到你身上。但我并没有陷入孤独中。（"这个故事让我们都付出了沉重的代价。"雅克在说起玛格达的时候曾这么说。）

另外，这场考验让我能更好地估量自己的能力。现在我知道，不应该要求生活根据我们预先设定的理想塑造自己，不应该把这样或那样的事件当作成功的条件，而是应该愉快地直面现实，并对现实不做任何强求，单纯地只是要求自己的能力与给定的一切相匹配。毫无疑问，生命是伟大的。在《布朗勃尔上校的沉默》①中有一首吉卜林的美妙诗歌。像让·德·拉吕纳一样故意视而不见是不对的，当我们无法再视而不见而认为已经失去了一切，也是不对的。我们应该懂得将一场显而易见的失败转换成更加耀眼的成功。

我认为我正在取得一场伟大的成功，在几滴眼泪和一点墨水的帮助下。我不再在别处寻求庇护，而是在我与之斗争的事物本身。一如既往地在自己内心寻求庇护。纪德的训诫：今日的美好不再是我梦想的昨日的美好，而是一种全新的美好，有快乐，有骄傲，没有不得不做出让步的羞耻之感。这不是一种让步。

我知道在我内心有一股快乐的源泉，没有任何东西可以阻挡，也没有任何人可以阻挡，包括你雅克。我爱我自己，爱自己的耐力，爱我所承受的和感觉自己能继续承受的一切。就是这份骄傲。即使我不需要这份骄傲，我还是希望能够在心里强烈地感受到它的存在，现在我依然骄傲，我也需要它——因为这就是我的人生，没有人能够帮助我存在。我也不会向任何人要求任何东西。若是我爱你，我便理解一切。若我不爱你，即便我不理解又有什么关系呢？但我就是爱你。

让我感到沉重的，仅仅是期盼着有朝一日，我会向你诉说这一切。如果说我的柔情有些许悲伤，我的骄傲却带给我快乐，因为生活如是要求而快乐，因为骄傲压制了所有的危险、悲痛和怀疑而快乐。感谢给我带来忧虑而不是平静。戏剧般过去的昨日多么了不起！

先是和冈迪拉克聊天，我又简短地做了几条关于爱情和个人主义的笔记。他激情昂扬地说着，当我告诉他我很欣赏他对一切事物

---

① 安德烈·莫洛亚的小说，于 1918 年出版。——原注

都感兴趣的态度，他很兴奋、很高兴，他与能用自己的沉着冷静抹去世间一切颜色的梅洛-庞蒂完全不同。他对我说："您可以完全信任我。"他说这句话的样子打动了我，如若有朝一日我厌倦了我自己，我还可以依靠他。

这场谈话极大地鼓舞了我，我想方设法不想让它结束，而马厄正坐在旁边看书。我们一起吃了午饭，然后在王宫花园散步，天南地北地聊天，又出去喝了杯咖啡。我的好兴致让他觉得有趣，无论是故事、玩笑，还是兴奋，都是带你走向幻想的恶魔，是带来快乐、欢笑的强大推手，心里想着雅克，可以开心地放松几个小时，让痛苦散落在笑声中。莎莎来接我，我们边走边说起了她的事、我的事。她还是那么平静、快乐。我多么想带她去我最亲爱的梅里尼亚克！我去了拉斯帕耶大道的打印店①，看到了若若，和她一起逛了一会儿，然后回家，犹豫着要不要出去。我决定继续迎接各种风险。骰子已被掷下……

今天，我没干别的，只是在卢森堡公园思考这些事，把它们写下来。我悲痛地意识到我的人生中只有雅克和我，与此相比，我所钟爱的一切都是不存在的，都是无水之源。同时我又陶醉地意识到这样危险的人生是多么美好。充满绝望和希望的人生。由现实的事件，而不是虚无缥缈的遐想所构成的人生。不应以一颗小女孩的心，而是以保留了整个青春印记的成熟来谈论人生。发生了些什么的人生，我能自我衡量的人生——独一无二的人生。

见到若泽。她对我说，所有这一切都不重要，"过去了，都过去了"，但对我来说是不存在过去的——我们倚在长沙发上聊天，聊了四个小时，有点疲乏，又令人平静。今晚的情绪不是很强烈，

---

① 打印毕业论文的地方。——原注

不，不是很强烈……

五月六日星期一

早晨醒来，被告知祖父的情况很不好。我有点悲伤，我是这么无情吗？不管怎样，这样的死亡是意料之中的，不可避免，它在持续的悲痛中散去了，而我因为悲伤昨晚给雅克写了信。我头靠在窗上，多么想流泪。我去见让娜和玛德莱娜，和她们一起在卢森堡公园散步。下午，在拉朗德的课上，我唯一想做的事就是问冈迪拉克一个我永远不会问他的问题。痛苦。我和玛德莱娜一起去丽都咖啡馆吃点心，只是为了让我懒散的灵魂变得敏感，天气闷热潮湿，她跟我讲了一些无聊的事，但我丝毫不在意。冰激凌很凉爽，绿意漫不经心地落在街头，在香榭丽舍大街上，生活在一种无欲无求的模糊等待中轻轻摇摆。雅克离我特别近，或者说不是他，而是那些有他的日子。内心有一种带着点烦躁的平静。

奥赛火车站：宝贝蛋、爸爸和玛格丽特伯母走了，我把妈妈拉到电影院，为了今晚不再呐喊。我躺在床上，久久不能入眠，因为一种我无法平息的鄙视而痛苦。"我们只与我们的让步同样水准，绝不可能超出它。"我相信自己是坚强的，并对此深信不疑，我这才感觉到了安慰，我爱我自己，我也尊重我自己，正因此我再也不会因为任何事而绝望。

五月七日星期二，在巴加泰勒的一天

也许对你最大的侮辱，就是完全无视属于你的这一天。或者也许这些树木太美了，让我无法保证，有朝一日醒来还会不会继续爱这个曾爱过玛格达的雅克？我没有向他迈近过一步。今天早上，我起床的时候，对他是那么无动于衷。我没有想别的事，但是他信中那些从前在我眼里最动听的话已经再也不能打动我：对他的信任，相信……透过高师的窗户，看到栗子树上的粉色花朵已经盛开。所有这些坚毅的面孔都不会听到我的问题。马厄微笑着，露出他那坏狗似的微笑。冈迪拉克会说什么呢？无限的柔情。我可以问他一些我不会问梅洛-庞蒂的问题，因为我无法跟一个我喜欢他胜过雅克的人去谈论雅克，但冈迪拉克，对我来说是无所谓的。我们明天会一起吃午饭。

　　我在高师与梅洛-庞蒂碰面，一起去埃弗利娜餐厅吃饭。这个男孩很不一般，他颇有分寸地烧了我写给他的关于若泽的信。他跟我说起若泽时很激动，拒绝跟我谈论若尔热特·列维。他与朋友相处时很谨慎（从不在冈迪拉克面前谈论我，也不在我面前谈论冈迪拉克），还有他的独立，他的坚强，他的良知。他说这两年他变化很大，的确如此。他明白的事情更多了，他对所有的细微差异更敏感了。他拒绝袒露心声，有时会让人怀疑他有许多东西要说。但他的内心是丰富的，所以当他愿意敞开心扉，比如说跟我谈起他的婚姻观（尤利西斯回来时被珀涅罗珀认出）的时候，着实让人惊叹。他肯定地对我说，我指责他没有激情是不公平的，加鲁瓦在我之前也这样说过他。再说他也不懂得如何像马厄、雅克、冈迪拉克那样对其他人表现出激情。然而整个早上，他都沉浸在中午我们要一起吃饭的快乐中。他措辞讲究，会让你觉得他对你有着怎样细腻的感情。他的简单是一种看上去的简单，他活在一个非常高的自然高度，而他对"可怜人"的包容又会让他自以为更接近平均水平。这或许与雅克恰好相反（多么不友好的话……），他不应该感到伤心：他没有欲望，但并不是没有需求。要是能看到他获得幸福该多么让人惊叹！而且他是那么聪慧又谨慎（在不是完全确信的前提下从不表达自己的思想，冈迪拉克也同样如此）。他懂得深思熟虑。十年之后他会成为怎样了不起的人。他懂得倾听，心理上很细腻。要是有朝一日他想写小说，也许他会充分发挥自己的天赋。我多么崇拜他！我多么爱他！仅仅看到他显而易见的外表是多么不公平，我们交谈的时候，他又是怎样敞开了自己的心扉。他对我的批评胜过任何其他人对我的赞美。哦，我的朋友。

我陪他坐上 AX 车到了帕西，在苏弗洛街喝了咖啡。我们一起谈论莫里亚克、加鲁瓦、冈迪拉克和莎莎。仅用一两句话他就将"咖啡鉴赏家"排除出他与我同在的这个世界。我又想到了星期六的那个夜晚：事实上，多么大的不同啊！不，真正的伟大是不会妥协的。告别他后，我走向小树林。雅克所做的和其他人一样，是否会妨碍我爱的这些男孩与其他人不同，是否会妨碍荷马写出《奥德赛》，是否会妨碍世界变得那么绿、那么美，充满阳光和雨露？我沿着湖边走，心里想着梅洛-庞蒂，身边是沐浴在阳光下的人间天堂，割草机在大片草坪上工作散发出青草的香味，熙熙攘攘的可爱孩子、年轻的女人，默默排起长队的汽车……这一切都足以让人心旷神怡。

蓝天下，卡特朗绿地一片欣欣向荣。这红色的山毛榉……一丛丛红色的郁金香，风吹过高高的草丛时，小草微微颤抖，如同脸上的爱意。而后去巴加泰勒，在这两小时的漫步中，充满了快乐。红色郁金香的花床成片成片地倾斜在一侧。红色和紫色的花簇，各种颜色的郁金香和水仙花在玫瑰园里绽放。雏菊点缀着草坪，最耀眼的是一棵缀满粉白色花朵的树。还有所有的树木，亲近人，毫无保留，平和、神秘，它们是世界的巨人，它们的花朵只是饰物，随着每一次呼吸自由飘动，抵御暴风雨的侵袭，树木啊……心怀怎样的悲伤才能对你们的存在视而不见？只要还有丁香树篱，当你每次把脸颊贴在柔软的叶子上时它的芬芳就会悠悠飘来，只要地球上所有的草还没有永远枯萎，那么无论如何，不仍然值得活下去吗？朋友们的思想让我多么心潮澎湃，我们的青春多么伟大！走在这些僻静又生机勃勃的小路上，听任回忆涌来，多么和谐，曾经我们说过的那些纯洁、含蓄又深刻的话。羽翼丰满的语言网络将我的心紧紧包裹，足以抚平所有的伤痛。

我的身边是我的朋友们，还有高大的树木，靠在露台上，便可以看到小树林里的草坪和苏雷讷的山坡，我想到了我自己。我想我不应该粗暴地对待我那犹豫不决的悲伤，而要让它成熟，让它凸显，成为一种无法挽回的拒绝或出乎意料的幸福。我想如今我已经懂得以更大的智慧对待自己，甚至不用呼唤它们就能在我身上挖掘取之不竭的资源。无论如何，流连在这些小径上的玛格达已经成为一种和谐的景观：为什么不让她在一个灵魂里当一名过客，既然这灵魂如这花园一般有无数迂回？我很宽容，也不在意。似乎雅克在我心里的分量也就不过和这花园里的一棵树一样。如果它不如我们所期待的那么美，或许是有遗憾的，但是花园依然存在。毕竟，世界不会改变它的面貌，我依然爱他，因为他身上有的东西其他人没有。但其他人都是在我这一边的，我和他们一起构建自己的理想。我很幸福，不是因为我摆脱了雅克，甚至我尚未摆脱他。只是他不像曾经那么重要。

我相信一旦他重新在我心里变得重要，我也会找出玛格达让他变得美好的原因（然而，啊！然而……要是她沉默就好了）。

我躺在草地上，贴着地面。我露出了幸福的笑容。雨点开始滴落在我的前额、我的脸颊上，我闭着双眼享受这一切。我沿着英格兰河，走在安静的小路上，回家。我坐在湖边，沐浴着阳光，听着汽车的嘈杂声，闻着雨水落到地面上的味道，读着荷马。您的世界，不知是谁建成的，上帝或偶然，那里一切明媚，而我的心，我自己那么熟悉的、我自己构建的乐土，那里也一切明媚。我什么都不需要，只要活着。

五月八日星期三

我该多么感谢冈迪拉克！既然我已经允许你沿着这条缓坡走进我的心里，为什么还要去别处而不是在我身上寻找呢？上完拉波特和罗宾的课后，我和他一起在小田野街吃午饭。我在公交车上便已经开始跟他讲我的故事，问他那个我难以启齿的问题。他反而对我的小心谨慎感到惊讶，问我是不是心里真的一点嫉妒都没有？他说，女人总是对她们原本应该原谅的事情过于严苛——一个男人还是值得被原谅的……他喜欢我曾在他面前引用过的雅克的话，还有我告诉他的关于我们的一切，他说的话不禁让我猜想或许他内心也同样脆弱。他说，一切都取决于事情发生的方式。确实是方式的问题，我敢肯定。哦！我的雅克，对不起。我一回到国图，就在那里跟你说抱歉，但似乎"大家在我脸上看到的是从我翻开康德著作的第一页开始进行的所有思考"。冈迪拉克给我的这张小卡片阻止了我的冲动。我一边工作，一边手指紧紧地抓着书，竭力地不让涌上眼眶的幸福泪水流下来。五点钟，我们一起出来，雨水冲刷过地面，太阳给世界蒙上了一层金光。我们如手足般相处，很开心。我与他告别，独自去了卢浮宫，买了一顶帽子，现在，我很快乐，因为知晓、因为接受而快乐，因为不再有问题冒出来而快乐……

雅克，对不起。我无意间看到了一本关于心电感应的书，真是最美丽的意外，里面有句话令人赞叹："相信，在这里就是认出的意思"——我认出了你。哦！我虚假的唯心主义，我严苛的抽象判断，我纸上谈兵的态度，我多么讨厌这些。我不应该寄出这封信，而你应该回来，尽快回来，亲爱的你。

　　冈迪拉克对我说的那些或许毫无创见，我以前却从未想到过。在爱情里，有些东西是针对那个不可替代的人的，而有些东西是可以被替代的，适用于任何女人：不要让自己分裂成两半，他对我说，做女人也是如此，而这种分裂恰恰应和了我应该满足的一种现实的需要。柔情……所以到底因为什么让我产生了这个几乎带给我痛苦的想法？然而不，现在我觉得它是纯洁的、珍贵的，是一种馈赠，而不是一种放任。他和莫妮克·梅洛-庞蒂的故事让人好奇，他没有说出她的名字，但我一下就猜出了是这个有点神经质、固执、奇怪的女孩。是感官上的需要，他说，看他看着她的样子就能知道。她爱他是因为他是她理想中的男人，却又指责他过于冷酷无情。为了她，他已经做了让步，他变得爱笑，情感更细腻。而她呢，感情上虽然需要他做出这样的改变，却再也认不出自己曾经崇拜过的人。所以，当她只是需要温情的时候，他却纸上谈兵、大讲道理。她害怕他，害怕他智力上的强大，害怕他基督徒的刻板。哦！我多么理解这种感受，非信徒面对信徒时的感受：一种变成了诱惑、变成了敌人的感觉，阻止上帝与这个灵魂对话的感觉。对一个女人来说，这难以忍受。他经常说要让别人了解他，他却并没有尝试着去了解她，尝试爱她胜过爱自己，她在他面前感觉很孤单。我现在明白了莫妮克·梅洛-庞蒂那些奇怪的举动，她对知识分子的害怕，她挂在嘴边的"我们一直在付出，却从未得到"——她该为缺乏信念而负责，他则错在缺乏无私精神。更重要的是，我认为他们的天性有着不可调和的差异。他说，女人多奇怪啊，她们感性，对自己的身体放任随意，他到结婚前夕才知道，她们要求得到尊重，希望身体被爱抚，这样的要求是用一种无法打破的邪恶束缚来绑住你。或者说，我是一块木头，因为我从未被任何欲望困扰过，哪怕是一个吻？对一个男人来说，基督徒的禁欲主义对肉欲的抵制是多么奇怪啊，这抵制受不到尊重。最重要的是这些问题竟然成为问题：我们必须和能够达成怎样的共识？每一次爱抚不都是无法言说的灵魂出乎意料的充分流露吗？达成和谐需要爱抚，同时也能证明爱抚是合理的。但是这样的算计，这样的讨论，该多么艰难。她痛苦，他也痛苦。

我多么希望他能找到一个情感丰富而不是感官丰富的女人，她能无比温柔地顺从他，一无所求，她能理解这颗笨拙的心。他说起宝贝蛋的时候总是带着诸多同情，为什么她会喜欢梅洛-庞蒂？还有莎莎呢？莎莎也很喜欢他。他感谢我对他的信任，我觉得这份信任让他感动。他离我的心很近，还有梅洛-庞蒂，还有雅克。世界是美好的，我的房间里洒满了阳光……在我的心里有那么多崇拜，那么多爱……世界是美好的。

五月九日星期四，耶稣升天节

高师的院子里开满了百合花。里夏尔小姐上了一堂很无聊的讲解课，不过冈迪拉克在，他那么友好地看着我，马厄很不耐烦，一个人坐在长凳上坏笑，他没有像往常那样打领带，而是打了一个领结，让他看起来更年轻了。外面洋溢着节日的气氛。冈迪拉克很殷勤，跟我聊起了利穆赞。施沃布低声抱怨里夏尔小姐的讲解课。我们身后，萨万在放声歌唱。仙人掌开出了小花。这个世界多么美好啊！

我把冈迪拉克拉到了先贤祠，我们在皮维·德·夏凡纳的作品

216

前肃然起敬。后来一直走到了苏弗洛街，穿过卢森堡公园，一边聊起莫里亚克，在雷恩街上闲逛，不想跟彼此道别。我能感觉到他那全新的好感非常强烈。我问他，对一个基督教徒来说，时间是相对的，但对不信教的年轻女孩来说，她只想通过让每一个瞬间都成为永恒来拯救自己，难道他不认为这两人之间的爱情会很沉重吗？他同意我的想法（关于这点我构思了一部小说——得再捡起来）。

下午，我去见莎莎。在香榭丽舍大街上，我写信给宝贝蛋，来放松心情。我既闻到了梅里尼亚克的木兰花香，也闻到了巴黎栗子树的味道。长长的车队缓慢滑行，但淹没不了夜莺的歌声。哦！大地，哦！令人回味无穷的地方。我和莎莎聊天，聊祖父，聊冈迪拉克，聊爱情。我和热尔梅娜聊天。然后我去见若泽。我们躺在她床上，聊了许多许多事情，一起待了两个小时。她来吃晚饭，穿着一条红裙子，很衬她。她跟我说起梅洛-庞蒂，我也自然跟她聊起了雅克。她说的没错："我想知道他到底长什么样。"客厅里就我们两个人，在她身上只有精致、细腻、专注。我送她回家的时候，她告诉我许多跟我们友谊有关的令人开心的事，还有关于人们是如何歪曲你，关于爱情，关于人与人之间说不清道不明的意气相投。

我从蒙帕纳斯大道回来，日耳曼娜姨妈的房间里亮着灯。我想念雅克。回到家，我读了普鲁斯特的《盖尔芒特家那边》，比第一次读的时候更加吸引我。上流社会的考究高雅因其无用而营造出纯粹的诗意，这里的一切都是重要的、困难的。

五月十日星期五

国图再也没有任何工作上的意味。对我来说，它上午代表冈迪拉克，下午是马厄。冈迪拉克很吃惊，雅克竟然想让我认识玛格达，"有些切割必须要学会做"，我在小花园跟他解释，我无法忍受远离跟雅克有关的任何事物。我给他读了一些信中的句子，他似乎马上就明白了。他让我觉得，雅克在与我说话、向我诉说的时候所经历的困难在他这里是多么容易被理解……我没戴帽子陪他走到歌剧院大街，他告诉了我许多有关他自己的趣事：他的知识分子态度，他用思想构筑的情感，他无法找到一条出路，这样的态度所产生的骄傲的问题。

　　我在王宫花园吃了午饭，读了一会儿普鲁斯特。回来的时候见到马厄，我很高兴，他邀请我四点钟去喝一杯咖啡。和往常一样，我跟他讲了许多我的小故事。他阐述了他对科学和技术的看法，以及总体上对解释个体的可能性的看法。在广场花园的长凳上，我们谈论了很久。我崇拜他具备对所有事情都形成自己理论的能力，或许是因为他并不太懂哲学。我太喜欢他了。（一个女人在一个男人面前是多么脆弱！他们把我当成同类看，但当马厄让我从他面前经过，他轻轻地推了推我的肩膀，我才知道这样一种单纯的属于男性的自信多么打动我。）我们今晚要去日耳曼娜姨妈家吃晚饭，他要走了，可当他离开的时候，一种被长久遗忘的古老焦虑又重新出现了：沿着脊髓向下的颤抖，让喉咙收紧，并很快传遍全身。于是我起身，在这样一个温和甚至有点炎热的夜晚，怀着一种掺杂着往昔不安的愉悦，沿着河畔往前走。当我按响这扇门的门铃，"他"不会来为我开门，我真的感觉很难过。皮埃尔姨父[1]说起了蒂蒂特，日耳曼娜姨妈回来了，跟我说起了雅克。他说："你见到西蒙娜的时候一定会告诉她很多事情。我对她不好，但我对谁都不好，而且她也

——————————
[1] 皮埃尔·特雷福是雅克母亲日耳曼娜·傅立叶的第二任丈夫。——原注

218

不会因为我这样而感到惊讶"——这似乎是一个如此苍白无力的借口，我甚至不知道该如何回答："许多人对我都很好，但更珍贵的，是那个我渴望对他好的人。"

我只是众多其他人之中的一个（？），我也不知道。在同样的夜晚，在这个餐厅、这个长廊里，他曾是我的神，我曾是那么幸福，他说的另一句话也让我难过，他对他的母亲说："你明年把克洛德①还给我！"我是多么肯定，明年他将会是我的！我怎么会知道？他难道不是自由的吗？我以为我目前所有的平静都源于这份肯定，尽管也许它与另一个人心中的所思所想背道而驰——想到我要为这个男人承受的一切痛苦，我心惊胆战。同情我吧，让你知道这一切吧，所有我对你的防备在你面前都无济于事。同情我吧。

五月十一日星期六

上午，我把毕业论文送到拉斯帕耶大道的学生中心。我在瓦文街吃了一些俄罗斯蛋糕当午饭，我穿过卢森堡公园，去了冈迪拉克家，和以往一样心有点怦怦跳。他的妹妹和母亲都很友善，她们关心祖父和宝贝蛋的情况。冈迪拉克的房间跟他本人很相似。客人有勒内·布瓦蒙，长相丑陋的瓦格纳小姐，两个陌生人，优雅、可爱、友善的施沃布，以及加鲁瓦——心里受到了震撼，我不敢奢望在这里见到他。我理解了那些年轻女孩，连着去十个晚会就是为了碰碰运气，看能不能见到自己所爱的人。梅洛-庞蒂到得很晚。我们四个人一起离开。我和加鲁瓦一起坐地铁，直到我到站，我的羞涩

---

① 他同父异母的弟弟克洛德·特雷福。——原注

才慢慢平息下来……整个晚上，心头都是他，我很烦躁。

五月十二日星期日

　　所以说，我再也不会独自一人待一个夜晚了吗？我既不想出门，也不想看书，更不想翻译摊开在我眼前的塞克斯都·恩披里柯。也不太想回忆。今天上午我一直睡到午饭时间，白天完全无法提起任何兴致。我收到了急件，祖父过世了。我当时还没反应过来，但当我走上拉库万家的楼梯时，祖父那和善的微笑，伸出的双手，为了找到我们、在我们每个脸颊上印上一个大大的吻而流露出的游移眼神，才一一在我面前浮现……在孩子们和树木围绕中死去是美好的。死亡……不是在巴黎，这里没有任何关于祖父的回忆，但我怎么能想象一个没有他的梅里尼亚克呢？我们和莎莎一起去小树林，去她家吃点心。热尔梅娜[①] 很迷人，那么天真，那么孩子气，已经有了一点少女的优雅，一颗浪漫乖巧的心，稳定的兴趣，无视偏见带给她智力上的阻碍。我待了很久，部分是因为高兴，部分是因为软弱。

　　而后我漫步在湿漉漉的大街上，潮湿树叶散发的气味正在诉说着孤独。我想到了加鲁瓦，他是唯一一个我原本可以放任自己去爱的男人（一个错误地以为自己还自由的年轻女孩在遇到新出现的理想男人的时候，是不会感受到太多痛苦的。她认为自己之所以能爱他，只是因为她确信自己更喜欢另一个人，但也因为如果她更喜欢的人是他，她就会感到这样的困扰。而一个看上去更有安全感的年轻女人承受的痛苦应该是完全不同的，因为她会认为如今一切都结

---

① 莎莎的妹妹，十六岁。——原注

220

束了）。加鲁瓦对我说："没什么新鲜的"——该如何回敬他，告诉他今天新产生的这种烦躁是因他而起？

梅洛-庞蒂，他是我的良知，我的兄弟，我的朋友，满溢的柔情，感恩的微笑。冈迪拉克，他是一种关注，充满了包容、智性的快乐、"通过了"的骄傲，各种情绪，尤其是无比的信任。马厄，他是我巨大的愉悦，我青春的微笑，我快乐的力量……哦！加鲁瓦，他是不断萌生又无法满足的渴望、谦卑，感觉是一种比我自己更丰富、更强大、更细腻的存在，某种无形中就能汹涌起无尽爱意的东西。也许，在我的生命中，除了这些短暂的相遇，除了令我忐忑不安的明天，将再无其他。除了这些围绕着他的幻想，除了这种还不至于让我落泪的不安，将再无其他。然而，我与他之间有一种既定的宿命。在我认识他之前，他就打动了我。而一见到他，我就满脸的羞涩，满心的渴望。我永远也不会懂他，但也许他将是我一生中可能失去的大好机会……我想象了整个浪漫故事；想象他对我漠不关心，他的朋友却如此亲切地围绕着我；想象我利用他的朋友只为得到我的爱。我的难过很可笑。

并不是太难过。湛蓝的天空中飘扬着一面三色旗，它被一束我们看不见的光照亮，仿佛来自一团神秘的火焰。埃菲尔铁塔亮起又熄灭。雅克离开已经一年了。生活不只是一句话。尽管在这一周里，我的身体有些虚弱，我的心有些柔软，但我依然坚信，我将超越一切，成为我自己！我依然坚信，我将写下这些书，在书中，我将用我的爱去描绘那些我爱的人的脸庞！

我不再渴望承担巨大的风险，不再渴望迷失自我。也许，在现在这个时刻，结束这段属于我的长达三年的故事更有意义，重新开始做别的事，重新寻找一个全新的人。但我无法如此渴望，我几乎感觉不到自己有足够的激情和好奇心来抵御这样的风暴（例如，我的意思是雅克不再爱我，因为他的死＝我的死，这是必然的），我无法再渴望。

我的内心是很幸福的。我热爱很多事，但我需要的只有雅克，还有我如此坚信的自己。

我有了另一部小说的灵感：一个年轻女孩（我）生活在一个很高贵的阶层里，她聪明，受到尊重、赞赏，她也喜爱和珍视自己所属的阶层。她生活中有很多高贵的朋友，但在她的生活中发生了点什么，她暗暗地奋斗，她成功地完成了某件事，但似乎与人们印象中她的所作所为大相径庭，或者是她的幸福，又或者是她的不幸。（或者是一段她自以为遗忘了的青春爱情，她爱上了一位伟大的冒险家，他离开了，她以为再也不会想他，可他打开了门，她发现自己是属于他的。或者是一种对于某个极具吸引力的兄弟的激情，兄弟蒙在鼓里，而她也一直设法摆脱这样的激情；或者是兄弟对她的爱做出了回应，并不允许她摆脱。又或者她将要结婚，并知道结婚解决不了任何问题，或者他要结婚，她想要自杀，无能为力。还可能是与另一个女人的一段关系，在这段关系里，她是更强的那个，不是被囚禁而是同谋。爱情也许是来征服她的，没想到却拯救了她。）

或许，永远没有人会爱我。然而即便如此，我也不会是一个被剥夺了爱的女人。曾经只要我愿意，梅洛-庞蒂就会爱我；如今只要我愿意，冈迪拉克就会爱我。如果加鲁瓦愿意，我也会爱他。

宝贝蛋——她无法拯救我。当我跟她谈论我自己的时候，她懂吗？如此简单：这些内心的弯弯绕绕，她是不懂的。我无法从她身上期待照亮我的一束光、一个建议。但同样地，我也永远不会去想她无法带给我什么，她无法来拯救我，因为她就是我。但是若没有她，因为她就是我，我便无法品尝任何东西的味道。我对她的依恋难以想象，只有当她不在我身边的时候，我才会有如此强烈的感受。我希望她不受知识分子的蛊惑，我希望她知道自己的聪明才智比任何一种科学都更珍贵。我希望她一直那么正直、真挚、单纯，想说什么就说什么，那么冒失又坚强，只是表面看着柔弱，那么纯洁，通情达理，那么敏感、有幽默感，那么……那么是她自己，我亲爱的宝贝蛋，她像我一样了解梅里尼亚克的每一棵树，她会毫不犹豫地批判所有恶趣味和蠢事。她是如此充满活力，如此年轻，如此丰富，如此漂亮，如此……哦，我的妹妹，我亲爱的宝贝蛋，那么懂得不带怜悯地以你始终如一的温情对待你的蒙娜，你是可靠、温柔的港湾，亲爱的同谋，亲爱的我自己。

我说倘若雅克死了，我就自杀。而倘若你死了，我觉得我甚至不需要自杀便会死去。除了这样一种温情，没有什么经得起分析，经得住任何智力上的分析和诡计。你要幸福，我深爱的妹妹。姐妹是一个多么了不起的词。

五月十三日星期一

醒来时，迎接我的是梅洛-庞蒂的一句动听的话。我享受着冈迪拉克在高师、在索邦对我的好意，听了马厄的讲座。在美妙的卢森堡公园看书，直到晚饭时间。(我走的时候看到马厄和萨特，他们看到我了吗？离开公园的时候，隐隐地感到有些受伤。为什么不说出口呢？)

我读了伊莎多拉·邓肯①的《我的一生》——俗不可耐。

我们能想象一个女人有如此热烈的生活却还愿意沉思吗？还能

---

① 伊莎多拉·邓肯 (Isadora Duncan, 1877—1927)，美国舞蹈家。——原注

以普鲁斯特那样细致入微的眼光来经历最浪漫的事件？并且是抽象分析和无限活力相结合的奇迹？我并不渴望辉煌的一生，我只希望有爱情，一些好书，几个漂亮的孩子，和一些我可以把我的书题献给他们的朋友，他们可以教我的孩子思想和诗歌。明日的梦想是一回事……我知道的。我已经准备好接受一切。我多么渴望写作！加油吧，无论是两个月之后还是漫长的一生，这都是可能的。假期我会随身带着之前写的小说。或者不带。我开始写一些全新的东西，可以毫无顾虑。等到开学的时候，我看看可以先搭建这部书的理论，然后再完成书。

五月十四日

早上很早出发。旅行。走向我人生中的乡村之门，那里充满了生机。那些亲切的面孔，一张非常亲切的面孔。我对未来和对当下都无比确定。到达的时候很激动，我感到自己与爸爸、艾莱娜姑妈，甚至罗贝尔之间都有着深深的联系，因为大家都有波伏瓦家族的精神，这种精神在祖父身上也有，我多么欣喜地看到在宝贝蛋最细腻的灵魂中也有这种精神的影子，让我回忆起祖父生前的音容笑貌。这具遗体。毫无知觉的蜡像——如此微不足道的东西消失了，而它又是那么巨大，哪怕像现在这样，几乎具有了一种植物性的特征：生命。面对这具只剩下让人爱戴的微笑的遗体，我心中没有任何波澜。春天的梅里尼亚克逊色不少。绿色的黑麦在风中摇曳，还有木兰花和紫色的山毛榉，但树林并不浓荫蔽日，泥土和青草没有令人陶醉的肉欲气息，阳光也不灼人。强烈的兴趣和真正的爱之间有着天差地别。和宝贝蛋在池塘边的栗子林里散步，她金发碧眼多么美，马厩后面的大草坪上有多少紫色的风信子，生命比任何死亡都要强大。钟声响起，农民们挥舞着粗壮的臂膀，向祖父致意："他就这么走了！"——简单又直接的话。他们在床边为他祷告。

我们人太多，说得太多，所以那些东西都无法言说。我知道在餐厅里，墙纸、邮票，所有东西都有属于它们的声音，它们可以把祖父还给我，可以揪住我的心。站在书房门口的一瞬间，那些所有无聊但珍贵的假期，仿佛它们的味道都集中在这里，这时我才明白祖父已经离开了。但不，并不是在这里，在梅里尼亚克。在祖父从未涉足的不寻常的环境里，他停留的时间太短了，看不到他出现也不足为奇。即使天窗外的夜晚也无法吸引我。我感觉被所有的可能性所环绕，但这需要心灵的整个天赋，从长住的第一夜起，在把我交给家乡的同时，也把家乡交给我。我太清楚了，巴黎存在着，而这美好的小花园则关着门。

我躺在我们家的床上多么困乏，除了这里在其他地方都不可能睡着，这才是自己家，即使有别人住也不影响。

五月十五日星期三

一片祥和，这与祖父生前多么相似，这也消除了在巴黎大家对死亡的恐惧。他带着家乡的鲜花离开，盛装打扮的农民在田野篱笆边守候着他的遗体，在可怜而动人的灵车旁向他致以崇高敬意。唱诗班的孩子们腋下夹着雨伞，盖着裤子的法衣太短了。贝斯走在最前面，举着十字架。草地上的鲜花绽放着笑容。一路上温和、平静，曲调里散发着精致的天真。悲伤是如此平和，不再让人觉得痛心，就像祖父那样，一直是好脾气。而我们这些孙辈跟在后面，年轻，充满活力，走在这温暖春日里，走在这平和的乡间。我们六个人开心地吃了午饭。我们一起散步，离大人们远远的。在我小女孩时无数次幻想过的地方，我躺下。玛德莱娜在一边胡说八道，我也一一应和，但我不觉得这是软弱——而是一种融洽。

我在床上读了阿尔西比亚德、苏拉和马略的生平。我突然想留在这里，带着家乡为我重塑的这纯洁、脱俗、坚定的灵魂。

五月十六日星期四

再见了，梅里尼亚克，再见了，蓝色的雪松，低矮的枫树，但我们之间的联系远远比一声再见更紧密。汽车把我带到了格里埃尔，在那里我做了一个长长的幸福的梦，雅克就在我身边，他的存在如此强烈，因此我什么事都不会发生，在他不在的世界也是如此，我在没有他的日子里过得很幸福，这种甜蜜让我回到了他身边，同时也把我从他身边解救出来。格里埃尔公园比梅里尼亚克的小巷更动人的是它的孤独。我在那里捡了栗子树的一根粉红树枝，在鲁莱小巷嗅着松针的气味，回忆起那颗沉重而充实的心。一直到利摩日，乡村都很美丽。晚一点到也很好玩，我在火车上找到宝贝蛋、爸爸和妈妈之前，慌慌张张地把食物包裹堆在一起。午餐让我回忆起童年时的美好时光，那时候家就意味着一切，还有那些众所周知的玩笑都让我开怀，甚至至今难忘。我喜欢我们的思维方式，喜欢我们对他人的不屑一顾，喜欢我们的开朗，喜欢一系列我无法定义的微妙品质，但我可以清楚地发现妈妈身上缺乏这些品质。我回到十岁时的时光，就一个小时……但是，索洛涅的风景让我感受到了更高级的快乐。我爱这些池塘、这些石灰岩、这些稀疏的草丛、这荒芜的孤独。我想拥有一栋像弗兰克·德·加莱那样的房子。一个人必须能够热恋这些贫瘠而荒芜的土地，这份单调的荒芜会让人在傍晚下山的小路上感受到意想不到的甜美。

整个人生将我往前推，难道就为了一无所用吗？我想到有一天，我将带着在堤岸上飞驰的无比安宁与你重逢，我想到与冈迪拉克建立的新友谊，我想到其他人，我想到自己比任何一切都坚强，在最艰难的时刻总能找到一列像这样的火车，载着我获得新的安宁。晚上在玛格丽特伯母家吃晚饭。即使是在这种无聊的情况下，只要在沙发上摆出宝贝蛋的态度就够了，边抽烟边把腿高高跷起交叉，朦胧的灯光令让娜的这间闺房蒙上了一层乌烟瘴气的味道，连我们说的话也无法驱散。不管怎样，生活总是有趣的。

五月十七日星期五

在拉雪兹神父公墓，突然出现了这闻所未闻的景观：在阳光下，如此平静的坟墓上空，无数飞机有力、平静地滑翔着，形成无数道 V 字形。像一群被驯服的鸟儿从我们头顶飞过，发出整齐而有节制的嗡嗡声，它们的飞行动作规则、和谐，这是我从未听过的生命之歌，令我心潮澎湃。如果说那里的人已经离我们而去，那么这里的飞机则做了已故之人从未幻想去做的事：它们在空中漫步，迈着轻快、坚定的步伐，因为它们所勾勒出的所有美好而显得庄严郑重。分析这样的感动是不可能做到的：这首前所未见的诗花费了多少心思，又是多么不见文学的痕迹。

今天其余的时光也一直沉浸在这种情绪里。我在家吃了午饭，高兴地拥抱了小热尔梅娜·杜布瓦，她刚刚失去了自己的父亲，很悲痛但又是那么勇敢。走在街上，我总是和我最亲密的朋友在一起，我又去了国图，修改无聊的毕业论文。冈迪拉克陪了我一会儿，我跟他聊起了那里的事。

当他听到他获得了我的友情，他的态度完全不同了，那么自在轻松。去年的那个春天，雅克在我身边和不在我身边，那里留存着他的离开和我的遗憾。

在家里吃晚饭。我们五个人[①]漫无目的地散步，很开心。罗贝尔请我们吃了圆顶咖啡馆的冰激凌。回到家，我们四仰八叉地躺在床上，只有宝贝蛋的态度是如此优雅，根据她的姿态，我可以毫不厌烦地畅想她的生活长达一个小时。她无法在戏剧舞台上或冒险生活里表现如此强大的女性特质，是多么遗憾的事啊！她只能表演给我们看，甚至可能连她的丈夫都无法理解其意义，或许这样更好。我无比爱我们。

五月十八日星期六

我在家工作，准备毕业论文。和宝贝蛋一起出门，把论文带到索邦大学，在那里我看到了梅洛-庞蒂。我们一起去了高师，我坐在院子里的绿色长凳上等他，喷泉肆意地挥洒水珠，周围是紫丁香、翠菊、红色的带刺玫瑰，还有穿着麻底鞋的高师学生迈着迟疑的步子，吃着面包和巧克力。我和布瓦万聊了几句关于教师资格考试的事，他是个正直的家伙，引述了乐天派马厄说的几句话——他预测了几个题目："灵魂与身体的相似、相异、优势、劣势"，还有"在考纲列出的所有作家中，哪位作家是您最喜欢的，并解释原因"。我去莫尼耶那里取夏杜纳的《瓦莱一家》[②]。

---

① 五位表亲：让娜，玛德莱娜，罗贝尔，西蒙娜和她妹妹。——原注
② 于 1929 年出版。——原注

房间里，阳光照进来，我读着这本好书，享受着美好的时光。读完这本书，品味那些瞬间里简单的幸福，这时光便显得更美好了。马厄的话在我耳边，如同他本人在我身边，那是一种令人回味无穷的乐趣，让人不禁交叉双手托住后颈，不致微笑时过于后仰。《瓦莱一家》里的一句话走进了我的心里，犹如一种深深的眷恋，让我的灵魂深处充满了所有的快乐："弗雷德里克给了她一天的幸福，就获得了对她不可侵犯的权力；他把这片土地封闭起来。"那你带给我的幸福呢……

愚蠢的偏见，才会让人拒绝承认"我爱他胜过他爱我"，好似我们害怕长大，害怕指责别人。不就是说，你对我的付出比我对你的付出多吗，单单只是活着……这个夜晚的柔情，如同从前无数次让我为之倾心的那种满溢的温柔。它可能和今天一样，是一个特别久远的夜晚，那时斯特力克斯酒吧还不存在。那时，我被瓦莱里·拉尔博在《孩童》中的文字所震撼，从那时起我便懂得了其中庄严的美："依然如此"。但不对，根本没有"依然如此"，因为没有任何事件发生：只有一个人，这一与任何理想、任何事实都明显不同的东西，这一不可思议的东西。我昨天见了你，还是一年前？我明天将要见到你还是四个月之后？你给我写过信吗，还是一如既往地保持沉默？有什么关系呢？我们之间没有相处的时间，没有言语，但我遇到你了，你也存在着，这样就够了。

我爱梅里尼亚克，这是一种任何人都无法体会其价值的爱，我很清楚，但为了你的一个眼神，看吧，就是大家谈论女性友谊那晚，你递给我的那个眼神，我便不会再想起，你知道吗？这个深爱的巴黎，我会向它告别，不流一滴泪，只为了让你对我说一次"你好，西蒙娜"，你知道吗，甚至连我自己都不知道？但的确就是如此。

重读我两年前写的东西，觉得很有意思。那时写下的很多事情到了今天才成了真，如今，我已经没有欲望把它们写下来，因为对我来说，这些事都太习以为常了，比如说，"我只有我自己"。

"成熟"这个字眼精准、美好。我觉得经过两年时间，一切都变柔和了、模糊不清了、丰富多彩了，变得确定可靠，可以把握。雅克。

五月十九日星期日

天灰蒙蒙的。我整个上午都在家工作，中午我又去卢森堡公园看了几幅画。下午安安静静地学习。六点到七点，短暂地外出，和宝贝蛋一起去了卢森堡公园，在瓦文街的一家俄罗斯面包店里……我重读了《幸福》[①]，这部动人的作品让我对强烈的幸福有了更深的感知，我要得到幸福，我要把这些词说出来：湛蓝、喷泉、绿荫、紫罗兰等。晚上我写下了一部小说的构想，也许会成为一首歌颂我们精彩存在的赞歌。有朝一日我会写成吗？

五月二十日星期一

"好似有人吞下了一束这耀眼的阳光。"一年中只有一个春天，一生中只有一次青春，哦！我青春中的春日是多么难得，我多么想用我的整个身体唱起这首感恩之歌，我的身体只能迈着热烈的步伐冲向大街小巷，掩盖住这灼热的阳光，希望让所有其他生灵都能如期绽放。

---

① 凯瑟琳·曼斯菲尔德的小说集，于 1920 年出版。——原注

上午，莎莎来了，我和她一起去了卢森堡公园，一直走到塞纳河畔，路上我跟她分享了一点我无法压抑的快乐。这间房间太小了，无法留住这份快乐，所以我要出门，我和宝贝蛋、杜布瓦一起去杜伊勒里沙龙看了展。好的画作很少。马蒂斯的画太可怕了，反倒是一个叫马瓦尔①画家的画与马蒂斯的佳作更相近。还有塞维里尼的画、日本画家的画、博萨尔的画，以及一些别的，我记不清名字，我们停留了一会儿。讨论，有趣的评论，若能成为这两位耀眼的年轻女孩的伴侣，我一定会很高兴，我本可以成为这样的人，但这也许是白日做梦。

哦！我的幸福，还有画作的味道。

在荣军院有集市，到处是薯条、贻贝和可丽饼的香味，是奶油甜筒和粉色冰激凌的味道，是在天空中飞翔的秋千，是融化牛轧糖的阳光，是阳光！今年第一次，我没有穿外套，却感觉到阳光从四面八方穿透我的绉纱连衣裙，直射到我灼热的心房。与夏洛·特鲁塞尔②不期而遇，我们走了长长的路才到他家，一路上妙趣横生，他的公寓里贴着崭新的墙纸，现代风格，很精巧，到处堆满了爵士乐乐器和满是灰尘的旧家具。我们在走音的钢琴上弹奏《只有您的手，夫人……》《吉基塔》，在转不动的唱机上播放《君士坦丁堡》。若若跳舞。葡萄酒，小甜点，透过窗户，我们看到塞纳河和树木。我们说着无数傻话，只是为了让自己从这种不太合时宜的快乐中解脱出来，因为这种快乐却没有人可以给予。然后，我们走上圣米歇尔大道——生活的自由，它的突如其来，日常生活中施予我们的冒险，还有所有美好日子里相同的快乐，都是那么有趣。

---

① 雅克琳娜·马瓦尔（Jacqueline Marval, 1866—1932），著名野兽派女画家。——原注
② 亨丽埃特和若若的同学。——原注

我去若泽家——她刚刚吃晚饭，我一旦来到她身边，便无法再离开她。纸篓里有一封已经被她撕成碎片的信，我捡起来读了。我们走下楼梯，怀着无限柔情，走进蔚蓝的夜色中，被卢森堡公园栗子树形成的成片绿荫包裹着，直到时间到了，提醒她该回家。我很喜欢我们谈论的话题：冈迪拉克、加鲁瓦、梅洛-庞蒂、勒内·布瓦蒙。特别是若泽自己，她悄悄地告诉我说，令她感兴趣的只有人类的意识，但同时她对自己的意识毫不在意。她细致地剖析自己，但这种奇怪的毫不在意成为她在智性上最吸引人的一点。我试着把她自己展示给她看，她对自己的认知过于清晰，因此无法体味自己的存在，无法像我一样去发现、去体味她的存在，这就如同一款很难得、不张扬的香水，永远不会让人厌倦。我与她告别，继续在巴黎街头漫步了两个小时，沿着波光粼粼的塞纳河，走到了旋转木马旁的喷泉边，我在那里坐着看了许久，脸颊边拂过一阵散发着植物清香的微风。这是一种有些沉重的温柔，在星光点点的树荫下无休止的聊天让我如此敏锐地意识到自己，意识到她和其他我爱的人，意识到我们的青春正在寻找自己，意识到我身边的故事正在上演，意识到思想在确认，意识到心灵在迷失，并在迷失中找到更丰富的自我，意识到我们在黑夜中走过的道路，却不知道它们正通向炫目的自信——所有这些精神现实都比金碧辉煌的大门口的树木更有生命力。周围环绕着蒙帕纳斯的喧嚣，而蒙帕纳斯之外是整个尘世，雅克在那里的某个地方，更远处，有无尽的天空。这一切都被感受到了，而我正在感受这一切。

　　陪伴我的是莱顿和约翰斯通悦耳低吟的《吉基塔》副歌，艾里斯·斯托姆在绿色毡帽下低垂的脸庞，以及大个子莫林缓缓走来的身影。陪伴我的是所有曾经珍爱的人，我身边是波光粼粼的水面，我身后是一整日的阳光，我面前是整个人生。还有我自己，和我永远也说不完的快乐。

五月二十一日星期二

我在家工作，想着昨天发生的事，期盼着晚上的到来，很高兴在这里，安安静静的。雅克的面庞萦绕在我心头，一个人对我竟有这样的威力！但我的快乐与他无关。

今晚，是坐在克纳姆的高脚凳上吃的晚饭，和米盖尔一起，他跟我谈论他的毕业论文、巴吕兹、布兰斯维克与马塞尔的争论、于勒·罗曼的一部小说、攻击柏格森的小册子、萨万、康吉扬、阿兰和《自由言论》杂志，还有他自己。我感觉无比自由。我晚上八点钟与他碰头，回应了他突如其来的呼唤，我很高兴在刚入夜的圣米歇尔大道再次看到他，他那么友好、充满活力，很奇怪，他始终离我既近又远，远是因为我们的内心世界有着天壤之别，以及我们互相之间从未谈起过的一切；近是因为我们兴趣相同，我们彼此坦诚又直接。他身上有一种如此粗野、如此平民化的东西。他对我的意义跟任何其他人都不同。其实他算不上是我的朋友，更像是"我的同志"，广义上的同志。我们去了欧洲人音乐厅，节目很有趣：胡帕精致，充满活力，换了多次装扮，还扮成诺拉的样子。 中场休息时，我们看着女演员们，她们穿着便装，在黑暗街巷里，在小酒吧的灯光下完全像换了一个人。我努力地想象着这些女人的生活，男人们来找她们，带来一句美丽的问候，或一个漂亮的微笑。她们中的有些人很优雅，这些聚集在达米娅汽车周围的好意也许是虚幻的。成为这样的一个女人。能和米盖尔一起在街上这么看着她，已经很好了。婚姻或连结许多密不可分的事物之间的纽带该有多么强大，这样的一种柔情只是单纯地因为两个人坐在一起，听着歌互相微笑，能被相同的趣事逗乐，能为对方的存在而感到幸福。达尔凯夫妇是迷人的舞者，达米娅是美丽的歌者。

我们一直走到圣拉扎尔火车站，边等车边喝咖啡。我们讨论了个人主义和钻营造成的危害。我们聊起了王尔德和斯丹达尔。我多么敬重这个男孩！他的毫不妥协，他承受孤独的能力，我所感到的他内心的力量，他敢为人先、丝毫不顾虑他人目光的勇气。说再见的时候，我们双眼噙着笑意，我喜欢这份不相配却格外稳固的友谊所带来的魅力：不相配，是因为智力能力的差异，情感细腻程度的差异，出身的差异，受教育程度的差异，但这份友谊又有着坚固的基础，对生活、独立、真诚的共同爱好。

多么美好的夜晚，想起整个青春的时候应该满含泪水！一个躁动难安的夜晚，因为在咖啡音乐厅听到的这些歌曲总会在我内心激起幻想、遐思和喋喋不休。

五月二十二日星期三

我从一个奇怪的梦境中醒来，这个梦困扰了我整个白天：我无可救药地爱上了一个长得很像拉波特的坏男人，他只有在我面前才变得温柔，直到有一天，他又变得残暴，一种只有我接受他才能遏制的残暴。我意识到一份绝对的爱情所带来的不同寻常的安全感。

我睡得很少，中饭吃得也不多，从罗宾家出来，太阳很烈，在国图，我又被一种本以为已经消失的痛苦所折磨，这种痛苦时不时地让我喘不过气来，我无能为力：我用桑德拉尔的《莫拉瓦吉娜》①

---

① 于1926年出版。——原注

来对抗斯特力克斯、里凯、玛格达在我脑海中的幻象以及他们所说的话。幸好，冈迪拉克来了，他坐在我身边（这是头一次）。我们肩并肩地工作，互相聊了几句，关于爱情、生活、我们自己，尤其是我们的过去。我很高兴，能找到一位酷爱分析内心、醉心于思考最细微的情感变化的人。我很高兴，当我们面对面的时候，获得了一种全新的自由，给予彼此绝对的信任，并确信这个坚强而不是软弱的男人对我有好感。柔情，极大极大的尊敬。我觉得他是那么关注我，随时准备回应我的一切呼唤，永远不会错过。如何才能用言语表达我内心的这份温情，在他笑盈盈的脸上和我双眼之间滑下的泪水，让我觉得这是一种身体上的接触，如同我的手搭在他肩上或者他背着我走过一条泥泞的路。

但愿我爱过你们，男人们，我的兄弟们。

回家时路过已经满是灰尘的卢森堡公园。我已经看完了《莫拉瓦吉娜》。今晚，我重读了《颂诗》[①]。梅洛-庞蒂来了一个小时。在这些如此自由、向众生敞开的日子里，在我感到如此强大、独立的夜晚，在一种被包裹的美好孤独中，疲惫有时会让我感到无比温柔，一种并不沉重却强烈的渴望，渴望一个庇护所，渴望分享，渴望一颗封闭的心，渴望安全，渴望确定，不是渴望爱情，而是渴望婚姻，渴望这种非常稳固、无比安宁的结合，渴望这种自愿的束手就擒，这只会带来一种新的力量。不封闭任何东西，不失去任何冒险迂回的魅力，体验安全港湾的平静和确定。女人对男人的臣服——只有这个，过于平庸：爱意绵绵的紧紧拥抱。克洛岱尔说，世上只有一种休息，那就是去到一个完全不能再动弹的地方。我认为完全不能再动弹的地方，是把你抱在胸前、感受另一颗心脏跳动

[①] 雅克·夏杜纳的作品，于 1921 年出版。——原注

的两条手臂所形成的牢笼。我生平第一次渴望这一拥抱不是爱抚，而是能通过身体的姿态做出灵魂的承诺，保护我，温柔地待我。这就好比爸爸在加斯东伯父和祖父过世时流下了眼泪。我的前额和这个肩膀之间唯一的阻隔只剩下粗糙的床单。

五月二十三日星期四

罗宾的课。我心神不宁，因为马厄可能坐在我身后，他会倾身向前跟我打招呼……但是并没有。我应该感到满足，有殷勤的冈迪拉克，他带我在高师的走廊里散步，有美丽的喷泉，有院子里的微风，还有当我拿伊波利特和冈迪拉克开玩笑时肆无忌惮的快乐，但这么做被穿着粉色长裙的列维狠狠地责备了一通。我在卢森堡公园待了两个小时。紫红的山毛榉，草坪，我正在读一本抨击柏格森的小册子[①]。年轻人一个个经过，一群穿着夏日薄裙的年轻女孩在我身边坐下，她们手里拿着笔记本，脸上挂满笑容，在这样美好的英式花园里，我跟自己讲述着各种各样的故事……我一会儿看书，一会儿幻想，常常怀着一种担心，担心这份平静的幸福会突然无缘无故地被夺走，这种担心今年一直萦绕在我心头。

马厄在走廊上，靠着窗边坐着，在他身边是萨特。他站起身来，做了个明显很笨拙的大手势，向我问好，我打断了他，我感觉到他对我戴孝这件事充满了好奇和同情。我应该承认我是那么渴望见到他吗？他穿着一身亮色的薄西装，戴着米色和红色相间的领带。我坐在若泽旁边。他和萨特坐在我身后的某个地方。若泽不顾酷暑带我去了卢森堡公园，我们在一辆小车上买了冰激凌。我们坐

[①] 很可能的是乔治·波利泽从马克思主义角度撰写的《柏格森主义，一种哲学的神秘化》（1926）。——原注

在铁艺桌边绿色的椅子上喝柠檬水，几乎没有说话，静静地感受着人来人往和笼罩一切的热浪。我们回到她闷热的房间里。我躺在床上，倾听着存在带来的幸福气息在我的胸腔里一起一伏——窗外可以看到白色的露天座，让我想到了阿尔及利亚，那里的蓝色更浅一些。两个水龙头里流出的水诉说着乡村的一切，随着时间的流逝慢慢流淌。若泽穿了一条亚麻长裙，上面印有粉色花束。她躺在一张椅子上，咬着花瓣，她是那么精致。桌子上放着一大束红白色的带刺玫瑰，我们一起咀嚼着它的花瓣，时不时地说上几句话。我知道她很痛苦，可我看到她如此完美却是那么、那么高兴，她那么惹人怜爱，犹如丈夫想方设法想要让她绽放笑容的年轻女人，我因为花而高兴，因为酷热而高兴，因为以为我们来到了星际空间而高兴，头有点沉重，因为在醒着做的梦里听着流水的歌声而高兴。我们顶着太阳又走到了圣米歇尔大道，晚上我回家读凯塞尔的《瞎子国王》[①]——回忆着今天，想着明天。

五月二十四日星期五

冈迪拉克给我带来了他的"无趣的历史"，题目恰如其分，但文学性匮乏，是一个聪明人试图用复杂的脑力活动来替代他丝毫不懂的感性现实。在我认识的人中，我不知道还有谁的感性会如此苍白。但是我就是喜欢他，我陪他去王宫花园的一路上，我们聊了一会，尤其聊到了绘画。而后我往回走，多么令人回味的幸福！

马厄要带我去喝咖啡，"条件是由我付钱，因为他口袋里只剩下

[①] 于 1925 年出版。——原注

一法郎，他借给别人太多钱，就像从前他问人家借太多钱一样"，我们去了圣马可街上的波卡迪。一路上，我说起了乌泽什，在那里的时候，我本想给他寄一张明信片，我还跟他说起了祖父，他说："我想您应该是在乡村，后来我看到您在服丧……"他竟然会想念我，这令我心潮澎湃。他还告诉我说，某个星期一，他看到我在卢森堡公园，想邀请我，萨特也在他身边，但我完全沉浸在思考中，他不敢上前打扰，因为他虽然能不尊重"布瓦万的反复琢磨"，却不敢在我思考的时候打断我。他说这些话的时候带着真诚和尊重，丝毫没有讽刺的意味，我们这十几日以来的沮丧终于相遇了，即使我没有承认，我仍因为以为他离我很远而痛苦，因为认为他跟萨特一起把我当成陌生人而痛苦。他想把萨特介绍给我，交给我一张萨特画的画，萨特把这幅动人的画题献给了我。我多么蠢啊！为什么会相信人们对我怀有敌意、冷漠，即使他们对我充满了关心，微笑地欢迎我？但是，每当我看到怀疑的幻影消散，看到自己置身于一种我甚至不敢奢望接近的友谊之中时，又是多么甜蜜。我们谈论起他那天的讲座，他想写的关于反对拉朗德的文章，和我们通过考试的几率。他说话一如既往的风趣幽默。多么遗憾啊，要回去工作！回家的路上，他跟我讲起了他们根据索邦的所有人，根据我所构思的浪漫故事：梅洛-庞蒂爱上我，但注定是一场悲剧，因为我父亲想把我嫁给一位乡间的表亲……多么美好的伙伴之谊，多么稳固的友谊，新生的一种轻松自在。

如果我不去研究康德，而是去看尼赞画的《莱布尼茨与单子一起沐浴》，在笑声和白日梦中沉浸了近三个小时，那我是不是开始有点太爱您了，勒内·马厄？他让我陪他一直走到他的学生家，然后再折回来，这样两个人在一起的时间就会更长一些。"您在想什么？"莎莎五点半来接我的时候问道——我狡黠一笑。在杜伊勒里花园，坐在莎莎身边，以此结束这炎热的一天，真是完美。

晚饭后，我去听了一场热尔梅娜·杜拉克关于电影的讲座，是若泽邀请我去的。讲座上放映了《拿破仑》[①] 的一些精彩片段。这个夜晚无比美好。

五月二十五日星期六

"我最喜欢的，就是您从来不会拒绝任何事情。"若泽对我说。确实如此，甚至比以往更加如此，当我去履行生活中的每一个承诺时，我常常因此得到了更巨大的回报！加鲁瓦某一天也对我说，"生活"，是一个词，而新鲜感，才是神话！有朝一日我会厌倦我自己吗？有朝一日我会不再为日常的收获而惊叹吗？

我把冈迪拉克的论文还给他，丝毫没有掩饰我的兴致缺缺，但他还是很友好。但这对我来说已经不重要了，因为另一个人已经在那里，他会来问我："您来吃午饭吗？"我们去了小田野街吃午饭，坐在面包店的大厅里，和往日一样，并排坐着。他对我说："如果您被问及复数理论或导数……"我答道："我是学普通数学的。"他惊呆了，真好玩！当他回忆过去四年所发生的一切时，我感受到的竟然是一种虚荣，甚至胜于快乐，我听到他对我说："这太难以置信了！我欣赏您，您是知道的，我欣赏您。我从来没有见过像您这样的女人——我也会这样对萨特说。"这让我很感动，因为他对我的欣赏不是因为考试成绩，而是因为不论如何我知道自己应该成为什么样的人。他跟我说起了他第一次见到我时的情景："我告诉我的朋

---

① 阿贝尔·冈斯的代表作，于 1927 年首映。——原注

友们，我见到了一位特别好的年轻女孩……"他对我说想把他的妻子介绍给我，他说起她的时候，很亲切也很奇怪，他还跟我谈到他目前的生活，他将要做什么，还谈到了我，告诉我应该要结婚，以及他若见到我爸爸会跟他说什么，"我们是朋友"。当他开始了解我的时候才发现我更加快乐：或许是因为工作少了，因为那时是春天，也可能是因为他。

我们去了一处"历史古迹"，即王宫花园，我们谈论起以后要写什么，他告诉我"写小说，是需要天分的"。我就此问他对于《大个子莫林》的看法，他对这部作品的欣赏和他深邃的敬意都深深地震撼了我，因为这是我从前不敢期待的。双重的震撼：如同在向雅克致敬，当他说："真的很难相信一个人能够写出这样的作品，不，不是一个人——那是一些令人羡慕的存在"，带着一种如此真挚的情感——我在这些话中感受到了巨大的激情："如果有时很难相信你，那是因为你也不是一个男人，因为有些事情不会因为我们不知道原因而不存在，因为你若非要做到，那就必须承认这种恩典，尽管我们不知道其中的秘密。"既然马厄本人也承认有些价值比我们在自身和同类身上胆敢期待的任何价值都要高，那么我就可以在你身上感受到这种"令人羡慕的"存在，它迫使我们将人的观念扩展到天上——雅克，这些话，我一直在说，一直在重复，带着一种如此热切、如此神奇的平静！而后我惊讶地看到那个总在说话的人沉默了整整五分钟，那个总是欢天喜地的人陷入了沉思，那个故作冷漠的人被感动了，他审视着自己，带着一种不可名状的激动，他哽咽着，说不出话来，悔恨到战栗，我因此爱上他，我此前从未如此过。"其实我比您更加是知识分子，但是因为我的出身，我可以在自己身上发现同样的敏感，但这并非我本意……"——他聊到巴雷斯，也谈起英国小说：《恒久的宁芙》[1]中的刘易斯和泰莎是令人赞叹的"欧仁"，而弗洛伦斯则是"莫蒂默"，《弗洛斯河上的磨坊》[2]中的麦琪·塔利弗让他爱了整整一年。又谈到了《大个子莫林》中的超现实主义色彩，我受到了很大启发。我对他说，把感觉融入整个生活是非常难得的。他继续沉思。

晚上六点，我与梅洛-庞蒂碰面，我们在卢森堡公园聊天。

五月二十六日星期日

这种奇怪又苍白的感情是什么，内心微弱的光芒照亮了灰暗又不确定的春天，因为见到了而快乐，因为想再见而渴望……这样令人陶醉的痛苦到底是什么？从昨日起，我与王宫花园的某种沉默开始进行一场无休无止的对话，这到底算什么？言说和倾听的渴望，无声的喜悦，有时又是瞬间即逝的温柔波澜，如同这些情绪本身那样轻轻划过，但这些都来自内心最深处，即使这颗心变得赤裸裸也乐在其中？更重要的是：在所有念头、所有事件、所有幻想周围产生了一种令人喜悦的渴望，渴望与他说话，这种渴望无限延长，为我将要告诉他的一切洒上了温柔的光芒。但愿所有的关心都能经过他身边，经过他身边的一切都能成为关心的源泉。如果我的内心经历着与见到雅克同样的兴奋激动，而时隔三年，我已经很少再见到雅克的身影，那么爱情到底是什么？我因为确信而变得温和，因为不再期盼任何别的东西而变得平静，我承认所有的明天都是某一日的前一天，幸福的灵魂包裹着一层朦胧，幸福中带着焦虑，焦虑中

---

① 玛格丽特·肯尼迪的小说，于 1924 年出版。——原注
② 乔治·艾略特的小说，于 1860 年出版。——原注

又充满了放纵。如果同样也是心脏收缩、关节断裂，那在这种情感与爱情之间有什么能迎接马厄的靠近？如果也是类似的一种苦恼，当他的话音落下，我们并肩工作又回到原点？如果今天我感到有可能遭受类似于当年我为了逃离无望的无聊而徘徊在巴黎街头的痛苦呢？

不，我和雅克之间的纽带并不完全是爱情，那样的感受或许也能被称为爱——可能是用词的问题。哦！的确，当他说"我爱我的妻子"，他的快乐感染了我。同样千真万确的是，如果他冷漠地转身离开，我会痛苦，甚至或许超过我所能承受的范围。我会感到痛苦。我自己也不太清楚它的意义……我知道我流了几滴眼泪，我知道我写下这几行字是为了让自己不要忘记，我知道我始终想要见到他。我知道此时此刻我为了他完全放弃了任何其他人。

生活多么美好，我感觉自己多么坚强、自信、丰富、幸福！这样真好，关上百叶窗，在房间里工作，沉浸在考试前夜的气氛中，就像十六岁生日那天一样，在这静谧中，我被所有十六岁时不曾料想过的人所包围，被我的灵魂包围，而我的灵魂还不知道它会如此明智地挥霍自己。（参见四月十八日写的手记）

我没有继续工作，而是花了很长时间把这些天发生的事写下来，我回想着一切，因为幸福和泪水而筋疲力尽。昨天，梅洛-庞蒂带着他那迷人的羞涩批评我，说我不该在给他的最近一封信中写"让我们幸福吧"，他提醒我说两年前，我让他督促我要提防幸福的到来。亲爱的莫里斯，知道您一直都在，周到、谨慎、小心，又充满爱意，真好，您是我的意识。该怎么回应？那时我说得是对的，现在我也没错。关键是，这份沉重的爱并没有把我压垮，反而让我的思想插上了翅膀任意翱翔。思考的内容是可以改变的，但我的自由是完整的，我不会再为任何东西交出我自己，犹如我从未完全被俘获。您看起来陷入了沉思，当我说构建幸福的生活很难，您并没有全然明白，但我想要的幸福是活生生的，每一天都是全新的，大胆而热烈。永远不睡觉不是件容易的事，同样地，始终保持警觉，永远也不失望也不是件容易的事。付出，保留，这难道不是值得称赞的平衡吗？这难道不是我之前提出来，而今又达成了的平衡吗？我希望始终像这样去爱一个人，爱所有人。我希望始终像这样爱我自己，留在一个人的心里，留在所有人的心里，沐浴着只有我自己才能让自己陶醉的阳光中。我想写一本书来讲述这段爱情，这样才能让其他人也不得不和我一起来感受它。哦！我一定会拥有美好的人生！在这四年之中，我已经做了很多，学了很多，也燃烧了许多！

如果说这一天是美好的，那么一定还有另一天会更美好，倘若昨日超过了其他我曾为之哀叹的日子，那么我也不会为昨日哀叹。

这样很傻，也很有趣。我的教女伊薇特[①]，这个金发的孩子是对我的恩赐，填补了我内心的空洞。我离开酷热的卢森堡公园，无论如何，得去找玛丽-路易丝，我和她一起沿着河畔散步，一直走到植物园。今晚，我刚读了弗拉曼克的《危险的转折点》[②]。期许一个今日一无所知的未来，毫无意义。我因此变得元气满满，这充满不安的快乐，这充满柔情的躁动，这走向圆满的空虚……精准的分析是做不到的，它只会把今日细微的变化简单地看作具体的欲望或者遗憾。我明天要把《绿毡帽》借给他。艾里斯·斯托姆也非常珍爱男人们，但从来也只爱内皮尔一个人。

---

① 莉莉姨妈的女儿。——原注
② 莫里斯·德·弗拉曼克（Maurice de Vlaminck，1876—1958），画家、作家。——原注

五月二十七日星期一

就像毕业会考之前的日子那样，真难挨！但在这个封闭的房间里，尽管隔着百叶窗，也透着酷热的气息，这份焦急却似乎平复了。

在索邦大学上课。又见到了里夏尔小姐，她对我很冷淡，可我却不会这么对她，还见到了冈迪拉克和马厄，我把讲到艾里斯·斯托姆的书借给马厄（刚才当我把他将拿在手里的书包好封面又用胶水加固的时候，我像孩子般高兴）。莎莎来找我，让我很高兴，尽管他还一个人留在院子里，闲来无事。我们坐在卢森堡公园，谈论起她想写的那部小说以及初试写作遇到的困难。我回家，带着隐隐的期盼，希望走到圣米歇尔大道的时候，我和莎莎能恰巧遇到他……但是并没有。我再一次在家里感受到快乐和伤心之间的游移——快乐，是因为我碰到他，他手里晃着我借给他的书，他不确定去哪里读，遗憾没有邀请我去吃点心，因而会无聊、会分心。此时此刻，我很高兴，他一定在读那本我借给他的书……伤心，是因为我在他面前溃不成军，而我对他不能有任何渴望，甚至不能渴望他在我身边。我对他没什么可说的，我们之间除了说话不会发生任何其他事情。我也不知道我到底渴望什么，但我的渴望无法被满足让我陷入了无比的烦闷中。圣米歇尔大道上的那个身影……我为他哭泣。我不知道那是什么，什么都没有。

五月二十八日星期二

我冒着考砸教师资格考试的风险……但这又有什么关系呢？为了再次经历由内心暗暗迸发出的痛苦与欢乐编织而成的一个复杂、

细腻又漫长的故事。

上午在高师上布格勒的课。博尔内做了一场讲座，只见他双手撑在桌子两边（我们被带到社会资料中心），我们像是德西尔学校的学生迎接期末的样子。喷泉的水一直溅到我和冈迪拉克身上，当时我们坐在院子里的绿色长凳上，一起看达沃斯的杂志，上面布兰斯维克的照片和他本人一样充满活力。里沃的课。我到了国图，有点伤心，只有我一个人在那里研读休谟，喝了一杯咖啡，跟疲惫做斗争——三点钟，我终于不想再等下去。冈迪拉克来了，跟我谈论起了阿隆的毕业论文，我和他一起在五点半出门，在门口见到了梅洛-庞蒂，我和他们俩一直聊到图书馆关门。晚一点的时候，若泽来了，我又和她一起出去，坐在双叟咖啡馆喝了一杯柠檬水，然后陪她一直走到她家，回来的时候路过卢森堡公园，一场暴雨过后，那里清新了许多。她给我看了一段瓦莱里写的关于爱情的精彩片段，这段话太令人惊叹了，我想重新找来读一读。

若泽来之前，那个我不敢再等待下去的人到了——他穿着一身灰色的正装，刚刚参加完婚礼。我们朝王宫花园走去，他对我说："自从认识您，我便理解了十八岁便是哲学家的贝克莱，以及埃瓦里斯特·加鲁瓦……自从我知道您是学普通数学的，我对您的爱意就少了些；我太欣赏您了，让我不知道该怎么办"——于是我邀请他和他妻子一起喝下午茶。他纠正我："您的魅力在于您走路非常快，就好像您要去往某个地方。"他向我阐述了政治经济学的一些理论，给我看了几张纸片，是他从意大利旅行带回来的纪念品，他还告诉我他很喜欢《绿毡帽》这本书。他笑话我，说我的笔迹脏兮兮的，在书上涂了几笔充当书名。有朝一日我是不是可以告诉这个男孩我有多么爱他？等到了假期，我会试一试。

"对我的爱意……我的魅力……"他似乎和以前的雅克一样在品味我，只是带着更多的柔情。我觉得在他身边和在雅克身边一样，我感到同样的开心和激动，而且他们几乎出于同样的原因爱上我，带给我同样迷人的惊喜。（用这两个词很荒唐，却能很好地区分他们与梅洛-庞蒂、莎莎和其他人的不同，他们值得赞赏而非令人惊喜，他们对我关怀备至而非迷人。）我多么希望就这样被爱着，因为一些连我自己都不知道的原因，因为一些我内心更无意识的东西、更真实的自我，因为所有的细节……哦！过马路的时候，他的手拢住了我的肩膀，以防我被车撞倒……哦！他跟我道别的时候，他的手拂过我的胸前。我可以静静地坐在这把扶手椅上，待上一个小时，让那温柔的手势和与之相伴的微笑保持在原位。我把这些写下来，因为我并不相信，或者说是为了让我以为自己并不相信？不管怎样，有一些小风险：几个月的平静。对我来说，他永远不会成为内皮尔——风险太大，如果这样，那么每一个夜晚都将迎来第二天我内心无法预知的惊喜。我期待的是怎样的一份爱情，要是我不是爱雅克爱得无以复加就好了。

我明白，爱情，即便满是尊重和温情，依然保留着一份略带敌意的傲慢，以及拒绝表露的意愿，我们可能在他面前饱受折磨，只为了让他永远也不知道自己不止是一个普通伙伴。假设我也这样爱梅洛-庞蒂、冈迪拉克的话，也会完全不同。和加鲁瓦、雅克也不同。我明白，一旦陷入爱情，那便是由男人来决定冒险的结局。如果他慢慢地征服一个女人，或是如果他不征服她，那是他的错，因为他笨拙或者喜欢挑战最难的游戏。但基本原则是，在完全征服一颗心之前，不要试图达成灵魂深处的完美和谐，而是把这种和谐当成一种承诺，当作一种战利品，但这是以我们通过了爱情的神圣之路为前提的。倘若我是男人，我会以友谊为切入口开始与女人交往，直到大家互相有好感、彼此信任，才能让某些东西生根发芽，我会把她带到友谊开始的地方，跟她坦诚地谈论自己，谈论我眼中的世界，我也会谈论她，彼此还不熟悉，但会许下很多承诺，我会对她表示敬意，用所有她设想在我身上看到的美好而爱她。而当不久之后她发现所有这些都不存在，她也会因为陶醉在她曾经相信的一切之中而选择依然相信。

男人们不太清楚，一个女人为了被俘获是做了多么万全的准备，只需要一次猛烈的进攻，一个巨大的惊喜，或对自己不会被拒绝的确信（或者说至少是装作很确信）。或许就是那几个熟悉的动作产生了威力，在我心里生根，远远胜于梅洛-庞蒂的殷勤与关切。友情和爱情，哪个更美好？是这颗怦怦直跳的心还是那个令人心安的微笑？是这个我们时时留意的人还是那个我们无比相信的人？这里说的只是哪个高级、哪个正当，但还有因为比对方燃烧得更猛烈而产生的快乐、狂热和骄傲。马厄还是梅洛-庞蒂？这两种不同的情感，我真的不知该如何选择。而其实所有的犹豫都证明两者都不够好……任何分析只会把我带进无休无止的赞叹中，赞叹所有与情境无关而且不能用任何言语来表达的一切。

五月二十九日星期三

今天上午我见到马厄的时候并不激动。他坐在窗边，我坐在长桌边。后来冈迪拉克、布瓦万、迪卡塞、伊波利特、萨万都来了……开心、放松。他板着一张脸，以一种令人惊叹的蔑视看着这所有与他无关的一切。上拉波特和罗宾的课时，我坐在他和冈迪拉克中间，很有趣。坐在他身边很有趣，我感受着这份安安静静的幸福，我突然放声大笑，差点引得大家回头看我，他们露出看着一个疯子时的表情，问我是不是波伏瓦小姐。"我还以为您是个好学生。"他说。哦，我的心被填满了，我们在走廊上那么开心，在教室里那么放松，犹如以前期末时的德西尔学校。我们道别的时候，没有难过，也没有渴望。今天已经足够了。我又去国图工作了很长时间，再次碰到了冈迪拉克，我陪他一直走到王宫花园，然后回家继续安安静静地工作。

五月三十日星期四

罗宾的课。他不在。雷诺小姐高谈阔论，里夏尔小姐比我喜欢的样子更加可爱。阳光下，我们在花园里漫步，看别人打网球。比尔努夫爬上了一根光溜溜的绳子。一种耀眼的生活吞噬了我——这阳光，这条合身的黑裙子，我对自己身体的意识——在卢森堡公园的露天座度过了精彩的两个小时。平静的水池，水面泛起有规律的、金属般闪闪发光的涟漪，纯净而明亮的天空，几位路人和红绿相间的树木，还有我。我坐在若泽和冈迪拉克中间。马厄没来上课，又有什么关系呢？长长的台阶延伸着，在烈日下，我的脖子被晒得生疼，学生们在台阶上走来走去，让我更加感受到自己的人生。若泽的话很动听。"您最喜欢自己身上的什么？"她问我。"另一个人……""我，您是知道的。"她对我说这句话的时候，露出一种品味珍稀佳酿的表情，"是出口"。而我为自己选择的则是入口。被问到的冈迪拉克声称"我难得沉默"。而她友善地说，像淘气孩童那样把一点点忧伤小题大做："哦！我多么不幸啊！""为什么？""还是那件事。"她笑着说，眼里流露出对自己的指责。我们谈论起凯瑟琳·曼斯菲尔德的《幸福》，还有《颂诗》，但她觉得这本书里完全没有诗意。

萨万做了一场关于乐观主义的讲座，出乎意料的好玩。布兰斯维克做出风趣的反驳。我心中充满柔情，望着这双充满智慧的眼睛，听着优美动听的话，出乎意料，直击心灵，而且如此精确，让人不禁为他的一针见血欢呼。整个教室笑声此起彼伏，两个小时所带来的愉悦，其品质之高甚是难得，而且切身地意识到了。

在理发店，我闭着眼睛，沉浸在幸福中，不断地重复着：多么丰富的生活，总会面目一新，有那么多人陪伴的生活，被从未听过的话、从未见过的面孔环绕着。有些话我们总能听到，有些面孔我们总能看到……伟大的计划：明年，我将安顿在外祖母的公寓里，那里将是我的家。接待朋友，写作，赚钱，出游。还有什么作品能比实现这一命运更美好？我多么确信再也不会感到空虚。（或者说我只是确信会有新的爱情？）

我在家阐述了我的计划，得到大家的认可。我未来的生活成型了。真想不到我曾不相信你，我的人生；真想不到我寻求别的什么，而不是你，亲爱的我自己……

五月三十一日星期五，面孔交会

多么不可思议的一天。要写下来，多么渴望流泪，多么让人难以承受的幸福！

九点钟。当我在表格上填写题目的时候，我看到一个穿着米色套装的人，他一头茂密的金发盖住了脖子，犹如金色的麦穗。我的心骤紧，害怕袭来（为什么总是害怕？渴望逃离？）。我坐在自己的位置上，他的东西就放在我的邻座上，两分钟后，他来了。他开始跟我讲述欧仁的宇宙论：世界分成欧仁——马尔汉——莫蒂默——大公爵，后者和那些"任性的女人"联合在一起，成为欧仁最可怕的敌人。还要区分感性世界和理性世界的巴多纳（沙托），以及变色龙一类的人。卡塔隆战役①那年，欧仁十二岁……他的父母让他去捡蜗牛……他与世界灵魂的爱以及与神秘的拉达·西瓦的爱情故事。他们准备写一本书来讲述这一切。

马厄！当他告诉我这些的时候，他绷着脸，边说边笑。他还跟我说起《绿毡帽》。而后我们开始工作。我只是在想：这就是我热烈爱着的男人，他就在我身边。他就在我生活的时间和空间里，他在我身边而且知道我也在他身边……我看到了加鲁瓦那张戴着眼镜的面孔——兴奋激动。我感觉自己的心被分开了，但当下依然是最强烈、毫无遗憾的，我想：加鲁瓦坐在我后面的那张桌子上，看到我跟他不喜欢的马厄说笑，今天从加鲁瓦那里我将什么都得不到，但马厄在我身边。正在这时，冈迪拉克到了，他坐在我对面，我太高兴了，而且这次相遇很有意思：当我给马厄看一段我书中（夏尔·布隆代尔的《社会心理学导论》②）的精彩片段时，冈迪拉克把头凑到我们中间。他一脸严肃地问我，对布洛夏尔下断言说亚里士多德的神能体验到愉悦怎么看。而马厄傲慢又冷漠地说："我替他祈祷能成真。"说完，两人面面相觑。还有一次，当我们谈论"男人的尊严"，冈迪拉克对我说"还有女人的尊严"，我反驳"女人是没有尊严的"。我的邻座笑了，表示认可，我对面的人惊呆了，露出一种略显天真的样子，而正是这份天真让我格外珍视他。我在他们两人之间，感觉到在我和马厄之间有一种无言的默契，我陶醉其中，曾经只有雅克才能让我感到这样的陶醉，但我也希望不要因为我变了副面孔而吓到冈迪拉克。尽管如此，整整

---

① 又称沙隆战役，公元451年发生在现今法国香槟沙隆地区，是西罗马帝国最后一次大型军事行动。
② 夏尔·布隆代尔（Charles Blondel, 1876—1939），法国心理学家、医生。提到的文献应该是《集体心理学导论》(1928)。——原注

一个小时，我还是看到三张教师资格考试应试者的面孔凑在一起，绽放着无比喜悦的笑容，而我的内心也感受着同样的喜悦。动人的上午。

赫维西（班迪）来找了我两次，想让我帮他看看关于音乐戏剧的博士论文，不过我不知道在一篇博士论文的前言中，是不是可以用"小白脸"这样的词。我把这件事说给冈迪拉克听，他笑弯了腰。加鲁瓦来跟我握了下手，然后离开。冈迪拉克也走了，但他，我亲爱的同谋，一直坐在我身边。他告诉我他认识斯蒂法，但不喜欢她，因为她对他抛媚眼。我们去吃午饭，和往常一样去了小田野街，然后我们坐在王宫花园，在波卡迪喝了一杯咖啡，我找了一个蹩脚的理由，我说我不喝咖啡就没法工作，我会很烦燥，也不想让他去工作。在那两个小时里，他对我说的话触动了我，而我根本没法回报。（我的天！能幸福到这种程度，就算死也值得。）他对我说："在这个图书馆里，有些人是冲着您来的，真是不可思议！匈牙利人来把您带走了两次，还有冈迪拉克，甚至还有埃瓦里斯特……但我是第一个，您那么好……"（我们肩并肩地坐在黑色小桌子前，背靠着墙壁，他的笑容里带着一丝动情的优雅，这是我几乎从未见过的，如同一种尊重，即使温柔以待也丝毫不会逊色的尊重，而且他说"您那么好"，这么简单的话却深深地打动了我，因为他说这句话时的语气完全符合我内心对善意、对热情，是的，对美好的所有渴望）他边笑边说："您是这群人的猎物"——……他讨厌加鲁瓦，认可梅洛-庞蒂。对于冈迪拉克，他承认"他跟我说话的时候变得非常友善，以致我对他也更加客气"，这同样也带给我巨大的幸福，因为我曾渴望自己成为一根魔杖，为匆忙的过客揭示隐藏的泉源。我渴望成为一种温柔，它如此顽固，如此安静，迫使所有人都向它屈服，给予它有时连他们都不知道自己所拥有的东西。啊！今晚，让我爱自己吧，通过另一个人爱我自己，通过我心里的他爱自己吧。他跟我说起若尔热特·列维，带着对我的极大偏心……而后他说："而且我们的关系很奇怪……至少在我看来是这样：我从来没有女性朋友。""或许是因为我不是很像女人"——哦！这个回应我的眼神，这样的眼神，我只在某一天雅克的眼里见到过……而后他笑着对我说，我是多么让人惊讶的一个人，竟然能愉快地接受一切："正因为这样，我们才能成为朋友。"他说。我跟他解释说，我觉得自己是"一扇大敞的门"，他说，我打开大门的方式"正是我身上最让人惊叹和最吸引人的地方"——我们聊起了艾里斯·斯托姆、维奥兰特和许多女人……"我不喜欢作风放荡的女人，不是道德的问题，即使艾里斯也不会恬不知耻地接受男人的触碰"，他还说"我无法欣赏一个女人，尤其是一个我拥有过的女人"，我反驳说"一个人是'无法拥有'一个像艾里斯这样的女人的"。他看着我说："同样我希望一个女人能取悦于我……"——我意识到在他身边是不需要辩解的，只需要用我身上最真实的自我去取悦他，对此我不需要负责，就和对雅克一样。我很喜欢他时不时地说一句评价我的话（常常是我内心最真实的一部分）："啊！您真有魅力！"这句话发自内心，如同我们真心诚意地道谢，如同我们激动地握住别人的手，如同我们露出温柔的微笑。我告诉他，我认识一位非常好的欧仁，明年会介绍给他认识。"是的，我明年还会再见到您。"他无比确信地说。我补充道，他是个"当兵的"，语气中带着嘲讽的夸张，他觉得很好玩。我们谈论起任性的女人和欧仁的关系，他让我负责写他书中关于任性女人的那一章。"那些女人都有一种命运。您也有一种命运。"将任性的女人与大公爵结合在一起，与欧仁形成鲜明对比，这的确非常深刻；爱上一位大公爵，对我来说是幸福，是屈从；爱上一位欧仁，则是与他斗争，激发一种令人惊叹的冲突。他解释说："欧仁会反抗。""我早就注意到了。"我惊叹道。听了这句话他大声叫道："啊！您真有魅力！"

我很清楚，我对他来说不是一位好同伴，但他看到我今天很漂亮，带着女人的优雅，明艳动人，却没有他所讨厌的卖弄风骚。既不是男人，也不是雌性动物。表面上是全然的交托，但他能感觉到一种更隐秘的保留，一种绝不轻松的从容，一种毫不含糊的生动的爱意——我觉得他很爱我。

或许他的内心有某种遗憾，因为未曾要求过另一种生活，有我这样的女人的生活……也许吧，我之所以这么说，是因为他说欧仁不幸福，说无动于衷是一种他永远无法企及的理想状态时，涌起了一股忧郁的波澜。他是多么理解生命的恩赐，在花园里，水雾拂过我们的脸庞，大喷泉的一支在水池中央绽放，多么美好。我们回到欧仁的话题，回到我们将要写的书。由着他请我喝咖啡，就像他亲切固执地非要请我吃午餐一样，这是多么甜蜜的事。我们常常把杯子端到小矮桌上，旁边的收银员向我们投来敌视的目光，可这种习惯是多么甜蜜的事。我们创建了许多魔幻的哲学论点。我说："上帝不存在，这可真遗憾。""是的，尤其对他来说。"我们区分三种不同的遨游方式：像鱼一样（欧仁），在无限中（马尔汉），在蓝天上（大公爵）。我对他的欧仁宇宙论提出了非常中肯的修正意见。我们天南地北地聊了许多，谈论的一切在我看来都是那么出乎意料、精致细腻，令人回味无穷。我很幸福……

在这一个小时里满溢着幸福，我似乎有些飘飘然，我从他那里偷偷拿了《汽车》杂志来读，却突然爆笑，身体止不住地颤抖。他对我说"您彻底疯了"，却露出一副深觉有趣的神情，对我丰沛的感情感到惊讶，他送了我一幅画，《汽车》杂志上一篇好笑的文章。他对我说："您身上凝结着一种奥秘。"

莎莎来找我。"我终于可以工作了。"他带着嘲讽对我说，就像他嘲笑我"可笑的字迹"一样，但我知道他工作多久，便会想念我多久。美好的一天！我们沿着河畔漫步。莎莎看着我，听我说话，对我洋溢的热情感到惊讶。我们在埃弗利娜喝了点冰饮料，一边谈起了高师、马厄，以及我身处这些男性对手之中，我的女性品质会让我占据怎样的位置。

我到了索邦大学，脑海里想得越多，却变得越空虚，我来找米盖尔。我们到了卢森堡公园，他把他的论文借给我。草坪上绿茵茵的一片，喷泉沐浴在阳光下，有紫色的鸢尾花、黄色的鸢尾花，还有一棵红色的树和一片凉爽的树荫。他跟我讲述了他想写的几部小说，他还给我讲了很多经历过的冒险，让我听了很激动。我们兴致盎然地聊起平淡生活中的新鲜事，只有那些会走出家门寻找精彩的人才懂得的精彩，我两年前的犹豫，我们对世界的信任和信仰。如果我支持他，他也会反过来支持我。人们在打网球，夜晚很安静、很肃穆。但我还有点沉浸在白天的幸福中。因此还是需要出门。夜晚真美，我和宝贝蛋走在幽静的小路上，怀着满腔的柔情。我跟她讲了白天发生的事，我们一起为未来做规划，带着对当下的热情，我们的内心油然而生一种力量以及对成功的确信。塞纳河的河岸……平静的水面上，摇曳着银色的倒影。头顶上是寂静的天空，白描的桥倚着夜色。在这超越生命的风景中，行色匆匆的身影充满了神秘。杳无人烟的宽敞林荫道上只剩下树木。透过我们眼前的黑纱，它们成了日耳曼传说中的神明。人头攒动的大街，星形广场附近的酒吧，夜幕降临时我们感到快乐又疲惫。多么愉快的回程，多么美好的梦境……

紧握的双手徒劳地守护着这些珍宝，拥抱却只能让它们一点一点地溜走。心灵的绽放，像熟透的果实一样裂开，哪片土地能饱尝这金色的果肉？其他生灵内心是否知道这样的胜利之歌？他们是否知道自己超脱于世事之外，沉浸于单一的快乐之中，成为世间所有快乐的帮凶？活在自己的内心世界里，活在另一个珍视的人的内心世界里，并把这两者结合起来，变成一种无边无际的爱意。

六月一日星期六

在度过如此幸福的一天之后，第二天会不会伤心？不会，要是昨天在今天里被回味，被延长，要是这把扶手椅不是空空荡荡，而是一把他昨天坐过的扶手椅，要是我不是一个人在波卡迪，中饭吃着冰激凌和面包，要是我又见到了拉马[1]的身影。

今天上午，冈迪拉克正巧在，我们交谈得不多，但很友好。我告诉了他我明年的计划。我陪他走到王宫花园，一路上他跟我讲了俄罗斯人的思想。下午，若泽来了，我们在广场花园转了一圈。我当然跟她说起了马厄，告诉她他跟我说的。她说："的确，您家的门都是敞开的，这也就是为何大家那么喜欢去您家。而我总是出门，带上我的一切出去。我曾经也多么想有朝一日走进您家，或者说您曾经也想过要等待。如果主人不在家，我们确实会想他可能什么时候就回来了，但遗憾的是，人们不会想要等待。"整个白天，我们肩并肩地坐着，学希腊语，或者更准确地说，我看着自己天马行空，渴望大声呐喊，存在是多么让人激动、多么有趣、多么有意义的事。

有些精神层面的意识甚至比一个身体动作还要更冒失。回来的时候，夜色迷人，我们沿着河畔漫步。我们在莫尼埃的"书之友"

---

[1] 西蒙娜·德·波伏瓦给勒内·马厄起的绰号，意为"羊驼"。

翻看了几本书。然后我们坐在卢森堡公园的水池旁边，嗅着水的味道，感受着内心的沉重。她害怕明天，而我期待明天带来一种超出常人的命运。她问我，为什么我们会喜欢一本让人能联想到真实风景的书，而看到真实的风景又会让我们想起这些书？在我看来，风景是对未来的回忆，是那些更纯粹的人做的梦，而不单单是我们所喜欢的某一部作品中的插图。

我们看到了尼赞、他的妻子和他们的儿子——很奇怪的印象——拒绝屈从的婚姻，但愿充分的物质自由让人更好地感受到心灵交流的必要。

我把她送回家，我漫步在这些小径上，内心感到一种奇妙的缺失，没有遗憾，没有渴望，对阳光和幸福的放荡不羁有些厌倦，却有一种称不上是惆怅的疲惫。晚上，我坐在书桌旁，桌上放着一些工作和一些书，这张书桌上沉睡着我不止三年的人生。我任由自己沉浸在幸福里，沉醉在友情和孤寂中。我努力想要重新抓住那些慢慢消失的音容笑貌，但有什么呢，这个我无法言说的瞬间安慰了我，虽然所有令人回味的梦一个个地在我身后散开，消失得无影无踪。

突然，所有这一切都没有了意义。我头靠在桌子上，热切地渴望着雅克。看到雅克的微笑清晰到令人心碎，强烈的爱将我从这个房间和我的生命中抛出，去面对一个过于珍贵的过去，让我甚至不敢奢望未来。柔情……这是另一回事，与一切都不同的另一回事。信任、柔情，但又有什么话可说呢？只有一个名字：雅克。这突如其来的灵魂的寂静，这份安放在我心里的强烈的柔情又将我抽离出来，带着无人倾听的沉声呐喊，带着以幸福之名剥夺一切意义的圆满。不，我无法想象再次见到他的情景，实在太……面对出乎意料的快乐和预料之中的痛苦，我颤抖不已……爱情之路。与走向死亡之路一样，同样肃穆，不安的心同样停止跳动，但在死亡之路上，我不会成为同谋；而在爱情之路上，一旦爱情悄悄出现，它便会俘获我，一声不吭地夺走我的全部。

午夜十二点半……该睡了，身后的黑夜如此温柔，和我光着的手臂一样柔软，和我肩上的绉纱一样丝滑，和沉思冥想一样温暖。

一本里尔克论罗丹的书①，一篇季洛杜关于桌子的叙事，刚刚看完的阿尔兰的《命令》②，对平淡无奇的情节表示震惊。我相信自己已经超越了它，并得到幸福，而没有成为可怖群体中的一员。

今晚，该感谢的神难道不是只有我自己吗？这个世界的恩赐，自我的恩赐。啊！所有的事情是多么美好……

六月二日星期日

睡得很晚，阅读，写作，试图抓住这些天发生的事，除此以外便没什么。有点厌烦，感觉心里冒出一种渴望，按着雅克的行程算着月份，按着马厄的安排算着天数，除此以外便没什么，流了几次眼泪，隐隐地渴望一些难以名状的东西，和宝贝蛋、若若唱着喜欢的曲子，除此以外便没什么。之后去若泽家待了一个小时，很厌烦，没什么兴致，穿过卢森堡公园的时候，看到一些奇怪的金发女孩穿着黄色衣服，在打弹珠玩。迷人的夜晚，可我逃走了，逃避谁？是我自己吗？还是一段回忆或是一种欲望。我一直跑，跑到林荫道上，我进了一家剧院，看了《黄玉》，还比较有趣，可我内心沉重、迷茫，不受控制地会想到一只手的轻触、一个微笑、整个自我的退缩，这一切他永远不会知道。

---

① 专著《奥古斯特·罗丹》，于 1902—1907 年出版。——原注
② 该小说获得 1929 年的龚古尔文学奖。——原注

六月三日星期一

　　勒内·马厄，您对我施加了怎样的力量，帮我驱散今早的灰暗、睡眠过少带来的疲劳，以及因为没什么话可对你说而萌生的忧伤？冈迪拉克坐在我对面，您坐在我身边，您在画画，冈迪拉克试图去理解，而我则给你们出了一道数学题来逗你们开心，你们谁也解不出来，我试着去感兴趣或者表现得很快乐，但没有灵魂，没有灵魂。我那么痛苦，即使您在身边都无法安慰我，还有冈迪拉克夹在我们中间，他的出现那么不合时宜，可他本人又是那么友善，漫长的时间里，我们无法单独相处，我事先就知道这次见面会白白浪费。您看出我很"忧郁"，可您把我带到了王宫花园，带到了波卡迪·广场的小花园，您跟我说起了意大利、新婚旅行、大海，说的时候那么温柔，仿佛我不需要总是去辩解，仿佛您还一直爱着我，哪怕当我无法让您出现在我面前时，您依然爱我……于是一种明智的快乐又温暖了我的心。您笑着给我带来了《汽车》，您作了一些有趣的诗，您将欧仁和普通教师资格考试应试者的肖像画献给了我。现在我可以好好工作，我知道您就在身边，现在每一刻都是温柔，我陪您去王宫花园的时候也是温柔的，在那里您请我喝了一杯柠檬水，您跟我聊起了运动、打牌，而我跟您讲了雅克的故事，您觉得很棒，特别是两个聋子的故事……当我告诉您我很爱惹自己的父母生气，您和蔼地责备我不该这么冒失，您优雅地允诺以后会带着妻子一起来，您亲切地说下次我们和萨特一起出去，您曾向萨特说起过我。于是我很开心，坐在咖啡馆的露天座上，坐在您身边，那么幸福，送您去您学生家也是那么幸福。"您太好了，我不敢跟您提这样的要求。"哦！今天早上您把手搭在我的手臂上跟我道早安。您的动作那么熟悉，满是尊重，您对我的柔情也是确定无疑的（从前您不会这么频繁地来国家图书馆），而我对您的情意，我不太知道该如何命名。我是不是说得太多了？还是说得不够？该如何描述他的心，还有他那与众不同的对独特生活的偏爱？

我回来得很早。晚上跟宝贝蛋一起读图莱的《我的朋友娜娜》①、《新法兰西杂志》、里尔克写的关于罗丹的书，一起唱一些老情歌和俄罗斯歌曲。小女孩，啊！小女孩……现在的平静只是因为确信明天可以见到他，他红润的眼眸抚摸着你，包裹着你。

有时在清晨，有时在傍晚，对你的期盼和渴望是如此猝不及防，无法享受所有不是由你带来的欢乐。回到我身边吧，这样才能让我的灵魂能够承受你离我如此遥远，我与你仍要分离三个多月。那么……

（我应该是在二月十五日前后认识他的，那时我还没有开始写这本手记，也就是在二月二十一日我向布兰斯维克递交作业的前几天。我们碰巧一起在国家图书馆吃了午饭，之前我从未跟他说过话，我们一起谈康德、休谟、自由，他公开主张个人主义。已经过去整整四个月了！我之前注意到他，一次是一月三日在布兰斯维克家的讲解课，两次在罗宾家的讲解课，还有一次在国家图书馆，他正在为讲解课做准备。他穿一身蓝衣，戴着漂亮的小围巾，新年之后的几天都在那里，我一直想跟他说话，但始终没那么做。一天，他带着他妻子，我心里有点不是滋味，我看着他上楼，俯向一位我不认识的灰衣女人，后来又手挽手地去了苏弗洛街，一起的还有萨特和尼赞。当我在小饭馆看到他的那一天，我其实比他先进去，暗

①　于1905年出版。——原注

暗地希望能遇见他，然而我对他一无所知，甚至不知道他就在那里吃午饭。一、三月十九日，他比我先去拉波特家，我听到拉波特说"再见，马厄先生"。马厄先生是一位遥远的已婚男士，对他来说，我永远什么都不是。一天，我在圣叙尔皮斯广场上看见他，甚至不敢上前跟他打招呼，但那时似乎已经注定我们之间会有点什么，里夏尔小姐说：您一直在与马厄偶遇……三月二十一日星期四，我跟他说了几句话，布兰斯维克的课拉近了我们之间的关系。从那之后，每周四，我们都会挨着坐，他告诉我一些趣闻轶事，我则欣赏他的画。二、复活节假期的时候在国家图书馆看到他，有时他会握着我的手，我看到他的时候，常常会心跳加速，热切地渴望给他帮忙，替他找个座位，或者跟他讲一些有启发的东西。三、四月十三日，我们一起坐公交车：巧合连连。接着是四月十八日，做出承诺，这是我期待已久的，四月二十三日、二十四日，履行承诺。而后就是这个月令人心动的友情，我们在这段友谊中重新认识了彼此，接着五月二十四日，星期五，确信我们彼此的情谊。此后，五月二十五日、二十八日、三十一日，直至今日，六月三日，还不算一起上课的日子。更不用说那些我根本见不到他，却满心都是他的日子。短短十天时间，我的心便这样交付出去了吗？他敞开心扉用了六周时间吗？）

我的朋友。

六月四日星期二

显而易见！今天上午他穿着蓝色外套，上楼到了我在的教室。布格勒的课很吸引人，在社会资料中心，我坐在他身边。我和博尔内说了几句话，他人很好，还有大胖子布瓦万、胖乎乎的施沃布、冈迪拉克、戈布洛和鲁塞尔小姐。马厄画了些画，笔记也做得天马行空，我们大家都笑了：绒球代表布格勒不来上课，给生病的伊波利特的信，伊波利特没法再检查一遍自己的计划。马厄给他写道："如果你需要我们来帮你检查一下计划，那就相信我们吧。"后面又加了一句："我能跟他说的就是这么多，现在若是有人想要影射他的妻子……"冈迪拉克也发现一些好玩的东西。这时列维来了，她不明白我们在做什么，一直喋喋不休，其他人都在嘲笑她的表情。他们不喜欢她：不就是因为她说起其他人的时候，似乎理所当然地把他们当成了敌人，而我却马上能把他们当成手足吗？哦！学生生活的最后时光真是美好。和我在一起的马厄魅力无限。

下午在国家图书馆，他坐在我对面，穿着粉红和米色相间的衣服，干净清爽。他把画递给我，递给"波伏瓦小姐这位不熟悉的朋友"，即若泽。冈迪拉克坐在更远处。但天阴沉沉的，开始下雨，我很饿，很困。无论如何，今天的感觉不那么强烈，而每天都能享受新的乐趣，这已经成为一种习惯，真好。若泽跟我说起了斯蒂法，她马上要结婚了，很快会出发去马德里。我不禁动情地想起我曾经那么喜欢她，她的微笑拂过我的心，她的手摸着我的袖子。我、冈迪拉克和若泽一起去了波卡迪吃冰激凌。 我们三个有说有笑地回来，走到塞纳街。然后我们俩又去了若泽家。回来的时候，没想到天放晴了，出了太阳，犹如忍了许久的眼泪落在卢森堡公园之上，使之熠熠发光。

而后我上了楼梯，带着日复一日的焦虑，期待一封我知道一定不会来的信。我读了一本斯丹达尔的书，总算出版了，好书，《吕西安·娄凡》。宝贝蛋进了我的房间，跟我道晚安。

六月五日星期三

　　这种状况没有出路。我渴望自己不那么强烈地感受到他的在场，可我做不到。让我伟大的爱回归吧，秩序就会恢复，但在那之前，这颗不确定的心将不得不被拖着去追寻所有快乐。今天上午我很累。我磨磨蹭蹭的，十点钟才到国家图书馆，只为了见他。我厌烦、头痛，整整两个小时我只看到冈迪拉克，他很友善，但我不再对他感兴趣。我浏览了一些杂志，下雨了。我去了黎塞留街上一家不错的茶室吃午饭。我读《吕西安·娄凡》。我想要照顾好自己，天下着雨，我百无聊赖地重读了自己的手记。世界是空洞的，我勇敢地等待了六个小时，也不知道心底在希望些什么……

　　突然，穿蓝色外套的人……他来是为了告诉我，星期六他要留在家里陪妻子喝下午茶，下雨了，他今天去见了萨特和尼赞，他很为考试担心，他亲切地笑话我竟然还怕下雨。冒着雨，我们找来找去，也不知道去哪里好。最后不得已去了丹东咖啡馆，那是个有点可笑的地方，但没关系。我们聊起了康德、教师资格考试，后来又聊到了他关于个人主义的那本书。他指责我过于心善，老是被人缠住，浪费自己的时间。"要么您是心理学家，要么您就是罪有应得。"他对我说。我认为我就是罪有应得。事实是若雅克在身边，这些人不过是莫蒂默；若雅克不在，对我来说，一切似乎都在同一水平线上。马厄让我重拾信心，而且如果我懂得区分价值，从纯感性的角度来看，任何一个人都能在我身上发现一种温柔。以前不是这样的……我们还讨论了是否应该出版的问题。我向他解释，要想把自己的生活看作一部令人陶醉的作品，我只需要有意识地去做，我说"我有一些美妙的时刻"，他那么温柔，"我希望是这样，小姐，您当之无愧……我没有美妙的时刻，我是个可怜的家伙……但我现在做的事会受到别人的赞赏"。我对他说，我不能把我对他的评价实话实说，因为这些话太过动人，"可我确实是这么想的……"回来的路上，他开冈迪拉克的玩笑。我毫无抵抗力，我太爱这个男人。我写下这些话，是为了排解今晚的伤感，他跑着消失在雨中的伤感，但不能指望在这里留住任何关于他、关于我们的故事。最好还是缴械投降，不要试图为自己争辩、解释、编造问题和答案，不要对未来抱有期望；不要蜷缩在他对我说的话里，必须有一天算一天地接受这份美好的礼物——与他的友谊。当他对我说："不应该评判我"，我就应该不顾他的嘲讽，跟他说一些也许他会觉得好笑的事情，继而承受跟他见面之后独自一人的难过，尽管见面让我无比幸福。就是这样——如此而已。

六月六日星期四

说起来，今晚我光想着明天能见到他，跟他说"我的朋友"，或者无论别的什么。我在傅尼耶的书中寻找一些段落，想读给他听。很稀奇，我觉得自己是站在傅尼耶一边的，和他相反，他更倾向于里维埃，而从前我是反对雅克的，雅克更赞同傅尼耶的观点。想让他爱上所有我喜欢的东西，尤其是这些了不起的信。

今天上午在国图。下午和宝贝蛋、冈迪拉克一家，去了巴加泰勒公园散步。玫瑰花很漂亮，可惜下了雨。我们拍了照，吃了点心，可还是觉得有点小烦闷。冈迪拉克对我再无意义，我也厌倦了跟他推心置腹……我错误地以为只要信任别人，就能得到回报。你觉得有回报，是因为你给了自己回报，很快又回到原点，并不会比之前更丰富。有些人只会不问自取。

六月七日星期五

上午在国图，一个人也没有，我工作效率很低。吃了午饭。我又读了一遍有意思的《孩童》①，发现了一种新的乐趣。后来马厄来了，我们一起去了小广场，聊起了"蓬特雷莫利一家"，聊起了我的未来，他在那里没有一席之地。我跟他说了许多令人愉快的事，这些都是我很想告诉他的，我向他解释了我利用别人的方式，我需要知道每一个人的兴趣，甚至包括最悲惨的那个人——那些凝固在时间里的人可以用一段时间来探索，而那些具有如生命迸发般天赋异禀的人则需要分秒必争，但所有人只要是真诚的，都值得被爱的光辉照亮。而且我状态不是很好，可能是身体的原因。冈迪拉克坐在我们对面，我很烦他。我工作效率非常低。幸好，莎莎来接我，我陪她回家②，由着她母亲留她在家吃饭，之后和我一起去参加梅洛-庞蒂要带我去的一次聚会。

令人感动的一个夜晚。

富尔街，狭小的沙龙里，加利克、盖埃诺坐在一张长桌后面，聚会由马克桑斯主持，梅洛-庞蒂向我介绍了拉孔布，我喜欢他苍白又细腻的眼神，还有博尔内、冈迪拉克，加鲁瓦穿着一身无可指摘的灰色套装，戴着精美的袖扣，微笑无比撩人，嗓音抑扬顿挫，充满了友好和克制，随身总是带着一本书，达尼埃尔·加鲁瓦，整个晚上他的存在都让我无法忽视。还有我亲爱的梅洛-庞蒂，我们已经十多天没见面，再次见到他，我别提多高兴，每一次见他，他都比我想象的还要完美，还有让·达尼埃卢——还有一些别的面孔……加利克发了言，说的那些陈词滥调我不喜欢，但他的声音充满火一

---

① 拉尔博于 1918 年出版的作品。——原注
② 拉库万家搬迁了，现在住在香榭丽舍大街附近，贝利街 5 号乙。——原注

般的热情，这是我喜欢的——我无缘无故地流泪，雅克会和这里很合拍，而离开这里，他会理解，会拒绝，像我一样，孤零零的，即使在我所爱的同伴中还是孤零零的。雅克……我想到了三年前的那一天，加利克在说话，你紧握着双手，在一个难以企及的世界，我因为无法跟随你们而难过。很奇怪，同时我还想到了去年的一天，加利克在说话，而我想起了你，想起了那些我们曾一起微笑着说过的大话，更多的是微妙的感动。今天我紧握双手，我已经扎根于这个原来难以接近的世界，我不介意你不在这里，只要我们能一起评判它。我多么心甘情愿地流泪！过去是多么令人揪心，时间是多么空洞的一个词，它消失在一次次的心跳中……盖埃诺人很好，说话慢悠悠的，但不乏激情，要是有些白痴①激怒他，他也会一下子发作。散会，争斗——在门口，紧握双手。讨论事情的时候感到手足情深，年轻的大家庭……加利克拉着盖埃诺、达尼埃卢和其他一些人去了一家小酒馆，那里的气氛让我想起了团队里最美好的日子。加鲁瓦走了，博尔内回了高师，冈迪拉克回父母那里。我和莎莎、梅洛-庞蒂冒着雨走在圣日耳曼大道、香榭丽舍大街上。令人赞叹的夜晚。我多么喜欢梅洛-庞蒂！今晚他很开心，很活跃，莎莎给了他回应。他满怀细腻和令人感动的顾忌。我希望我与他有一样的信仰，能够理解其美好，并给予他应有的钦佩。而且我喜欢和他们在一起的感觉，对我来说是那么亲切。莎莎说"水性杨花的女人"，当我问"在哪儿呢？"，他们笑得开怀。梅洛-庞蒂万般温柔地对我说："您是孤独的意识。"莎莎似乎被他打动了——我想告诉他，在我看来，我也被打动了，再见到他有多么美好。我特别想雅克，哦！那么想！跟你讲述这一切……

---

① "法兰西行动"的一些拥护者扰乱了聚会。——原注

六月八日星期六

我们每个人生命的颜色是多么不同，多么炫目！马厄和他的妻子来喝下午茶。她迷人、单纯，很年轻，有教养，还带点土气。而他对她很好，像对待亲爱的姐妹。可爱情呢？她"爱着"她的丈夫，他"钟情于"他的妻子，但美妙而又残酷的波澜，如同《爱人》中的爱丽娜感受到的，他们有过吗？"比死亡更沉重的两颗心的贴近……"……而我和"这无聊的双关语"完全不同，如何用言语来解释呢？但经过雅克家门口，我知道通往死亡之门也不会比它更确定，更不能回头……

比如像雅克和玛格达，从爱人到情人的关系，给人以灵魂伴侣的错觉，但其实并不关灵魂什么事。我想到了玛德莱娜·布洛玛，我想到我自己……我不想对马厄过于苛刻，但他把自己的那套个人主义用到处理社交关系上，他为自己树了一种人设，而不是去追求细腻的情感，追求他最真实的生活中本应展现的一种真正的独特性，还是会让我震惊。可这不重要——只有一个男人。你今晚离我很近，今夜我徘徊在我们共同的过去和我一个人的当下之间，徘徊在加鲁瓦和马厄之间，他们每一个人各代表你的一个侧面。你笑起来跟我有趣的新朋友很像，你感动的时候、低沉的时候又和梅洛-庞蒂很像。我从你的家门前经过。不，我想三个月之后，这里就会恢复生气，越渴望就越害怕。到时候我会认识我自己，到时候我会知道我的人生关键词，到时候一切终成定局。

今天上午，我在思考：不在场的人总是错的，在场的马厄比想象中的加鲁瓦更有理，在场的加鲁瓦比脑海中的马厄更有理。那么雅克为什么能让这张十三个月前见过的脸比马厄、加鲁瓦和所有其他人加起来更有理？关于人生的观点多种多样，逃避痛苦的方法也五花八门，但是对我来说，只有一种观点，一种命运，那就是必须接受所有的痛苦，无法逃离生命。"他为我关上了尘世之门。"这本手记中所有与他无关的东西都是游戏，至少是消遣，是用时间做了标记的消遣。他才是我永恒的人生。只有通过我才能获得拯救，但是得和他一起。这就是关于人生的宗教观点。

今天早晨，我起得很晚。我在国图看到了冈迪拉克，他跟我说起宝贝蛋：那么认真、率直、天真，跟我说起灵魂结合的无法企及：热情，马上要达成的感觉，而后失败。我什么都不相信。我在一个小时里想了千千万万件事，尤其是宝贝蛋，我日复一日地愈加依恋她，她真的是一个很难得的人。我有点累，早早就回了家，等着马厄夫妇来。我很高兴我们之间建立了一种崭新的亲密关系，因为他的妻子，但我又很难过，因为觉得很有限，因为会想：什么，他的生活，就这样吗？总是希望心爱的男人身边会有一个能打开无限视野的女人，但几乎所有的女人都只会关上门。

我们陪让娜和利利①吃晚饭——和宝贝蛋散了一小会步，她很难过。我心里也隐隐地有些难过。冈迪拉克给宝贝蛋寄来了一封很亲切的信。

六月九日星期日

今天起得很晚。整个白天，我都在想念你，雅克。今天巴黎的街道很温柔，似乎都在向我说起你……我去了巴黎之眼，漂亮的红

---

① 她们的堂妹和堂弟，利利是已故加斯东伯父和玛格丽特伯母的儿子。——原注

色大厅里挂着保罗·科林的画。非常精彩的幻想作品，《好莱坞的海市蜃楼》和爱泼斯坦令人钦佩的影片《天涯海角》[1]。只有狂野的大海，只有严酷的环境，只有男人，两个男人，只有他们短暂的仇恨，只有受伤的人在这压倒他而他却不理解的大自然面前的孤独，还有重获手足之情的温柔。让-马里用手臂支撑着安布鲁瓦兹受伤的手臂，而他在安布鲁瓦兹身边睡着了，这姿势是如此庄重美好，让我热泪盈眶。

　　我刚刚读到马厄一篇关于历史的论文，很有意思，可他的爱情却如此平庸，几乎令人作呕，就像所有在碧水中游泳的年轻家庭一样，那又怎么样呢？——不可能告诉他我和他的区别，我只会跟他说"您的妻子很迷人"，那又怎么样呢？——雅克，跟你无关的东西，对我又有什么重要的呢？我们又在这里了，面对面，不是由你带给我的欢乐也没有来干扰我们，我们从那以后再也没有单独相处过，哦，我的朋友，我一直知道你在那里，今天，见到你的时候，我的眼里只有你。只有我们两个和属于我们的世界，还有里维埃、傅尼耶，还有我哼唱着的《吉基塔》的音乐、《永远》这首歌，似乎这是我唯一能说出口的情话，还有你手里的香烟和我们的相对无言。还有我对你这张脸的渴望——怎样的渴望，怎样的渴求！可永远没有人会懂。如果你爱上了另一个人，那又怎么样呢？爱情的成分很少了，我今天渴望爱情，只是因为这是一种更好地与你交朋友的新方式，为了让你不成为另一个女人的男人。我隐隐地有些难过，我看中的人竟会如此得过且过，甚至不希求在生活中有唯一的那个"她"，而只要女性群体中的某一个。微笑，优雅，宽容，温柔，但我知道对你来说，一个女人永远不会成为你在这个世界上的

_____

[1] 让·爱泼斯坦执导的默片，在乌埃尚拍摄。——原注

268

一部分，或许我会成为这个女人，唯一你可能分享生活的女人。只有你，雅克。

我想对马厄说：在您眼里，个人主义是在社会中雕琢一副以您的名字命名的面孔，而对我来说，是虔诚地俯向这个自称为"自我"的神，这是一个苛刻的神，要顶礼膜拜的神，爱不是说将一系列讨人喜欢的反应归为己有，而是靠近这个神，只有它才能帮助我感受到神化的自我。进入超自然世界，不是我自然生活的充分绽放——这极其重要，不是我的幸福、我的救赎　因为我的个人主义是以感情为基础的，它只是我对自己热情的理论化，我对自己的热情与我对他人的热情是一体的。这不是反对既定事物并通过这种反对来定义我自己，而是反思我是谁，一切都转向我自己，并在这种反思中催生一个任何其他人都看不见的世界。

我的人生要取得成功，就必须保持神秘领域以对抗惯常世界，并在其中正常生活，要是我活得更有信仰，我的人生就会更成功，这个世界就会更美丽。为了活得更有信仰，我们可以忽略剩余的世界：第一步，我们可以深入挖掘既定的一切，将其中所有美好的东西"带回家"，加以利用，并对其足够熟悉，从而不再看到它，不会再受到粗暴的拒绝。内心的风景。但这个世界的根基，是雅克。(我怀疑马厄并没有丰富的内心世界。)

六月十日星期一

国家图书馆，我见到了冈迪拉克，后来马厄也来了。我们一起吃了午饭，又坐在池塘边，聊了很久。我向他解释了我的个人主义，我早就想告诉他了。他明白，甚至很欣赏我，认为我拥有了一块属于自己的领域。而后我们谈到了婚姻，他讲述了他的婚姻，并做出了解读，与我之前的理解完全一样。我指出了我们之间观念发生分歧的地方。我告诉他，我对纯洁的要求并不仅限于对女人，他很惊讶。他觉得这是天主教的羞怯心理，他补充道，只是男人也不应该停止争取自由。他多么无动于衷，可他对我多么重要！该回图书馆的时候，他温柔地说："真是遗憾。"

莎莎来接我。我们一起去了索邦，在那里我看到了蓬特雷莫利、莫格和梅洛-庞蒂，我向她介绍莫格认识，我们和梅洛-庞蒂去了莫尼埃的"书之友"。她先走了，我和梅洛-庞蒂边走边聊，一直到我家门口。操心论文的夜晚，索邦的小院子，很高兴能一起参加考试。晚上有些无聊，若泽来找我，带我去了卢森堡公园，后来又去了圣米歇尔大道。

六月十一日星期二

我早早到了索邦大学，看到加鲁瓦在进行口试，莎莎说她非常崇拜加鲁瓦。此时莎莎离我多么近，昨天我们在杜伊勒里花园喝柠檬水的时候，她欢天喜地地告诉我她的精神被唤醒了，而这意味着一个个如周五这样令人感动到落泪的夜晚。她的阶层压得她喘不过气来，但我想她不会妥协，她和我一样，把某种精神品质看得无与伦比的重要。今晨，她在索邦大学的院子里，如果塞纳河的河岸如此清澈，热娜薇耶芙·德·纳维尔陪她一起去也无所谓。在圣日耳曼大道上，理发师把我剃得像个小男孩。我剃光的后颈像一个轻盈的灵魂。我和宝贝蛋在埃弗利娜碰头，我们一起吃了午饭，坐在露天座上，不少人来来往往。天气很好，我们吃着可口的冰激凌，有彼此在身边真好。我们散了一会儿步，我上楼参加考试。布兰斯维克很满意，但用许多精神观察结果来挖苦我，还当着列维和劳特曼的面，我很烦他们俩。他的神情睿智得让人心动。

美好的学生日：梅洛-庞蒂对战布雷耶，胸有成竹又彬彬有
礼。后来我、若泽、莎莎、冈迪拉克和梅洛-庞蒂在院子里聊天，我
们去埃弗利娜喝下午茶，在河畔散步。莎莎整个人很自在，这让大
家都很高兴，冈迪拉克很活跃，梅洛-庞蒂一如既往的迷人，我心花
怒放。莎莎先走了，我们回到索邦大学。梅洛-庞蒂笑得合不拢嘴，
冈迪拉克夸夸其谈，不惜拿自己开玩笑。我的心被令人心醉的温柔
填满了，比如他要坐车先走的时候。我和若泽把冈迪拉克送到地铁
站，他还和往常一样一直讲着他的梦中情人。只剩下我和若泽了，
她责备我有时太"社交"了，但只有生活的快乐完全得到释放，我
才会这么自在，而且我喜欢这些人，还有……生活如此美好，上帝
啊！但今晚她不可思议地很难过，我陪着她。她爱他，但愿他值
得。我有点伤心，因为今晚不能一直陪伴她。除了自己的生活之
外，不顾一切地去体验所有的生活，感受朋友们感受到的痛苦，体
味朋友们体味到的快乐……

晚上，看俄罗斯芭蕾舞[①]：《彼得鲁什卡》《猫》《阿波罗》《芭
芭雅嘎》，但我看演出的时候有点心不在焉，心里想的全是今天听
到的那些笑声和说话声汇成的乐章。

六月十二日星期三

上午，我对罗宾讲了塞克斯都·恩披里柯。我看到加鲁瓦考试
得了高分，他总令我挂心。我旁听了梅洛-庞蒂的口试。我们一起往

[①] 这里指狄亚基列夫于1909年在圣彼得堡创立的著名芭蕾舞团，自1917年开始在巴黎
和蒙特卡洛表演。《彼得鲁什卡》，1911年由福金编舞，斯特拉文斯基作曲；《猫》，
1927年由巴兰钦编舞，索盖作曲；《阿波罗》由巴兰钦编舞，斯特拉文斯基作曲；
《芭芭雅嘎》是俄罗斯家喻户晓的一则故事。——原注

国图走。没想到在那里又见到亲爱的拉马，我真是太高兴了。我们一起在小田野街吃了午饭，说起了他的论文和他所谓的"我所有的蓬特雷莫利"——天很热，我们坐在王宫花园的一家咖啡馆里，有人递给了我一把纸扇子，我拿着玩。我们天南地北地聊，两个人都很兴奋。一处街角，几个街头歌手在手风琴的伴奏下唱着"我要去看看……埃菲尔铁塔"，唱得很大声——他送了我《汽车》作为礼物。他在我身边，我觉得很幸福。我陪着他一直到五点，然后他去上课。他深深地住在我心里。我们谈了很长时间的康德。

我去了索邦，又和梅洛-庞蒂碰头。我们坐在院子里的长椅上聊天，直到下雨才走。然后我们去查了考试成绩单。我回来的路上经过圣热娜维薇耶芙图书馆，到家后继续研究休谟和康德。

一片考试的氛围。

六月十三日星期四

美好又愉快的一天。我先去了国图，在那里读《侦探集》，欣赏马厄做的关于康德的笔记。我把几本关于休谟的书给他。我们工作热情高涨，但也不影响那些欧仁在白纸上漫步到中午。我们在小田野街吃了草莓馅饼当作午饭，然后又在王宫花园里绕了十圈。他温柔地对我说，"这个发型很适合您，这个白领子……您看起来像个小男孩"，"再加上您沙沙的嗓音，有点奇怪，您的嗓音很美，但就是有点沙沙的，我和萨特，我们都很喜欢；那天您在和布瓦万说话……"他用"le gonfalonnier de Padirac"① 逗弄我，深情地对我说，"您说您不太像女人……您要去告诉您的欧仁，不把您看成女人

---

① 萨特戏谑地颠倒了字母次序，他不太喜欢冈迪拉克，于是用冈迪拉克的名字 Le Patronnier de Gandillac 玩了文字游戏。——原注

是不对的，简直是大错特错……"我把他带到了杜伊勒里花园，那里的绿色很奇怪，天色阴沉，似乎要下暴雨。他取笑我，号称我想把他碾碎。我们坐在一座雕塑前，可笑的狮子想要制伏鳄鱼，在那里我们对教师资格考试做了一些预测。我开玩笑说会考休谟的第二大哲学理论，还有他要去找的资料。我觉得自己很奇怪，甚至有点儿疯了。而他觉得跟我见面很有意思。"您是只海狸。"回国图的路上他对我说，并在我的名字里找到了佐证：Beaver＝Beauvoir，还因为我善于建构。

我们很晚才回家。时间过得太快了，亲爱的您。但愿时间过得快一些，因为在您身边，我是假装在工作。我们一起离开去他妻子家。去邮局寄了信，在公交车上玩游戏（字母 V 只能从第二把开始才能抓），经过圣父街的时候，他指给我看一幅很美的凡·东根的画。他去帮他妻子找《绿毡帽》，去音乐厅为妻妹找一张唱片。我们一起去买东西的时候是多么亲密呀。回忆起这些时光，心中流淌着暖意。而在他家里①一切是那么令人回味无穷：他的妻子伊内斯穿了一身淡紫色的衣服，头上绑着发带，实在是很单纯、很迷人。他的妻妹克里斯蒂娜很友好。他们放了莱顿和约翰斯通的唱片，让雅克又活生生地出现在我面前，尤其听到《如此忧郁》，还有《为月亮哭泣》的时候。后来宝贝蛋也来了，我们一起吃了点点心，我们提出来加一个有趣的思维传递环节，他不满足于走，他要跑。在他妻子的房间里有许多他和她的照片，她人很好，我对她怀着深深的友谊，我想她对我也是一样。他们留我们到很晚，我和宝贝蛋回到家，非常开心。

---

① 卡塞特街。——原注

我收到梅洛-庞蒂的留言，令我感动，他感谢我这些日子以来
他在我身上感受到的爱意，并向我保证他对我怀有"难以解释的友
情"。我整晚都在给他写回信，但我不会寄给他。多么无边无际的
友谊，始终是崭新的，始终是更高贵的，仅仅因为他，多亏他。

六月十四日星期五，湖边的夜晚

上午在国图。天要下雨，我很难过，因为晚上我们约好了在湖
上划船，我想见到梅洛-庞蒂，可要下雨了。幸亏马厄带我去波卡迪
喝咖啡。他装出一副生气的样子，因为我前一天晚上嘲笑他。我跟
他聊起了他的妻子，她很幸运，不需要操心教师资格考试。连续几
个小时，我都在看他借给我的布特鲁那本关于康德的书。他在一本
日记中写下"致我亲爱的海狸"，笔迹让我感动，犹如温柔的嗓音
在回旋。他很早就和一个朋友离开了。我也马上就走了。

天已经放晴了，我坐在卢森堡公园的露天座上，膝上放着拉朗
德的一本书。我没有看。一朵娇滴滴的玫瑰在绿叶中摇摆，那样迷
人的绿色。小女孩们故意在喷泉下弄湿衣服，大声尖叫。棕榈树在
阳光的照耀下闪闪发亮，"沐浴在阳光中的心"。我从未想过我竟然
会感受到无边的幸福。今晚，我将见到所有我爱的人，在我的包里
装着一封信，里面的每一个词都温柔得令我流泪，而马上，写这封
信的人就会出现在我面前。我想念您，莫里斯，整整一个小时，我
沉浸在快乐和温暖中，热切万分，而只有我在期待某个人回来所怀
有的热切才能与之相提并论。

之后我去了若泽家，我们很快吃了晚饭，又下楼去卢森堡公
园，阳光已经变得柔和，一辆大敞着窗户的有轨电车载着我们穿过
安静的巴黎。我们异口同声地说："这是一年中最美的夜晚，尽情地

感受吧，带着乖巧的沉醉，带着感恩，不要蹉跎。这是特罗卡德罗的花园，亨利-马丁大道上的树木。拾起我们的灵魂，体味这如此决绝的美好，不要问明日。明天，有些欲望不能全部被满足，也会有遗憾，有期待，但这一晚，与所有美好的夜晚相比，仍是最美好的，而在所有的岁月中，我们现在这个年纪也是最美好的。"林间小道静静地通向松树林，孤独的阳光将松树的树干染成粉红色。生命的气息散落在最后几缕阳光里、潺潺的流水声中。在小道的拐弯处，亲爱的笑容马上会出现：先是宝贝蛋和若若，然后有些浮夸的冈迪拉克，莎莎和贝尔纳①，我给了他好多糖；再来是我深爱的朋友。很快小船滑进湖里。我、若泽和冈迪拉克往马尾藻海出发。我们一起玩弹珠游戏，在红蓝相间的路灯下奔跑。接着，我、莎莎和莫里斯在一起，最美好的时光来临了：我不说话，喉咙口满是泪水。世间从未有如此纯粹、如此幸福的一刻，从来没有：她在身边，他也在身边，他穿着白色化纤衬衣，打着领带，这么年轻，年轻的脸庞上闪耀着平静、温柔的光芒。他对我说："您让我回忆起您过去的四年……看多傻……可西蒙娜……"——当他叫我"西蒙娜"的时候，我哽咽了。他多么爱我，我多么爱他。生活慷慨得不可思议，哦！生活将我填满了。但愿我爱这样的他，笑容满面，思维活跃，无忧无虑地加入呼唤我们的队伍中。在莎莎身上，我同样也感受到不可思议的柔情和亲密，多么快乐，多么自由。要是我们一直这么三个人，该多好。我们要去瀑布那里换船。回来的时候，我和冈迪拉克一起，他号称自己很善社交，等等。我表现出一副讨人喜欢的样子，但还是有些厌烦。若泽、莎莎与莫里斯一起。我们在一座不错的小岛上岸，在那里随便走走都会为之惊叹。

① 莎莎的弟弟，十八岁。——原注

我们就不能留在这里，让时间停下吗？（不过明天会有其他的快乐）。

宝贝蛋上了贝尔纳的船，坐在我身边。我们一起唱歌，满心欢喜。莎莎也加入我们，莫里斯全神贯注地倾听着，在森林里我们的声音相互应和。莎莎美好，绽放，就像在加涅潘最快乐的日子一样。莫里斯用低沉的嗓音唱着低音部分，充满激情。我迫不及待地想把他们抱在怀里。我们去了香榭丽舍大街，爱的火焰越烧越旺。宝贝蛋有些难受，我们来到拉库万家：葡萄酒，冈迪拉克的急切，羞涩。一辆出租车把我们带回家，在这个纯粹的夜晚，我们只能带着遗憾道别，若泽说："是的，生活可以很美好。"她回到这里，进入了梦乡。宝贝蛋非常难受，而我也感染了她显而易见的悲伤，我们睡在同一张床上，都难以入眠。

六月十五日星期六

没关系，在国图，我的心中充满喜悦。马厄在我的笔记本上写了一句奇怪的话："海狸的哲学或布洛涅森林的聚会"。

"您看，海狸都是成群结队的。"他笑着对我说。哦！亲爱的拉马，他独自一人"前行"！我绝对无法忍受，那个可笑的布特鲁让我的神经绷得紧紧的，昨天的快乐化作了今日一阵阵无声的笑。我们在黎塞留街共进午餐，他在那里写了一份走钢丝者的清单，列出了构成"多元宇宙中形而上学形式"的动物——他对教师资格考试有点担心，我却没有，我忙着让他猜谜语、讲故事和说废话。然后，我们坐在池边，滔滔不绝地讨论一个人的"价值"所在。当我把问题说得太笼统时，他说："我就讨厌这种思想"，接着他友好地拍了拍我的肩膀，"没关系，没关系，海狸"。

回到大厅，我们就巴雷斯的案例又讨论了一个小时。这时，莎莎来了，她带我坐车去购物。她用最钦佩的口吻跟我谈论梅洛-庞蒂，很兴奋，她还是一如既往地过于谦卑，她厌恶婚姻，因为她觉得自己太差劲了，配不上好男人——可这个……若泽在国图等我们。我们三人一起喝了下午茶，然后我回去找我的拉马。他马上就要走，我和他一起。想到考试前我不会再回到这里，心中略有不安。我有些悲伤，因为对昨晚的遗憾，因为即将结束的一切，因为暴风雨天气。我和他在王宫花园道别，他亲切地祝我好运。奇怪的忧伤！……我想见梅洛-庞蒂，我回到国图，或许他还会去。杜伊勒里花园迎接了我，不可思议，我给他写了一封信，今晚，我很脆弱，思绪万千，不知所措。我已经写了很久，我在巴黎四处游荡，没头没脑，想把信送出去。我看着无聊的报纸入睡。

六月十六日星期日

在枫丹白露野餐。有莎莎和她的家人、宝贝蛋，冈迪拉克一整天都追着她，比以往更加出众的梅洛-庞蒂，还有纳维尔和其他一些无关紧要的人。梅洛-庞蒂离我很近，离那些让我不自在的人远远的。火车上，他开心得像个孩子，我多么需要他的这份快乐。在枫丹白露，我们坐上一辆有轨电车，把我们带到了很远很远的地方，我们都迷路了。他和莎莎交谈，他很放松、很可爱、很迷人。后来我们在森林里迷路了，森林里弥漫着泥土的清香，还有丁香花，都很好闻。莫里斯像一匹马，显而易见。他饿了。冈迪拉克像只蟋蟀，他不吭声，但让我们感到厌烦。我们跑啊，叫啊，经历了绝望之后终于又聚在一起——愉快的午餐，游戏，散步，回家。在火车上，宝贝蛋很沮丧，莫里斯前所未有的有趣，我和冈迪拉克对明天有些许担忧。

六月十七日星期一

第一天[①]。

早起真有意思，能看到早晨六点清新的巴黎，看到索邦院子里聚着一群忧心忡忡的人：笔记本，保温杯，香蕉，三明治。我们坐在图书馆里。拉马对我说"祝你好运，海狸"，他说话的时候那么充满爱意，让我久久无法释怀，直到拉朗德公布题目："自由和偶然"。

下午两点，莎莎和梅洛-庞蒂来了，我们在街上闲逛，兴致缺缺。我们在花神咖啡馆喝了一杯柠檬水，这才感觉好一些。冈迪拉克想着先走，我、莎莎、莫里斯在卢森堡公园以一种最美好的方式交谈。我们特别谈到了一个此刻在我们之间引起争论的话题："对人的同情"。马厄指责我同情心泛滥，梅洛-庞蒂认为我态度过于鲜明，要么热情似火，要么不闻不问。我向他解释了原因，可他不愿意接受。不过没关系，我不再需要别人认同我的想法。我喜欢这些与我观点相左的人，他们与我说话的时候非常讲究。这样一场三个人的对话是非常难得的。莎莎红着脸对我说："我没想到还有像梅洛-庞蒂这么棒的男孩。"还说："我很开心，因为我第一次觉得在你们中间我不是第三者。"我跟她说，曾经有一段时间我不太敢对她敞开心扉，因为她不像今天那么善解人意。她承认了这样的变化。今晚我们达成了一致，如此可贵，我们再也无法分开。她对我说宝贝蛋或若泽都不适合梅洛-庞蒂，星期天他的态度已经表明了。

我很清楚适合他的人是莎莎。谁知道呢？

[①] "大"论文的写作时间是六小时。——原注

六月十八日星期二

伊波利特抽起烟来像个工兵，每个人都根据"演绎法中的直觉和推理"[①]这个题目堆积了几页纸。我和马厄一起出去，他很不开心。我陪他回家。我感到非常高兴，这次考试并没有我想象中的那么重要。我去了让娜家，从那里坐电车去玛德莱娜·布洛玛家（普朗蒂埃）。哦，您身着黑白相间的长裙，您是我伟大的朋友，哦，您朴实无华，熟悉而又威严，哦，纯洁的前额，波浪形的发丝，还有那双湛蓝而深邃的眼睛，每一次都出人意料，美妙而宁静。她跟我说起她自己，她如今的幸福，她的第一任未婚夫，她奇妙的命运，最终让自己摆脱了他。您如此真诚质朴，毫不掩饰自己的感情，令人吃惊，您在您所谓的黑暗中那么熠熠生辉！她的丈夫来吃点心，友好、单纯，人很善良。她对我说起宝贝蛋的事，她想给她介绍对象。这可能是件好事。宝贝蛋来了，那么优雅，也难得戴上玛丽-安托瓦内特式的头巾，金发盘成了发髻。沙发上还坐着玛德莱娜的妹妹，单纯、可爱。在低矮的摩洛哥餐桌上，柠檬香茶与朗姆蛋糕搭配在一起，真是美味芬芳。我坐在真皮坐垫上，情不自禁地低声说道："生活多么美好！"哦！我的朋友露出了迷人的微笑……带来欢乐、带来生命的微笑，宝贝蛋出来的时候浑身暖洋洋的，有能力面对存在的一切，而我会把这样的微笑留在心里，当作这一年带给我的所有美好中最感性的标记。

六月十九日星期三

最后一篇论文的题目是"斯多葛学派和康德的伦理观"。柠檬

---

① 第二场论文写作时间是四小时。——原注

水瓶子"砰砰"作响，马厄只穿着衬衫走来走去，最后一天非常放松。一切进展很顺利。

莎莎和梅洛-庞蒂来找我们。我们在院子里聊天，列维羡慕地看着我们。然后一辆车带我们去了帕西，我在那里喝了一杯葡萄酒，感觉放松多了。我们四个人在一起聊天，很开心，后来莎莎先走了，我们一起聊她，我心里暖暖的。我、梅洛-庞蒂、冈迪拉克一起走在小树林里，无比和谐。我们想起这段友谊伊始：那时我还是个小姑娘，毋庸置疑。接着梅洛-庞蒂也离开了。我要去见默西尔小姐，昨天她给我写了一封信，有点夸张但语气还是友好的。我们谈了一会，但她也没什么可多说的，她封闭在一种没有出路的生活中。我叫了一辆出租车回家，很累，热得有点发晕。

晚上，我们去林荫大道上乘凉。宝贝蛋和妈妈不和我们一起，爸爸很亲切，只有像今晚这样开心的时候，他才会这样。我们走遍了蒙马特的剧院，最后只订到了十点的票，剧厅很狭小，不过很精致，让·巴斯蒂亚和诺埃尔-诺埃尔让我很开怀。歌曲诙谐幽默，评论妙趣横生，我耗尽了最后一丝力气，疲惫不堪。一辆出租车在凉爽的夜色中载着我们去利普咖啡馆。我太困了。

六月二十日星期四

直到中午……真开心，没有作业的一天，如果不是这三天奇怪的饮食让我有点头疼，一定会是很轻松的。宝贝蛋请我吃彭斯之家的冰激凌。亲爱的智慧宝藏……她告诉我，她已经接受不被梅洛-庞蒂喜欢的事实，尤其是如果他的妻子必须要很好的话。此外，过去的一切都是有价值的，会成为她美好的过去。她觉得自己的青春对一切未来都是敞开的，她的确光彩照人，但她不适合我亲爱的莫里斯，莫里斯也不适合她，她会为另一个人带去幸福。我们漫步在卢森堡公园，感动于我们已经有了过去，感动于它是如此美丽，感动于我们年轻力壮，可以承诺接受未来。顿时，一切都变得清晰起来，我爱上了雅克的过去，甚至不知道如何去渴望他的另一副面孔，这是我有生以来为变得无私做的最大努力。雅克，你知道我的爱情取得了怎样艰难的进展吗？这个问题让我的夜晚多么沉重……

我还要去见一见若泽，她不如宝贝蛋聪明，我和她聊了很久，她把自己限制在一条我觉得完全没有希望的道路上。回到家，我读了一段杜博斯写的《与安德烈·纪德的对话》，文章中的引述和对话都让我觉得很有意思，这是所有人中我最崇拜的一个人。在这种本质上的个人主义中真正地献出自己，如此多的约束和舍弃，充满智慧，甚至接近疯狂——哦，亲爱的自我形象，复杂的生活，无比充实……这一切都是一种生活，所有的一切！哦，多么神奇，我自己扛起了这所有，我的心陷入了爱里，交给了唯一的一个人，并能承受无数激情，我的头脑操心着唯一一个问题，懂得用所有的智力游戏来自娱自乐，我的身体无比敏感，甚至不会错过夏日的一丝阳光。沉湎于世俗？哦，不。我并不了解自己，无法做出这样的指责，但我有巴雷斯般的矜持，有更真挚的热情，至少不那么小心翼翼，慷慨地分配给所有那些需要热忱的事，正是这些事日复一日地构成了生活。

六月二十一日星期五

法夫尔来吃午饭，虚假的热情让我很快与她告别。

莎莎真是个珍宝，这是我们在她的客厅里谈论冈迪拉克、梅洛-庞蒂的时候我发现的。是梅洛-庞蒂的潜移默化让她变得柔软，让她领略了他的智慧吗？她穿了一件蓝纱连衣裙，黑白相间的设计让她看起来更加高挑丰满，一顶草帽让她的面容显得出奇的年轻。我们边聊着她边去了香榭丽舍大街；她告诉我她感到一种全新的绽放，一种出乎意料的稚气，曾经她以为自己的人生已经结束，悲痛万分，而现在又重燃美好的期待——她说得很轻，让人听到了坚持和真诚。她太美好了，矜持又充满生气，值得收获幸福，那么细腻，那么深刻。我们感觉离彼此那么近……她问到我的事，万分地小心翼翼，她问我雅克的沉默会不会让我觉得痛苦，我会不会害怕有一天他回来。必须要回答她。她那么有分寸，毫不惊讶地接受了我"爱的方式"，但即使面对她，我还是无法谈论这一切，因为这些是我生命的内核。过分的信任……怀疑的诱惑，我从未如此确信，作为"我整个生命"的存在具有完全的价值。当我对我的朋友们怀有最强烈的爱时，我怎么能对他们说：我的一生就是从这张嘴里说出的一句话，与我的命运相比，你们什么都不是？

我们到了伦佩尔梅耶餐厅。我非常乐于做一个戴着面纱帽子的年轻漂亮女孩，坐在一个耀眼的年轻女孩身边，在闲适的环境中享受着精致的冰激凌和草莓馅饼。是的，伊丽莎白·布朗热身着镶有白色绳边的海军蓝连衣裙，头戴一顶非常优雅的马鬃帽，看起来非常耀眼。我陪着她，心中充满喜悦，路过了杜伊勒里花园、圣父街，我们在那里欣赏了一幅精美的藤田嗣治的画，还经过了雷恩街。我们陪着对方，乘出租车来到意大利广场。我问她关于她自己的事情。为她告诉我她从未告诉过别人的事情而骄傲，为她得意的躯体和坚强清澈的灵魂所构成的美丽景象而高兴。在回家的公交车上，我比以往任何时候都更能理解爱情的突如其来和它的无理要求。爱情的萌生是一种生命。这个灵魂，要是它无法让如此绚烂动人的一张脸感动的话，对我来说就什么都不是。如果那双美丽的眼睛不知道如何自然地接受生活，那么那张红润的脸上也不会有任何东西——布洛玛和布朗热的内心世界相距甚远，到底是什么吸引了我？对自我的自觉确认，对生存的热爱，无比的独立，某种具体经历带来的财富。我多么容易陶醉！生活是多么让我上头！同样的调子总是让我眩晕：哦，美妙的生活，哦，美妙的生活……

我在农民酒吧见到了冈迪拉克一家，包括他的姐妹——他们一家都很沉闷。冈迪拉克一直跟我提宝贝蛋。我见到了小纳坦，他跟我说起了教师资格考试。好惊讶！梅洛-庞蒂在十一点半的时候出现了，我们一起去了星形广场，我感觉他心里和我一样的愉悦，尽管考试让他有些厌烦。但冈迪拉克毁了一切，他真是心胸狭隘。还好我们摆脱了他，在迷人的夜色中，我们一起去了香榭丽舍大街。他历数冈迪拉克的不是。我告诉他，杜博斯在《与安德烈·纪德的对话》中对复杂的人和难弄的人做了区分。冈迪拉克就属于难弄的人，一点也不复杂！梅洛-庞蒂是复杂的。我和雅克也是复杂的。他以一种我无法抗拒的方式告诉我，他受够了别人夸他，但即使这样也阻止不了我这么想。他用令我震惊的严肃口吻说，他觉得我的朋友非常了不起。"她说出口的永远是她百分之百知晓的东西。她话不多，但字字千金。"他同样钦佩她在如此困难的环境中，竟然还能坚持做自己。他让我邀请她星期三和我们一起去散步。

我心里多么想把他们撮合在一起。我没想到这么做让我开心极了！真的到了他爱莎莎胜过爱我、莎莎爱他胜过爱我的那一天，我也不会有一丝嫉妒，也不会为了被他们撇在一边而黯然神伤。因为这才是对的，尽管我爱他们，但他们将懂得如何相爱。也因为"尽管"他们相爱，他们也爱我，我也为自己使他们变得更有智慧而自豪，还因为他们在考虑了未来的前提下相爱，却没有因此而有所保留，因为我对他们两个没有偏爱——这是最重要的！我多么希望他们能在一起！当两个生命在一起时，从对方的角度去思考，而不是从时而激动的自我的角度去思考，但他们现在结合在一起，必然会排斥我，这样难得的事情发生了，因为他们品质高贵，他们在互相靠近时不会扭曲对方，反而只会越来越清晰。我多么希望……多么希望！

我在无尽的喜悦中与莫里斯道别。我在协和广场上走错了方向，找了一辆出租车送我回去。也因此，延长了我一天的快乐。妈妈告诉我说马厄来找过我，多么幸福的一击！我对他的依恋远远超过我想象的……

六月二十二日星期六

整个上午我都在等待。我读了杜博斯，我对这个团体有点厌倦，杜博斯、巴吕兹、加布里埃尔·马塞尔、费尔南德斯，他们无非是一些想要冒充马尔汉的莫蒂默。我有些失望（今早我的发型很美，穿得也很漂亮），下楼买了一个奶油心形面包。马厄上楼请我吃午饭。多么美好的一刻！

习惯成自然，我们去了百合园，又去了王宫花园。他告诉我，我父亲嘲笑他，"他带着戏谑的口吻……"那一定非常有趣。他邀请我和他以及他那些小伙伴一起研究莱布尼茨，跟我讲了许多关于萨特的似真似假的故事，萨特想要认识我，但马厄不想被撇下。他说起我们的友谊时是多么动听。当他看着我说"昨天我竭尽全力捍卫我最真挚的感情"，他是那么亲切。我对萨特印象一般，他是那种不愿意承认却喜欢阐释的人：想到让安德里厄监视我们！因此，我们将在周二让宝贝蛋去嘲笑他，这样很好。我们聊起了萨特、宝贝蛋、马厄的妻子，还有我们的友谊，我们将要写的书——他对我说："您应该结婚，我一定会亲自跟您的欧仁说，要把您当女人对待，要好好爱您"——（可我的欧仁也许不用别人告诉就能知道）。

我去卢森堡公园看书，不断回味我们的谈话。我去了玛丽-路易丝家，我们一起散了一小时的步。我回家的时候见到宝贝蛋，高兴极了，她跟我讲了爸爸和马厄之间滑稽可笑的对话。我们去穹顶咖啡馆尝尝那里的"皇家香蕉"，回来的时候，天气灰蓝灰蓝的，还泛着淡紫色，卢森堡公园的树木都是一块块的深色，格外显眼。

六月二十三日星期日

一整天都忙着写近两周的故事。我还去看了若泽。我收到了斯蒂法和费尔南多给我的一封信，他们明天请我们吃饭。我心中涌起了一股暖意！如同一段久远的回忆，我们想要埋葬它，可做不到。我不知道她现在如何，也不知道这段回忆里还留下什么。我听了所有别人告诉我的关于她的消息，她忘记了我，我有时也无动于衷，但今晚，我因知道将要再见到她而兴奋，兴奋到我放下了手中的笔，想象着她的一头金发，她的脸庞。我不知道她的名字怎样轻轻地拂过我的心头，我又看见她温柔的动作，她的微笑，她软软的皮衣，我又看见她小猫般的神情，我们一起在蒙帕纳斯度过的夜晚。费尔南多熟悉、友好的举动，把我轻轻地拥在怀里。斯蒂法的房间，斯特力克斯，我们一起欢快奔跑的拉斯帕耶大道，我们俩挨着坐在一起的国图，灯下吃的蛋糕，天马行空的聊天。斯蒂法，费尔南多，珍贵的过去，并不伟大却很温暖，如同经过一天的疲倦之后躺进的被窝一样温暖。

最近两周真是太美好了。今年多么美好！我的人生多么美好！

若有一天晚上，我少写一些，那我会多说一些。

六月二十四日星期一

昨晚，我写了信给莎莎，想念雅克，怀着激情思考我人生的篇章。今天，我早上八点见到了斯蒂法，她在楼下的咖啡馆等我。我们漫步在巴黎街头，在多米尼克餐厅吃了午饭。又在圆顶咖啡馆和列文斯基一起吃了冰激凌；我们看了电影，吃了点心，买了些书，在一间亮堂的单间公寓里吃了晚饭，那里光线很好，挂着乌克兰壁毯。

费尔南多很友善，但平庸，他看起来放荡不羁，但其实操的那些心跟小资产者一模一样。细碎的生活，琐碎平常，无法在其中找到本质。

宝贝蛋给我带来了莎莎、默西尔小姐、蓬特雷莫利给我的信，它们让我更好地感受到一顿灯红酒绿下的精美晚餐与无需一言的、心怦怦直跳的幸福之间有着巨大差异，尤其是莎莎的信不能与其他人的相提并论。

六月二十五日星期二，平静

雅克——从今天上午开始一直暗暗地呼唤：雅克。哦！还有三个月，真让人绝望！

多么珍贵的财富，是因为怎样的恩赐？现在，面对自己，我很感动，似乎我是另外一个人。这种感觉是突如其来的。从上午开始，我就在读一本关于拜伦的书，一直读到下午三点，拜伦夫人那迷人的特点吸引了我的注意。后来我与冈迪拉克碰头，一起去看了一场日本艺术展。我们看了藤田嗣治的两幅大画幅的作品，直观地暴露出画家灵魂的贫瘠，除此以外什么都没有。表达仅限于自己，而不是战胜不可预见的现实（例如某些对恐怖的表达），我们说起这个日本人的灵魂，仅从其作品来看就如此奇特，极小又专注，甚至不感性，始终在这世界之外。我说了一些微妙的话，但没有人听，我说得很轻松，也很高兴，这让我很吃惊。我原本希望有一个人能帮我激发出这突如其来的想法。

我们开始坐着喝茶，后来又沿着香榭丽舍大街散步，我听他分析自己，告诉我他无法钦佩别人，无法受别人影响，这一刻还是来了。我感觉到一个沉重、冥想的自我，如此切近，又令人感动，犹如一个朋友的自我。我感到嘴边有着许多想要说出口的动听的话，这些动听的话没有人会记录下来，但从中我听到了内心深处的回音。这个夜晚，和过去许多个晚上一样，与尘世分离却又如此真实；这个夜晚，灵魂是完全孤独的，忘却了世间的一切；这个夜晚，我像最被爱的人一样无私地爱着自己，一样感受到纯粹的幸福。这完全不同于双翼山峰上闪耀的带着狂喜的光芒，也不同于这几天我时常感到的对生活的狂喜。这是我内心一下一下平静的跳动，如此悦耳，隔绝了所有的嘈杂。这是在一个绿树成荫的花园里迈出的无声而谨慎的一步，是洒落在我的宝藏上的近乎非人的宁静。

过去也常常如此，应该怀念那些日子吗，那时我每天都在渴求一种相似的、说不出口的热切？

但今晚的宁静是那么美好，因为我知道自己有能力得到平静，同样也能接受其他任何的感受。或许在我看来，这份宁静不再是像我过去认为的那样，是一种目的，而是平静的顶峰，它那么宏伟，足以俯瞰一切风景，但也要懂得从那里下来——当然"下来"会带来痛苦。这份宁静是我们必须随身携带的东西，应该永远驻扎在心里，而不是像帐篷一样，想到的时候偶尔拿出来用一用。如果我不满足于向这种朴素而又美好的恩赐屈服，如果我对它提出质疑，我就会发现它完全认可，甚至惊叹于我迄今为止对自己所做的一切，但这种认可本身就源于这取之不尽、用之不竭的源泉，我听到了这源泉在我心中平静的呢喃。不，任何东西都无法与这一被称为爱情的情感相提并论，爱情是苛刻的，包容的，也是无与伦比的满足。

很奇怪，我坚信这样的丰富会被接受，这些话将会被言说，被听见，这样的生活将成为许多生命汲取能量的源泉。我相信这就是我的使命——不再是一种需要痛苦回应的呼唤，而是双手满满地前行，乖乖地奉上难得的财富。

这也不同于幸福，不同于骄傲。

哦！我与自己隐秘的对话，其他所有人都不能理解。艺术家与作品之间的对话，其实只是与同一个自我之间的对话。作品感人至深，是因为它对这全新的皮格马利翁作出了回应，而后者不是用大理石，而是用生命来雕刻灵魂。如果雕像能说话，它本身就是最好的见证，那世间还需要其他人吗？而有些雕像是不会说话的。

意识——并非观点，虽然这还只是一种外在的把握，但像斯多葛派的宙斯在大火之后一样，我将一切指向生命的东西放在心里，我自己就是一切：力量要发挥，爱要给予，智慧要锻炼，回过身来练习去把握——比直接使用时更容易被把握，它们包含了所有可以应用的内容。（也许，宙斯在施展威力时[1]，仍能保持如此全神贯注

---

① 西蒙娜·德·波伏瓦从古代斯多葛派的物理学中借用了这些图像：世界的历史是由两个交替的时期组成的，在其中一个时期，至高无上的神或宙斯吸收了万物并将其约简为自身，而在另一个时期，他展开了万物，赋予其生命并管理着有序的现实。我们所知道的世界在一场宇宙大火中结束，大火使万物回归神性，然后万物按照严格的永恒回归规律重新开始，等同于自身。——原注

的风度。我想，在我落落大方地迷失的那一刻，这份恩赐也陪伴着我，但也许那时我还不够了解它。）

我喜欢今年的日子，我喜欢它让我变得成熟，我知道我的内心有着深层的智慧，我拥有无尽的能量，接受现实的一切而不摧毁自己所选择的领域，理解一切而并不停止去喜爱、去相信，我不希望有惊喜，却希望被震撼，我希望我自己是全新的，而不是我的命运是全新的。不，面对单调的日子，我不会再退缩，不会再害怕。精彩的戏剧已经拉开帷幕。我无比孤独，孤独的时刻反复出现，但这不是一种痛苦。这是完全属于自我的一刻，在精神和时间中穿梭。当我说"在走向狂喜的过程中，我将与世界同行"的时候，并不是无稽之谈。但是，这在一定程度上是在另一种意义上实现的，而且，正是因为要忠于一个承诺才如此美好，必须在其实现过程中加以调整。我想到了十八个月前一种对世界更直接、更感性的直觉：两个小时里，我完全沉浸在快乐的状态里，而我对此的理解是世界在我身上打下烙印，或者要是愿意的话，也可以说是我创造了这个世界，我表达了与世界之间的联系。因此一切都被囊括进来，比起我在某个瞬间用从别处获得的材料构建一部作品，而同时我又凝视着这部作品，最后作品在凝视中销声匿迹，这样要好得多。这部作品存在，完全与我感受到的拂过心头的快乐无关，我确信这份快乐明日还会重来，尽管它并没有在任何地方留下痕迹，也正是这份确信赋予我的快乐以绝对的价值。不，对我来说，拥有一种命运是远远不够的。热烈地生活，去理解，要是说十八岁的狂喜对二十一岁来说一点也不重要（因为十八岁时她前途光明），那么单纯的实现也微不足道，斯丹达尔对我来说也不重要。

我想说说其他人：首先是马厄，还有梅洛-庞蒂和莎莎，他们是仅有的三个我承认有权利做出评判的人，代表不同的身份。但他们评判的是我自己所创造的各种表现，而不是我最重要的立场，那里无人可以置喙。雅克，我也想跟你说说话，可我与自己对话得越久，越觉得无需创造另外一个人。我们之间有什么分别吗？希望他人在身边只会对自我更加苛求，而意识到这一点本身就意味着要把他人都排除在外。无形的快乐，却没有个性。这份快乐笼罩着玛德莱娜·德·普朗蒂埃光洁的面庞。莎莎抑扬顿挫的嗓音在说"水性杨花的女人"，梅洛-庞蒂的眼神直击心灵，马尼边哭着触摸着我的肩头，边说着"啊！您真有魅力"，离我们最后一次握手带给我的震撼，已经足足过去十三个月又十三天。这份快乐包裹着沉睡在抽屉里的那些纸页，还有印着我名字的书，我们在一起的谈话，还有我爱着的那些朋友们，你重新来到我身边，雅克。只剩下我最纯粹的精神生活，只剩下本身蕴含着的永远存在于我心中的一句话，甚至不是宝贝蛋，不是梅里尼亚克！

我感受到如此的纯粹，若没有经历过，是无法想象的。

六月二十六日星期三

过得挺愉快的一天。上午，我在家粗粗地浏览了口试考试涉及的作家。下午和莎莎、梅洛-庞蒂一起，梅洛-庞蒂正在准备考试，有些憔悴。我们在湖边、在小岛上待了一个小时，那里没有人。我和自己待在一起：他们俩是对我来说有点陌生但始终亲近的朋友。我们在帕西一家红色的蛋糕店吃了点心，我实习的时候也曾和梅洛-庞蒂来过，那天天很冷。一辆 AK 车送我们到了索邦大学，热尔梅娜[1]在参加中学毕业会考，我和莎莎之间无尽的回忆涌来。回忆起这

---

① 莎莎的妹妹。——原注

个身着百褶裙和蓝色绸缎上衣的年轻姑娘，辫子垂在背后，在这些地方战战兢兢地迈着脚步，梦想着她将获得的荣耀，这真是一种无上的甜蜜，我的朋友……莎莎和梅洛-庞蒂坐在卢森堡公园的池塘边，一阵冷风刮来，我们不得不离开。他们分别上了公交车。我去了若泽家，她非常低落，脸色苍白，人只有极度疲惫时才会如此。

有人来吃晚饭。我晚上一直在阅读。

六月二十七日星期四

还是茫然的一天，我待在家里，漫不经心地做着一项工作，但几乎没有进展。天气很冷。我答应跟冈迪拉克一起划船。我有点厌烦他，送了一封气压传送信去，告诉他我不去了。而且我的夜晚也不需要任何人。安心，期待，平静的幸福。

六月二十八日星期五

终于，我跟莎莎一起足足待了两个小时。

这天天气晴朗，我上午九点去找她，她母亲自然还是铁青着脸接待我，可这又有什么关系？这位因富有和嫁出去一个女儿而自以为精英的夫人，阻止不了我们去香榭丽舍大街、去布瓦大道、去林间小道开心地散步。莎莎告诉我说，星期三她特别开心——后来又说到她母亲摆出无数令人惊叹的理由，强迫她接受一场荒谬的婚姻："女人是被爱的，而不需要付出爱，莎莎自己也希望结婚，她对这个年轻人没什么不满意，因此……而且玛丽-泰莱丝还嫁给了一个没那么聪明的人。"也许对于这些自称是男人和女人的人来说，生活只是对无数约定俗成的规矩的妥协，永远无法做出实现整个生存的选择？不可思议……而梅洛-庞蒂和莎莎却希望我把这些人也当成"人类"来看待！我拒绝用这个名词来称呼他们。对我来说，有两只脚、两条胳膊和一张脸不足以让我从心底认同这是我的同类，永远也做不到！他们拒绝无视这些人，在我看来多少是因为缺少勇气或者缺少良知。也许这就是他们与我最大的差别——但是从他们的角度来说，他们也是对的，因为这些总还是有血有肉的人。

而且莎莎是完美的，她对期待的热情，那么隐忍，那么平和，但同时也那么强烈，这让我很感动，从前她意志薄弱，逆来顺受，暗淡无光，如今变得坚定自信。她明白了生活可以给她带来什么，她应该让生活的大门一直敞开。她告诉我说，若她没有靠近过比她优秀的人，她也许会接受一个别人塞给她的人，但是有了梅洛-庞蒂和我，那就没有了那个人的位置，而且她希望没有任何一个人能比她自己选择的人更珍贵。确实如此，如果没有这份自第一次见面、自我们真正爱上一个人时会扰乱内心的"忧虑"，我们心里永远不会萌生如此强烈的情感。我多么希望她能幸福！

我与她告别，去了国图。还有空位！自从我兴高采烈地坐在二七一号位置上，为第二年参加教师资格考试做准备，是不是已经有一年时间了？我很早就回了家，没做什么工作，傍晚和晚上的时候我主要在阅读。我又开始重读普鲁斯特。

六月二十九日星期六

怎么能让男男女女在没有爱情的情况下生活呢？我只能用对我

灵魂姐妹们的深厚感情来滋养自己。此刻我的平静因为梅洛-庞蒂的一句话变得那么耀眼，而我的心已经早早地飘向了今晚，到时我将见到他们……我的朋友们。

我心里隐隐有些厌烦，是因为我亲爱的拉马不在，我的微笑，我的骄傲，我的愉悦，我的快乐：亲爱的勒内·马厄，这无声的、连绵不断的、偶尔致命、偶尔又让人陶醉的吟唱，是对你的期盼，雅克。我说的是：已经两个月了，两个月，你转过头去再也认不出我。

下午，我很难过。我在沉闷的夜晚出门，去了里夏尔小姐家，没找到她，隐隐有些懊恼，很快又变成了失望。我读了《卡列班说话了》[1]，从中我听到了盖埃诺热情的言语，同时沉思着半个陌生人达尼埃尔·加鲁瓦在这本书中所找到的愉悦的理由，灿烂的笑容带给我如此美好的安宁。

之后托宝贝蛋的福去看了"广告学会眼中的艺术"，宝贝蛋系白色围裙、戴一顶牛仔帽[2]，还穿着袜子、紧身裤，很显眼。来的有冈迪拉克和他妹妹，拉库万家的三个孩子，若泽、优雅、迷人的莫妮克·梅洛-庞蒂，还有一脸微笑的玛德莱娜和她满心喜悦的丈夫。大厅里很热，布吕诺在拍手。迷人风趣的杜布瓦戴着玳瑁眼镜，双眼闪闪发光，系着皮带显得腰身更细了。爸爸在若隐若现的帷幕后面忙碌，粗劣的冷餐台前人头攒动，伴着一些愉快的歌曲调子。我送若泽回家。香气怡人又纯粹的夜晚。

---

[1] 于 1928 年出版。——原注
[2] 广告学会年底的一场演出，亨丽埃特·德·波伏瓦经常去广告学会。牛仔帽就是边缘翻上去的帽子。——原注

六月三十日星期日

晚起。工作。晚上去若泽家，她迷人极了。我们自然而然地谈起了梅洛-庞蒂——当她说"我不希望他的妻子配不上他，可如果他娶我……"的时候，我很感动。我欣赏她全然的无私，在他面前深深的谦卑，而其实她很敏感、很细腻。可她身上就是缺少一些我也不知道是什么的东西……或许是对内在精神生活的热爱、把控、强制。她勇敢又羞涩，那么挑剔，又不傲慢。我无法和您一起去期待，我可怜的亲爱的若泽……

七月一日星期一

冈迪拉克给宝贝蛋写了信，有些让人不快——这就是他身上让我不喜欢的地方。马厄的妻子送给我和宝贝蛋一张卡片，上面有马厄的签名，这让我充满了快乐的幻想。我应该告诉他，星期二宝贝蛋和萨特度过了一个晚上，但她一点也不雀跃，因为她觉得萨特不是很有趣。

我多么喜欢我们之间这种特殊关系所带来的吸引力，我又对他的妻子怀着一种奇怪的同情，而如果没有马厄，她对我来说什么都不是——这很有意思。

我和宝贝蛋出去了一个小时。而后我工作。莎莎寄来一封信——她温柔，我渴望她在我身边、梅洛-庞蒂在我身边。玛德莱娜。充满青春气息的宝贝蛋那么耀眼。我的青春和我的平静。始终无边的幸福。

"明年，我们可以和雅克一起做这个"——我和宝贝蛋总是不断地重复这句话，可我并不会去想象将要发生的一切，而且我敢肯定，要想把他纳入我们精彩的生活不是一件简单的事。宝贝蛋是那么不同：耀眼的年轻姑娘，他不在意，但会给他带来快乐；我是如此的不同：如今我对自己的思想和自己的人生那么自信，内心那么勇敢，毫不吝啬于馈赠，而十八个月前我是不敢这么做的。那他呢？我们几乎是在等一个陌生人，迫不及待地想让他认识我们，多么痛苦。但愿他知道给予他的是什么，但愿一切都是有用的。但愿三个月之后，这件不可想象的事能够实现：道一声"雅克你好"。我害怕，如同三年前过完两个月的假期后的十月。啊！太神奇了，我害怕的仅仅是这份快乐将带给我巨大的冲击，巨大的生命力会淹没这个可怜自我的每一个部分，而这几日我已经能那么轻而易举地掌控它。我在图莱的书里发现了一句动人的话，他说当他听到有些女人的声音时，就如同"一双手按灭了他的心"。我强烈地感受到了忧郁和茫然，感受到了某些微妙的声调变化带来的爱抚——例如马厄夫人的变化——细腻的空虚，以及融化在心头的一些东西。

七月二日星期二

上午，在这里工作。临近三点钟的时候，我去了斯蒂法家。费尔南多和宝贝蛋画了一些画，很漂亮。可不知为何，我觉得伤心又厌烦，直到斯蒂法换了一身漂亮的连衣裙出来。我们四个一起去奥尔良广场吃了冰激凌。回到家，继续工作、阅读。很平静。

七月三日星期三

亲爱的莎莎。我在图书馆里边研究柏拉图边等您，图书馆空荡荡的，令人悲伤，您在我身边就能让我觉得幸福，只是聊一聊关于冈迪拉克的事，关于星期六晚上，关于您莫名其妙的相亲见面①就够了，我们坐公交车去了卢森堡公园。我们在树荫下喝柠檬水，那里有许多不事学习的大学生，还有许多小情侣，我们谈论着比这些讨人喜欢的表象更真实的人。走到圣米歇尔大道的时候，她感谢我给她写的信。于是我开始说起你，雅克。不要怪我话多，她听我说话，就像我听自己说话一样。她问我：如果我的人生并非都与他有关，他会不会进入我的生活？而他总是虚无缥缈的，他是否也会像某个普普通通的丈夫——或者我的朋友是否会成为我们的朋友，他们会和我一样觉得他是必不可少的吗？——莎莎认为永远不会认识他，也不会认可他——而我深爱的朋友们，原谅我，如果这是他想要的，那我也无所谓！从"书之友"出来，我们坐在圣日耳曼德普雷广场上，她脚有点疼，而后我们坐了有轨电车去协和广场。我还跟着她去了香榭丽舍大街。我永远也不会忘记这些时光。终于从我的嘴里出现了一幅与他比较相称的肖像画，我觉得他在我心里成为一种不可思议的存在，这让我愈加激奋，我在莎莎的眼睛里也看到了这一亲爱的身影，她也学着去重视他。当我把这封直白的信读给她听的时候，即使三年之后每一个词都让我喉咙发紧，她听了也很动容。她觉得他很聪明，但很冷漠，因此当我们说起他的时候，她隐隐地有些担心，有些不安。但她对我说："我们永远不能怀疑能写出这样一封信的人的价值。"她还说："不过，只要听一听您说起这些的方式，就知道他是不是值得……"我告诉了她一切：她倾听着，以她独有的、令人钦佩的严肃，她接受了全部，慢慢地说了一些话，分量很重，对每一个丰富的灵魂，她都会做出全面的思考。

---

① 莎莎的母亲安排了许多"相亲见面"，让她的女儿们去认识陌生的年轻男子，然后决定是不是嫁给他们。——原注

我感觉到此时此刻雅克对她来说也是珍贵的，就像对我一样，面对这张脸庞，我们两个人的心紧紧地拥抱在一起，这张脸庞……我走路回家，路过协和广场，在那里等了很久的公交车。公交车晃晃悠悠地经过，给人愉快的感觉，方尖碑安安静静地竖立在祥和的天空之下，灰蒙蒙的晚云绵延不绝。一种包罗万象、收放自如的气息。我的内心涌起一股难以名状的悲伤。

哦，雅克。我知道，在我自身平静的存在和那些我与自己共处的时光中，有着一种多么沉重的滋味。但你带给我的幸福是不同的，比我带给世间其他人的幸福都更高级。我的整个灵魂，我的整个灵魂被神赐的礼物所满足。

不再是心花怒放的光芒，而是口唇闭合细嗅醉人的紫罗兰花束，握住一件珍宝的手，被一幅画吸引的目光，封闭在一张脸上的生命。你所带来的，就是你。我只想逃离虚荣的享乐，只想带走这个眼神和这些话语，其余的一切都将消失。所有被爱的人的一生加在一起，又比得上我今生的一个小时吗？

然而，作为回报，一种愉悦等待着我，最大的愉悦：马厄一句动听的话，邀请他亲爱的海狸与他一起共度一个晚上。温和的生活，迷人的生活——我还喜欢他鬓角那束有趣的金发，喜欢他亲切的神情，喜欢他好哥们儿的手势，喜欢他说话的语气："不过，我亲爱的小女朋友……"我们去了麦克斯·林代电影院，我又看了一遍卓别林的《朝圣者》[1]，但他没看过，他看了很喜欢。后来又看了一部非常美国的电影，演得很好，讲的是一位出轨的丈夫。这是我第一次与马厄单独出来，我品味着其中的乐趣。下雨了，他好笑地竖起了领子，我们在一块布底下躲雨，但雨淋得到处都是。这次允

---

[1] 于 1922 年上映的默片。——原注

许第一把就抓 V：确实抓了一个 V 或 AG，大家都知道上了年纪的人会更温和；他真笨！他整晚都在说一些蹩脚的双关语，还指责我交往的朋友！我喜欢他指责我的方式，看起来像要表扬我，和雅克一模一样。"您对什么都感兴趣，这是我要批评您的。"哦！多么动人的时刻，亲爱的拉马，在利普咖啡馆楼上的大厅，您教我玩您发明的"巴西埃卡泰牌"，您邀请我一起玩，可每次都是您赢，我们还一起讨论海狸和鹤鸵的生活习性，我想讨论的结果就是美食家和《申命记》的差别。我们玩了一圈圈的牌，太傻了，跟我们自己一样傻，偶尔地聊上几句教师资格考试的准备情况，我们将一起结束这些考试，我们在游戏桌的每个角落放两法郎的硬币，中间放一个硬币。亲爱的疯子，我们开着善意的玩笑，在烦人的考试间隙，还能一起"闹着玩儿"，真好，很久很久以前，我一直在寻找一个人，他那不可能的友谊是如此令人向往，却不那么美好。他在门口亲切地说："好了，我亲爱的小女朋友，再见，星期一见。"短暂的夜晚，我被他环绕，想对他说，要是他不想自己那么冷漠，那么我会带着敏感的心热情地靠近他表面的无动于衷。亲爱的拉马，有朝一日，我一定会把这些话对您说。亲爱的，亲爱的拉马。

七月四日星期四

我去了植物园，红色的山毛榉，绿色的草坪上，喷泉露出晶莹的微笑，不认识的年轻女孩们坐着读书——而我在读布特鲁[①]的书。中午我要去找若泽，我们在埃弗利娜面对面地坐着吃午饭。冒着酷暑沿着河岸散步，坐上公交车才感到一阵阵的穿堂风，走在林

[①] 布特鲁的《论自然法则的偶然性》是教师资格考试口试部分的必读书目。——原注

间小路上，扑鼻而来的是夏天的味道，突如其来的大雨绊住了我们的脚步，密集的雨点间还透着太阳的笑脸，雨水冲刷着地面，留下了浓浓的泥土味。在巴加泰勒公园，玫瑰在暴风雨的天空下歌唱生命，那里灰色慢慢加深，变成可怕的蓝色，雷声和雨声再次响起，鸢尾花、铁线莲绽放出更加美丽的花朵，有些玫瑰就像灵魂一样美丽。

哦！载着我们的有轨电车里到处是泥泞的脚印，我还得走进蓬特雷莫利的房间，他会跟我说说最近的几次失败！他跟我谈起了一些书，好吧，我已经很久很久没有见到他了，我们有很多话说，不会无聊。而且和这么充实的灵魂在一起，我怎么可能无聊呢？一位很有意思的先生来和我们聊天，让我们很开心，他说起了巴施、希腊、法朗士、莫拉斯。我很晚才回家，刚到家就听说梅洛-庞蒂来过，我又和宝贝蛋、杜布瓦一起吃了一些糖果，然后去了蒙鲁日的斯蒂法家。

她今晚看起来多么迷人，我金发碧眼的粉红小可爱热拉西夫人，她穿着粉白绉纱、剪裁奇特的无袖裙子。人们在屋顶上漫步，吃着糖果、水果和蛋糕，留声机里传出歌声，"帽子"[1]跳着令人惊叹的舞蹈，宝贝蛋哼着一些儿歌。一切都很热闹：乔装改扮，一位迷人的俄罗斯女子女扮男装，跳起了自己国家的舞蹈；一位邻居借出了他的工作室，一位歌手用曼妙的俄语演唱，并与若若跳舞调情。费尔南多很开心，他的弟弟很有趣——快乐、放荡不羁、天真善良。漂亮的乌克兰女人，乖巧好玩的小个子英国人。这些人出乎意料地友善又稚气，无拘无束，但也不粗俗，贫穷但不可悲。几乎都是画家，没有天赋但都对生活充满爱的火花。我们靠在长沙发上，任由疲倦向我们袭来。斯蒂法靠在我身上，我们一起回忆着在

---

① 热拉西给西蒙娜·德·波伏瓦取的绰号。——原注

加涅潘的日子，在灯下聊天，她充满希望的未来，其实现在就已经显现了。她戴着草帽，又成了那时的"小姐"。回来的路上很开心，我们在蒙鲁日的街道上边走边跳着法兰多拉舞，唱着歌。我们坐出租车回到家，一点也不为今晚伤感，这样的晚上一定会被伦理学家认为是令人伤心的，因为我们只是在玩乐，取悦的是身体而不是精神。

七月五日星期五

不会就这么持续下去，像这样的学年末实在是太美好了。如果我今天做一个总结的话，我看到的是：首先十点钟莫里斯·梅洛-庞蒂来接我，把我带到卢森堡公园。我们聊起了物理、化学、自然科学，聊起了教师资格考试、盖埃诺、文化和智性快乐的本质。我向他解释了某些精神状态对我的影响是多么强烈，以及它们在那些更直接更具体的层面上与生活的关系。他似乎觉得这有些奇怪。他更倾向于认为这些思考带来的快乐只是偶发的。我们还非常轻松地说起了莎莎、加鲁瓦，还有他的兄长和妹妹，特别是妹妹莫妮克，说起她的时候，他脸带微笑，后来又聊起了瓦格纳、音乐、广义上的艺术——一辆讨厌的 AX 车把我从他身边带走，唉！又一辆 V 车把我送到了习以为常的国图。我看到莎莎穿过大厅，似乎是来找我的。在学年末，一切都那么令人动容，因为所有事情都可能成为"最后一次"——我们讲自己的小故事，后又开始讨论她很喜欢的小说，帕索斯的《曼哈顿中转站》，我们大步走在托克维尔街上，直到斯蒂法上完课出来，她戴着一顶漂亮的米色软帽。"那位女士"请我们在维利耶的一家大咖啡馆喝了柠檬水，我们三人又在一起，似乎从来没有分开过，也似乎不会又在明天分开许久。我陪斯蒂法去坐地铁，一直坐到雷奥米尔，又一次，不管她身上有着什么我不喜欢的地方，她还是我亲爱的斯蒂法。在国图的许多时光本该是如此灰暗，那些傍晚本该是如此疲惫，夜晚本该是如此悲伤，如此孤单，如果没有那间蓝色的房间。她总是温柔地叫我"我的西蒙娜"，在蒙帕纳斯的夜晚，她笑得那么开心，唱起歌来那么优雅，我的斯蒂法。这也许不是一种"高级的"友谊，也不是尊重，不是由崇拜而生的深深的柔情，更不是令人惊叹的沉默带来的严肃。或许因为这段纯"女性的"友谊让我觉得如此陌生，对我来说才格外珍贵。我身上任何一点伟大的东西，在她身上都没有。我无法用任何我在其他人身上称作感性的东西为之正名。但当我又看到她像小猫一般的举动，某个精致的微笑，一种平易近人又真实的亲切，一种过于奢侈却又非常细腻的温柔时，我只是特别想要拥抱她，就像我与她告别时那样，带着些许感动。

　　我在国图默默地待了一个小时，心潮澎湃，我跟你单独说话。在我的朋友中，没有一个人能与另外一个人相提并论，也没有任何一个不在我身边，可当你出现，就把他们都抛到了无用的地平线上，我什么也不需要，除了这份强烈的爱之外，其他的一切都只是浪费，你将拯救我，你正在拯救我。如同你就在这里！带着你对我说过的话，每一句话，我都愿以身相许，带着你会回来的承诺（啊！不可能！），一想起来就让我惊诧——你自己做的承诺，雅克，关于你，我再也没什么好说的，单单听到你的名字，就能让我的心停跳一拍。

七月七日星期日

　　陪着崩溃的若泽待了一天。后来和莎莎、梅洛-庞蒂在一起，兴致缺缺。拉马告诉我要准备关于莱布尼茨的作业。

七月八日星期一

于是，一切都开始了。拉马来找我，一辆 AE 车把我们载到了大学城。我有点难为情。萨特礼貌地对我表示欢迎，但有点吓到我。他们仿佛就在我眼前：拉马只穿着衬衫，躺在床上，萨特坐在桌子前面，面对着我，整个房间，出奇的乱，却又透着美好，书香，我到来的惊喜，香烟的味道……我解释了莱布尼茨的论述。下午继续和他们在一起，坐在蒙苏里公园旁边的一家咖啡馆里，我们常常会在上午去那里喝点东西，而后又往回走，回到那间房间。晚上，萨特陪我们走到茹尔当大街上的小破木屋那里。我们用糖果抓阄，我赢了。沿着曼恩大街走回来，拉马陪着我，很愉快。我不知道我们说了些什么，但他是那么友善、迷人，他太好了，他就是我的拉马。

七月九日星期二

大公爵[1]出现了，没有带他的妻子（她让我不快，让我觉得烦，很做作），但他令人赏心悦目，深深的几道皱纹让他显得格外英俊，精致的微笑总带着些嘲讽的意味，他的优雅无与伦比，不知如何修炼成的。

哦！今天下午真是难以想象的美好！关于莱布尼茨的玩笑，萨特画的内心正直的黑人和伦巴第女人的儿子，尼赞也画了这个人，

---

[1] 指保罗·尼赞。——原注

莱布尼茨神甫，还画了这栋让人想要爬窗而走的房子。还有他们语汇中"令人愉快"的词，搭在我头上的手，互相之间的称呼——"亲爱的小伙伴"，钱币游戏，一些惯例，他们拿我的名字开的玩笑，还有关于我到底是"海狸"还是"女武神""贞洁的女战士"的讨论，这都是萨特想出来的。

晚上，萨特送了我一份礼物，是一幅极糟糕的日本画，拉马帮我搬到家里。拉马读书很慢，大公爵读书很快，而且很会玩，我和萨特在工作。

七月十日星期三

还是我们四个人。我们在公交车站见面，喝着葡萄酒，还没有决定去哪里。我又看到拉马，他不留情面地说"不，今晚我要和波伏瓦小姐去看电影"，大公爵回答"好的，好的"。而萨特说的是"算了"。在公交车上，拉马对我说"我希望您和小伙伴们相处融洽，可是……""可您是拉马，没错。""而且您不会成为小伙伴中的一员。""当然，我是您的海狸。"就这样，我们强调了我们之于彼此的意义，但他一定不知道他在我心里永远是第一位的。

下午，我们中间休息了很长时间，换句话说我们去杜邦之家喝了点东西，他们喝了一杯啤酒，我喝了一杯柠檬水。他们讨论起了欧仁宇宙学以及女人的作用。我和萨特争辩起来，只是开玩笑，而大公爵却保持着惊人的冷漠。我多么喜欢他们的吟唱，我多么喜欢在他们之中，参与到他们所创造的令人惊叹的存在中！晚上，我和萨特、拉马一直走到当费尔，他们教我玩日本台球。萨特送了我一些昨晚赢来的莫名其妙的瓷器，送给宝贝蛋的是一本极其难看的小说。天色已晚，出租车载了我和拉马回去。今晚，他很伤心，他想和他的妻子一起出门。与他告别的时候，我心情沉重，我在卢森堡公园里闲逛，吃了些蛋糕，惊讶地发现他的微笑竟然对我有这样的威力，我很受挫。我刚回到家，又见到他。他对我说："我很高兴和您一起出去，海狸。"

哦！无数夜晚中的一个……哦！拉马和海狸又来到圣叙尔皮斯广场上，多么美好，我们沿着林荫大道走，完全不关心周围是什么，边走边聊。他跟我说起了萨特、尼赞，他不同意他们的观点，因为他喜欢简单的生活，喜欢不需要思考的消遣，并在这样的人生中加入他对艺术的看法。他能感受到绿茵、假期、新鲜的空气，这些是其他人不懂得品味的。还有他对女人的观点……向他给予女人的尊重致敬。的确，当今天一早他把手放在我的头上说"海狸都喜欢这样"时，我感动极了。我们观看了环法自行车赛，看了一部巴斯特·基顿的电影，非常开心。从前，我们曾在旁边的一家小咖啡馆里喝咖啡，当时他不停地问我："您不会厌烦吗？"我不愿失去他……

我们步行回家，还沉浸在电影带给我们的快乐中。我们在双叟咖啡馆吃了点东西，说起了类比游戏，他的个人主义，他岳父母的家庭和他的妻子。他说"您应该结婚……"——我们之间有一种令人艳羡的、纯粹的柔情蜜意，完整，充满信任和温柔。哦！无数夜晚中的一个。哦！我的拉马。

七月十一日星期四

尼赞太太来了，我真是难以忍受——就是因为她，我们无法工作。我们和她一起玩日本台球，我赢了一罐很好的葡萄酒。我跟她聊起她的女儿，我露出一副友好的神情，她似乎对我也挺友好，这让萨特和马厄觉得很有意思，证明我绝对富有女性气质。大公爵开车载我们。下午他不在，我们一直在工作。一开始我们在车站旁边喝了点东西，我开玩笑把萨特和冈迪拉克放在一起比较，这样做令萨特很生气。而且今天下午我发火了，马厄倒在床上惊讶地看着我，时不时地说一句："她真是诡计多端！"其实是因为今天我控制了萨特。我疯狂地取乐，但我们在一起工作真好！

　　酷热。但拉上窗帘，黑漆漆的，能驱散一些热气。马厄坐在我旁边的椅子上，萨特坐在床上，嘴卜衔着烟斗——我们倾身趴在文章上面——这么刻苦，似乎时间都融化了，这么优美的文字①，这么引人入胜的思想，令大家都感到很快乐。萨特一直解释、解释，他指责我一遇到困难就让他把所有知道的都倒出来——出色的智力教练——他的思想在我看来越来越不同寻常，越来越精彩。我欣赏他同样也带着一种感恩，他那么慷慨地、不厌其烦地帮助我们。

　　我们一直工作到九点钟左右。我急匆匆地跑到小树林，晚饭都没有吃，"我的团伙"在等我——当我吃着甜面包奔跑在亨利-马丁大道上的时候，心中是多么喜悦……

　　夜晚和梅洛-庞蒂兄妹、冈迪拉克一家在湖边散步——我多么幸福啊！我们把可怜的冈迪拉克变成了愚蠢而固执的人，但有一瞬间，和梅洛-庞蒂、他妹妹一起坐在小船上，他是那么单纯友善，而她对他又那么温柔。在林中大道上，我太开心了，弄坏了我可怜的帽子。在瓦格拉姆大道的咖啡馆里，我们在幸福友好的气氛中飞快地吃了点东西，我真开心。但这一切都不重要。我的心被一种更为熟悉的氛围所占据，而这种氛围正是我如今幸福的源泉。

---

① 指柏拉图的一篇文章。——原注

七月十二日星期五，拉马

因欢乐而怦怦直跳的心！我是不是从未如此珍视《尼各马可伦理学》①？我匆匆忙忙地赶到瓦诺街②。哦！这间蓝色的房间，天鹅绒的扶手椅，后面一张简单的酒店桌子，还有床，他穿着衬衣躺在上面，对我说："我很高兴和你在这里……"壁炉上放着一张他妻子的肖像画，还有几本《私人侦探》，我完全放松下来，坐在这里，他的存在带来的温柔让我心潮澎湃，我仔细地跟他解释亚里士多德，他在读阿内坎③和萨特的笔记。他给我看了一些萨特和尼赞画的很有趣的画，其中有一些抽象的动物画。外面阳光明媚，他陪我去坐公交车，公交车载我去了莉莉姨妈家，我迟到了，我正读着罗莎蒙德·莱曼的《灰尘》④。生活的乐趣……

下午，他告诉我他不想工作，他给我看了圣-琼·佩斯的《阿纳巴斯》，跟我讲了关于布里丹⑤的故事，好让我不要回到亚里士多德的话题上去。他还给我看了许多令我震撼的照片：三幅米开朗琪罗的复制品，尤其是——一个男人的侧面，姿态优雅大方；希腊神话中的女预言家西比尔，让人想起达·芬奇；一幅让人想起那些将成为神的人；一幅既代表痛苦也是艺术，是所有无法给予的凄美。哦！这样的作品所唤起的幻象，哦！让他展示给我看吧！仅仅是这间普通的房间，夏日的热气穿透进来，让人感到被保护的味道，仅仅是一种带着温柔的友情……我将一直再见到他，一直再见到他。我不会忘记，我衬裙的带子断了，他去拿别针，把我一个人留在更

---

① 亚里士多德的这本书也在口试书单里。——原注
② 考试期间，马厄在酒店租了一间房间。——原注
③ 亚瑟·阿内坎，斯宾诺莎评论家。——原注
④ 于1927年出版。——原注
⑤ 让·布里丹（Jean Buridan, 1300—1358），经院哲学家，巴黎大学校长，"布里丹之驴"即出自他手。——原注

衣室里，从那里可以看到世界上最惬意的景色，我们一起下楼，去蒙帕纳斯大道上的一家咖啡馆喝东西，在那里他跟我说起他的妻子，我只想通过他的眼睛看她，我疯狂地融入了巴黎那个夏日的绚烂之中。我们回来，说着一些泛泛的动听的话，我们试着工作，然后他送我上车，因为我要去莎莎家吃晚饭。

夜晚，和莎莎在杜伊勒里花园度过，她跟我说了她自己，她那讨人厌的母亲，我为她感到悲伤，但我的内心是兴奋的，我想把这份兴奋告诉她，告诉她我对这些滋养我的伟大的年轻人充满了惊讶、感激、钦佩和柔情。啊！《灰尘》里的朱蒂，我在您身上也看到了这样一个充满激情又安静的小女孩，无比的坚信，慷慨，与道德无关……我的姐妹朱蒂，她被金色的头发、和谐的色彩、充满鲜花和幸福的公园所打动，但她也保留了一份更重要的财富——单纯的、可怜的小女孩，我的姐妹朱蒂。

七月十三日星期六

萨特以一种知识分子的虔诚向我们解释了《社会契约论》，这让我觉得他很难得。我逛了很久才来到这里，因为这个早晨太美了，我沉浸其中。我在电车上遇到了大公爵，他用迷人的嗓音谈论着英国和爱尔兰文学，一直聊到咖啡馆，拉马和萨特就坐在露天座上……这些到来带来的乐趣！时不时地，一个接一个，都来了……时不时地，一个接一个，我们看着他们慢慢地走近，总是带着幸福的光芒。

那天，我的拉马，我们一起在沙班吃午饭，从敞开的窗户里可以看到蒙苏里公园。我们朝着公园走去，一直走到池塘边，那里一个人都没有。您还记得那些喷泉吗，一圈圈地旋转，那么快乐？草坪上的粉色郁金香，阳光。您跟我描述了您小时候曾是一个多么残忍的小男孩！您跟我说起了您的童年、战争、冒险，我感觉您离我这么近，因为您的敏感，您也能理解与它不同的东西……为什么一定要回家？我们还是不太想工作。大公爵的车带我们在巴黎那些不为人知的路上转悠。我终究在您身边，拉马，在教育部的路上，我唱起了歌。您也唱起来："上帝，再一次，但愿它存在。"[1] 我在和萨特开玩笑，大公爵说："风水轮流转！"然后到了高师，您边声嘶力竭地唱歌，边走上了脏兮兮的楼梯……我们在如今死气沉沉的D教室里，为疯子罗宾题词。我们参观了肮脏的宿舍，闷热的房间，所有这些您曾经生活过的地方。我们偷了埃尔朗的画，爬上屋顶把它们挂起来。这是前所未有的时刻，他们跳跃时带着年轻男子的敏捷，我坐在那里，看着我脚下的学校和花园，既有点害怕，又充满自信和温柔。我们又坐上了出租车，去了大学城。我们多么开心！尼赞太太也在，我们没做什么工作，一起去玩日本台球，大公爵把我们带到了卡塞特街，拉马从那里陪我回家。我们还用留声机放了音乐，很好的唱片，让我很感动。

梅洛-庞蒂来吃晚饭，他不太明白我跟他说的那种魅力，但我们拿研究柏拉图作借口，还是在餐厅里聊得很愉快，直到午夜降临。

七月十四日星期日——小伙伴

我们上午工作了？没有，一直睡到中午？我们答应到萨特那里工作，一直到晚上。但那里有很多人：佐罗和他的女朋友、吉

---

[1] 笛卡儿的《第五哲学沉思集》的副标题。——原注

尔、尼赞太太坐在床上，大公爵坐在一把椅子上，我坐在另一把椅子上，拉马靠着墙，萨特自己席地而坐，作出一副一家之主的样子，很迷人。留声机里不断地放着音乐：黑人灵歌合唱团，苏菲·塔克[①]的唱片，我不喜欢她的声音，马厄把它比作我"呜啊呜啊"的唱歌声，因此笑得合不拢嘴，以及演唱《蓝河》的狂欢者乐队，杰克·希尔顿[②]，他让我觉得很有趣，尤其是莱顿和约翰斯通动人的《老人河》《如此湛蓝》《为月亮哭泣》……所有这些都在诉说、敲击着我的心房。所有这些都在诉说着他们，另一个人，我的生活，无法实现的生活……我想独自待着，更好地倾听这些乐曲。但是，大聚会让人喘不过气来：大家逗猫玩，大公爵把东西扔出窗外，萨特打扮成一个老头，而我也不得不加入他们的聚会，但我离他们很远。不过，这个夜晚还是多么美好！

我和萨特、马厄一起去了蒙苏里公园，那里的人们已经欣喜若狂，等待着晚上的庆典开始。我们坐在长椅上，他们取笑我……士兵，军官……我们不能在沙班吃晚饭，那里人太多了。萨特带我们走了一条很复杂的路线（哦！挨着窗户，这个男人还一直在思考！），把我们带到了这个从此以后被称为吃"一道一道上的晚餐"的地方。晚饭的时候，他们对我是这么友善……"萨特因为您特别高兴。"马厄对我说，"而且谁会见了您不高兴呢？……大公爵和善得不得了……您征服了他的妻子。""没错，她很好。"萨特说。我说了我对他们的看法，他们也告诉我为什么会答应接纳我。拉马和我坐在一边，萨特坐在对面。我不由自主非常感动。

---

① 苏菲·塔克（Sophie Tucker, 1884—1966），著名俄罗斯裔美国歌手，"拉格泰姆女王"，萨特曾在《恶心》中借用了她的《这些日子》的音乐。——原注
② 杰克·希尔顿的狐步舞乐团在两次大战之间闻名欧洲。——原注

啊！在奥尔良大街，多么开心，我深沉、平静的内心又涌动着怎样的激情……我们进入集市，萨特出其不意地让我测试他的力量。我玩射击，细心地聆听蒂娜的声音[1]……

我穿着拉马喜欢的黑色连衣裙，没有戴帽子，感觉很愉快……他们唱着歌，在这个凉爽的夜晚，他们即兴编起了歌："卡斯提尔贝扎，拿步枪的人／曾经这样唱过／这里有人认识萨宾吗？／这里有人吗？"萨特用他那优美低沉的嗓音吟唱着《老人河》，我们从茹尔当大道回到大学城。我们躺在草地上，玩着给焰火命名的游戏。火堆，公园，落在我们头上的星星，我们从中知晓征兆。我欢呼雀跃，人们擦肩而过，草坪让我们愉悦，它是属于我们的……萨特的房间里，留声机已经关了。他做了一个高贵的手势，拦下了一辆出租车，并说，现在由他来负责一切。拉马的手臂搭在我的肩头，或者有时他以充满保护欲和温情的姿态用手挽着我手臂的时候，我都会忐忑不安。我们大步流星地走在蒙帕纳斯大道上……后来走到了法尔斯塔夫酒吧，我们围着酒桶坐下，服务员给我拿了两杯鸡尾酒，这个夜晚有着令人心碎的亲密。萨特赞扬我不被那些粗俗的玩笑所伤害，还能以令人钦佩的方式忍受这些玩笑，"单单这两个原因，您就值得尊敬"——他分析我的心理，也分析拉马的心理，他说出于一种特殊情况让我们之间建立了友谊，因为一般来说他只把女人当成女人看，而我的性情会使我们之间远非友谊这么简单。我们讨论了友谊、嫉妒。我把人分成了两类，一类是总想着取悦别人，一类是让别人为他痛苦——一开始他对这个话题并不感兴趣，但当我明确了我所说的痛苦是什么，是对无法挽回的遗憾的恐惧，他觉得如果确实如此是很美好的。"我之前就跟你说过，这不是一般

---

[1] 柯曼·霍金斯的《倾听蒂娜》。——原注

310

人", 我的拉马这样说。我们出了门, 去了德朗布尔街, 又到了斯特力克斯酒吧, 不过只待了一会儿。马厄挽住我的手臂, 他们两个人刚才都看到我眼中流露出巨大的伤感, 那时我想到了雅克, 他们难得用温柔的语气对我说话。尽管我是女人, 但马厄还是希望我能参加他那组的比赛, 他向我介绍了其中的体系……我们聊起了舞蹈, 萨特说他会教我。他们陪着我——到了田园圣母街, 他们问了我一些荒谬的问题, 是关于教师资格考试的——我们聊得很愉快, 一直到我家门口。哦, 我的朋友们, 我的朋友们。

哦, 我的拉马。

七月十五日星期一

太奇怪了……为什么想到无法见到他会这么伤心, 最美好的意外发生了, 在我坐上一辆 AE 车时, 透过车门看到了这张金光闪闪的笑脸。他亲切地对我说话: 他们害怕昨晚让我难过了, 但拉马很高兴, 因为萨特承认在与我的友谊中他有优先权。他陪我到了奥尔良门, 我们在杜邦之家吃了点东西。他跟我说起嫉妒, 他喜欢在与朋友的相处中有一些特殊待遇。我们边走边聊, 直到萨特家, 他在我家找到了戒指(这是他出来的借口), 我们一起研究柏拉图。莎莎过来吃午饭, 我带她去蒙苏里公园散步。马厄看到我们(哦, 他穿着一身米色的套装, 举着手), 带我们去大学城逛了一圈——他对莎莎很友善, 我们还把她带到了萨特家。留声机里放着音乐。她在这里有点坐立不安——"脸太严肃," 萨特说, 还指着我, "看看这张美丽的脸蛋! "后来, 尼赞夫妇也来了, 我很生气, 因为原本我是要和萨特一起去看电影的, 但他们非跟着去。马厄觉得很好玩, 可他还是有点同情我, 大公爵开车把我送到双叟咖啡馆, 马厄和我一起下了车。他在那里对我说："我跟您告别，给您一个吻吧：额头上，眼睛上。但千万别告诉别人！哦！……您会把这件事说出去吗？"这一幕我记得清清楚楚。我陪他走过了巴比伦街，送他回家。我的内心非常不安。他跟我说了他进高师的故事，安慰今晚烦躁的我。"您会想我吗？"他带着这种娇滴滴的、不容置喙的口吻对我说，可在我眼里这是如此亲切。他抓着我的手臂说："我非常爱您，海狸……"我跟他告别去坐车，路过卢森堡公园，没有吃晚饭，我又坐上了尼赞的车，一起去了蒙帕纳斯电影院。我一直跟萨特聊天，我开始对他感兴趣。又去了集市。当费尔-罗什罗迷人的夜晚。尼赞夫妇又开车把我从大学城带出来，尼赞还给我看了他未来将出版的作品。

哦，我的拉马太珍贵了……

七月十六日星期二　拉马

我为这个男人而痛苦！哦！星期五太过美好，他就在那里，躺在他的床上，对着我微笑，我坐在那把蓝色大扶手椅上，借口跟他讲解希腊语。哦！星期天晚上，和萨特一起在法尔斯塔夫酒吧，我们就我们之间的友情谈了很久：这些词或许给友情带来了一种不安，而人们总是号称要将不安和友情区分开。哦！昨晚那么动人，他对我说："我非常爱您，海狸！"他温热的手拉着我的手臂，而我说："我非常爱您，拉马。"

今天我很难过，因为不得不去国图，梅洛-庞蒂会来找我，因为我所赞赏的这份独立，因为这种冷漠的氛围，对强者是极好的，对弱者却无比沉重。我很难过，因为内心从未感受到的这种脆弱，因为我竟然想要因此而退缩。我多么希望他的手还能摸摸我的头，他的手臂环抱着我的肩膀，或是他的手轻轻划过我的脸庞、我的脖子，我多么希望他能给我他答应过的亲吻——哦！那么狡黠又单纯——我根本无法拒绝。我又很害怕，因为只要他想，他就可以改变我，又因为我暗自神伤他不会有这样的意愿。然而，我爱的并不是他。一想到把头靠在他的肩上，我就感觉忐忑不安，但内心也是充满甜蜜，这是第一次，我想把这份柔情蜜意命名为讨人厌的东西，而它让人回味无穷。今晚，我会很痛苦，我会神经紧张，会毫无缘由地哭泣，有一种依赖他人的感觉，这种感觉很可怕。他想要怎样就怎样吧。但我同样也不会忘记他强大的自尊，在我眼里是如此珍贵。

上午我在国图，研究柏拉图。他也在这里，和往常的日子一样——我和莎莎、梅洛-庞蒂一起吃了午饭，他们俩相处得很好。在国图的大厅里，我们开开玩笑，度过了一些美好的时光，但他们俩攻击我的朋友们，要知道如今我的朋友们比他们俩跟我关系更近，我更希望在我身边的是拉马。他怒气冲冲地走了，因为梅洛-庞蒂要跟我们一起。我毫无缘由地哭了，我痛哭不止。

我们在高师碰面，躺在草地上，什么都不去想……我回到家，心里很难过，幸好宝贝蛋的到来让我得到了些许平静。

和我深爱的拉马在一起，多么美好的夜晚！当他问我："可怜的海狸，我是个坏人吗？"，他是多么的温柔似水！我们沿着河畔散步，停在了阿尔玛。他跟我讲述了他的童年、他如何来到巴黎，我听着，有点厌烦，但只要这样待在他身边就是美好的。我们坐上出租车，车在凉爽的夜晚飞驰，一直到了斯特力克斯酒吧，他觉得这个酒吧很奇特，带给他快乐。他对我说"您真特别"，语气温柔。我觉得自己是只可怜的海狸，但他说今晚我很好。哦！在卡塞特街上，他温柔地安慰我，手臂环着我的肩，他的脸离我那么近。我是多么脆弱，多么不可思议，我又是多么爱他！

七月十七日星期三　和萨特一起的夜晚

担忧。索邦大学，教育部，高师，莎莎陪着我，我要知道自己是不是通过了考试。午后，我们在尼赞家，后来遇到萨特，他告诉我我通过了。没通过考试的拉马与我道别，带着满腔的爱意朝我微笑。我和萨特去巴尔扎尔喝了一杯，我在那里看到了米盖尔。萨特很有趣，他觉得我的快乐是完全"惹人喜欢的"，他叫了出租车带我去马厄家，马厄不在，他想让我做什么，我就做什么。但我喜欢他如此霸道的态度，他接纳我，严苛却包容。

我去莎莎家，为自己考试成功开心不已，宝贝蛋和梅洛-庞蒂也在。

大公爵来向我表示祝贺，我一如既往地感动于他的独特、优雅和宽容。

我又在库拉克与萨特碰头。多么美好的夜晚！

我们走路到了杜伊勒里花园，又从杜伊勒里花园走到法尔斯塔夫酒吧，喝了两杯鸡尾酒，期间他说了许多关于我的事，非常深刻。我既不高贵也不恪守道德，却很慷慨，在很多方面还是个小女孩。从智性上说，我受的教育多，受的文化熏陶少，说到哲学的时候就不太讨人喜欢，但的的确确是个让人珍爱的海狸。这个男孩表现出令人心动的体贴和从未有过的"友善"，而他看起来是那么冷峻，尤其当他说他知道我陷在爱里，而他是个旁观者，关于爱情和婚姻他有许多难听的话要对我说。他给了我一些建议，帮助我与他们三人相处，当他嘴上说着"您是讨人喜爱的"，他是那么温柔。他还说我是"一个悲剧性的女孩"，但这很好，因为他说的不是严肃，女孩严肃才是最可恨的。拉马想俘房一个女人，只需要轻轻地抚摸她的脖子，而萨特，则是搅乱别人的心——哪种方式更能确保对方臣服？我不知道，但如果让我再也不与他们见面，那我就会像被判死刑一样难受。哦，亲爱的，只有和他们在一起，我才能成为我自己，才能为了任何一种高贵的品质而爱自己，只因为我就是我自己。"您有些不安。"他对我说。的确如此！

七月十八日星期四

这些日子是多么重要！

上午我去萨特家研究柏拉图——去拉马家，当看到这间满是他的房间却空空荡荡，我的心难以平静。他在一封气压传送信中对萨特说："转告海狸，我祝她幸福"——哦，我的拉马。我很高兴，上午大公爵开车送我去了大学城，给我看了他撰写著作的计划，告诉我他的哲学主张，还有许许多多关于马克思主义的令人心潮澎湃的东西，这就是智慧。

独自工作，和莎莎、梅洛-庞蒂、普朗蒂埃夫妇吃了愉快的下午茶，但我的心不在那里。八点半的时候，米盖尔上楼接我。我和他一起待了半个小时，他有些沮丧，但还是那么友善。然后我去了尼赞家[1]，在他堆满了书的书房里，墙上挂着一幅列宁的肖像、一张卡桑德拉[2]的招贴画，还有名画《维纳斯的诞生》。我们边喝着咖啡，边翻译亚里士多德。多么美好，工作，时而停下聊聊天，这嗓音、这微笑，这复杂的眼神，只有尼赞才有，深深地吸引我。

---

① 瓦文街。——原注
② 阿道夫·穆龙（Adolphe Mouron，1901—1968），人称卡桑德拉，画家、装饰家、招贴画家。他的贡献在于开创了一种全新的广告风格，受平面设计影响，如杜博内的《诺曼底》招贴画，尼古拉葡萄酒的《北方的星星》。——原注

七月十九日星期五——【口试开始】

希腊语考得不错，但上午我很生气，一群参加考试的学生围着爹味十足的评委，让我觉得恶心。

梅洛-庞蒂和莎莎让我振作起来，但没有用，直到萨特非要把我带到卢森堡公园，一起研究柏拉图。午饭后，我们没有继续研究，开始聊天。他带我去了巴尔扎尔，给了我一些建议，以一种完全友好的方式，他是唯一一个可以用霸道来形容、但这个词在他身上不是一种指责的人。他自己做了非常精彩的解释，大公爵开车载我们去夏特莱广场喝杯东西，雨下得很大，电闪雷鸣。我给拉马写了一封信，我或许透露得太多了。我多么思念他，我的天！

冈迪拉克来吃晚饭，我觉得很热，我有点紧张……我的信让他很感动，整个晚上，我们友好地聊天，在杜伊勒里花园，在林中大道。他还告诉我他要和莫妮克·梅洛-庞蒂一起写一部小说。

七月二十日星期六

在尼赞家工作。我又去了莎莎家，莎莎陪我去了瓦文街，和梅洛-庞蒂聊天让我动容。他们相爱了。我太高兴，太高兴了。

尼赞夫妇用留声机放了一些很动人的东西，很有趣。长沙发很宽敞，很舒服，法尔格的版本让人惊叹，大公爵穿着红底灰花的衣服，好看极了。我们几乎没有工作。我们坐车去了索邦，有人告诉我我排名很靠前，后来又到了蒙帕纳斯，我和萨特一起走着，继续工作。但我们也聊天，聊得很热烈。晚上，继续工作。我几乎搬空了尼赞家的书房，他们对我太好了。

七月二十一日星期日

尼赞今天讲完了他的一课①，非常精彩。阿隆也在场——他看起来很聪明、很友善。而今天上午我和萨特一起工作。

阿隆和我们一起在巴尔扎尔喝了点东西后就离开了，我和萨特去了卢森堡公园，我们在那里就善与恶聊了两个小时。他太吸引我了，但对我也是一种碾压，我对自己思考的内容，甚至思考这一行为都不那么确定了。他向我展示了一种充实的生活，这与我自我封闭的小花园里的生活完全不可比拟。我需要一种强大的思考能力，才能完成最严肃的工作，我需要变得如我希望的那样成熟，我下定决心一定要做到。

晚上，我和宝贝蛋一起散步，我很兴奋，对美好生活的前景充满希望。我三两句话就驳倒了她所信仰的天主教。懦夫的心理，我深恶痛绝——安全的防线，但是我不想要。我觉得内心有些不安，这让我感到害怕，有一股强大的力量在消耗我的精力。但做我自己，我愿意开始这伟大的历险。

七月二十二日星期一

萨特的影响是非同寻常的——自我认识这个男孩的十三天以来，他把我分析了个透，预见我的未来，掌控我。从智性上，我需要他在我身边，但面对他的同情，我又惶惶不安。怀疑，不安，兴奋。我希望他强迫我成为真正的某个人，但我害怕。我只是个小女孩，害怕改头换面带来的巨大冲击力。我怀着绝对的信任，把自己

---

① "上大课"，指没有教纲，事先抽签决定主题，有七小时准备时间。理论上是给中学毕业班的学生上一小时课，事实上，尼赞的水平已远超要求。——原注

交给这个男人。当我想到拉马的时候，心头满是柔情蜜意，但当萨特在身边的时候，我又觉得自己无比坚强，我该怎么办，小可怜？

今天轮到他讲他的一课，我听他讲完之后，我们一起沿着河畔散步，同行的还有尼赞太太。他非常快乐，我非常喜欢他。

我的拉丁语讲解课上得很顺利，我们开心地在蒙日街、穆夫塔尔街上散步，"在那里，他激情四射"。我在高师看见了加鲁瓦和博尔内。美好的夜晚，我在梅迪契广场与萨特碰面，他为昨天说的有些话过于直率而道歉。我们在卢森堡公园散步，又坐出租车去了电影院。当他对我说"您是迷人的海狸"，并轻轻地把手搭在我的手臂上的时候，他流露出来的善意难以想象。他可以对我说所有最让人不悦的话，但不会惹怒我，比如他细致地注意到，过多的笑意味着神经紧张，而单纯的小女孩会突然感受到这种神经紧张，是因为她在男人陪伴下感到自己是个女人。总之，我比我嘴上说得更在意他们是否把我当作女人来看待。我们从塞巴斯托波尔大道走回来。在他身边，我很平静、很开心。

七月二十三日星期二

我在卢森堡公园与萨特碰头，我们愉快地交谈了两个小时。我特别疲惫，在索邦大学睡了两个小时，有一瞬我看见了梅洛-庞蒂，尼赞用我喜欢的那种不容置喙的神情把我拉起来。我们工作了一会儿，他给我读了一些关于布兰斯维克、伊壁鸠鲁、法国社会学的文章，魅力难挡。现在，我跟他在一起的时候更自在了，我说他是个小男孩，嘴巴上那个褶子让他显得更机灵，更帅气。这些人用他们的高雅和智慧填满了我的心。跟这位无比优雅的大公爵告别的时候，我觉得特别喜悦。

我在丁香园吃冰激凌和花生的时候，把这些告诉了萨特。他也跟我讲了他自己的故事，尤其是他与一个女孩订过婚，但他不想带给她痛苦。从他口中诉说的一切是那么感人，他原本可以瞒着我的，他也不是不经意间地袒露……敏感的萨特，这让我惊讶……为什么呢？我亲爱的萨特，我们沿着卢森堡公园走回来，两个人都很开心，也说好新学年要常见面。

哦！今晨我经过的时候，蒙帕纳斯大街上的商铺帘子还没有拉开呢！

七月二十四日星期三

我和可爱的梅洛-庞蒂在卢森堡公园转了一圈。哦！当我在索邦看到拉马红光满面、笑盈盈的样子，我感到一阵无以名状的冲击。我们有一搭没一搭地聊了两句，我知道他不耐烦了。我去准备一堂无聊的课，脑海中挥之不去的是他那张脸，我向他袒露了这么多，他却什么都没有对我说。

蹩脚的一课，朋友们却很友善地对我说，还过得去。可我想跑向萨特，梅洛-庞蒂、他妹妹、宝贝蛋也和我们一起。我和梅洛-庞蒂一起吃了点心，又陪他去了迪卡塞家，突然下起了大雨，我没什么可跟他说的。幸好又跟萨特碰面，他带我去了巴尔扎尔，跟我讲了许多故事，关于他的童年、他自己、尼赞，我们再一起去尼赞家吃饭。

有佩隆、大公爵（冷漠、出色），尼赞太太很兴奋但不讨人喜欢，萨特有点低落，还有我……可怜的我，无论是这顿晚餐，还是我们在街头闲逛，都无法让我提起兴致。可怜的我，如此可怜！

拉马在巴尼奥尔烦闷不已，而他的妻子并不讨人欢喜。拉马不在那里。我给他写了一封荒唐的信。拉马星期五就要出发去度假，我能收到他的回信吗?

　　萨特告诉我,因为我的缘故,尼赞太太跟尼赞闹了一场。他是属于这个女人的,而我,我呢……哦! 勒内·马厄……整个晚上,我走在一边,与其他人离得远远的,我多么期待您的手臂能环抱着我的肩膀,就和那一天一样,我还想听到您温柔的嗓音。我们忘了,这一切已不再可能。而且我知道,您要是和我在一起,会更幸福。就一个夜晚,我们的眼里没有其他人,只有彼此。您会像您说的那样亲吻我吗? 我不禁痛哭。

七月二十五日星期四

　　我无法知晓这一切会把我带去何方……

　　哦! 我是知道的,只会把我带到假期的无边孤寂中,趁着假期,我将恢复过来——但让我哭一哭吧! 今晨,就让我用眼泪为这个太过美好的夏日哀叹吧。哦,马厄要离开了,马厄必须离开了,无论如何,他不会离婚,然后娶我,只有大公爵才会有这么疯狂的想法,而即使那样,我也不会接受。雅克还在,可多么不安,难以平静的灵魂,难以安放的心。我有时多么渴望那张略带稚气的脸庞,那份无意间残忍地伤害我的恩赐。哦! 我的拉马,我的拉马太清楚了,他过分的柔情对我来说何等重要。我刚刚见到他,在萨特讲解了拉丁语之后。他对我说:"您给我写的关于萨特的话很动人……您给我写的信也很动人……是的,我重读了两遍……我明白,您一定很恼火写了这封信,但对我来说,它带给我很大的快乐。"

　　哦! 为什么会恼火,拉马,为什么我会为了被您知道了您对我来说很重要而恼火。而且,您比我信中写的还更重要。正如他对萨特说的:"而且她是迷人的! "萨特回答:"您很好,从外表上看,今天早晨。和往常一样，当然。"他说："是的，我可能会给您写信……我到了乌泽什会给您传个信"，他还说"再见了，海狸"。能带给他快乐，能成为他心里重要的人，能配得上这如蜜果般在我口中融化的微笑，我感到说不出的幸福。但我又有说不出的悲伤，因为这声告别会持续很久很久。而且，我不知道这会是怎样的告别，明年又将完全是另一番光景。或许，这样更好，或许吧……两个月过去了。再见，哦！亲爱的拉马。

多么让人回味无穷的夜晚，多么让人回味无穷的萨特……

他来这里接我，我心情太低落，没法去大公爵家工作。他带我去了从未去过的、不见尽头的街道，我挽着他的手臂，跟着他走，像沉浸在他的故事里那样顺从他的身体。长长的街道，电影院，露天游乐会，我们在那里开心得像个孩子……集市，漫步，走向格拉希尔、科维萨尔，直到罗同德咖啡馆，我在那里喝了一杯鸡尾酒，而他不断地重复"您真是迷人的海狸"。多么善良，多么快乐，多么温柔。疯狂的时光，疯狂到让人回味无穷，我那么深深地爱着他……

七月二十六日星期五

以工作为借口，多么开心的一天……我们约在大学城见面，一起研究布特鲁，我穿着米白色无袖连衣裙，裙子很衬我……我们一起乘八路去吃午饭。我没看清，是梅洛-庞蒂，家长里短的对话让我厌烦，但在卢森堡公园与萨特碰面还是很高兴的，我想试着读读卢梭，却是徒劳，我太过沉浸在和萨特坐在一起的快乐中，我听他讲他关于冒险、艺术作品、生活的看法。引人入胜，我需要空闲的时间好好思考。和他一起走，走到拉斯帕耶大道，让我欲罢不能，之后我一个人去了邦马舍百货公司，再到广场小花园等他，坐上出租车去大学城，去"一道一道上晚餐"的地方吃晚饭，我想念马厄，想起了动人的七月十四日，那时他还在，边听边讲着茹安小姐、西蒙娜·若利韦[1]、冈迪拉克的故事。

我们轻轻地进了他的房间，在那里，我们无限地推迟着工作的时间……他躺在床上，嘴边叼着烟斗，细细地打量我的脸，在灯光的照耀下这张脸显得更美了。当他无比真诚、令人动容地谈论他自己，我看着他，听他说话，对他确认的价值也深信不疑。我喜欢他的手臂靠在我的手臂上，没有丝毫不安。我们在大街上的欢笑，我歪在一边的帽子，我们的计划，彼此信任带来的幸福，还有让我变成更迷人的海狸的塞莱克露天座，他说不知道这份默契何时会结束，它只会愈加强烈。哦！无数个夜晚中一个夜晚，哦！从拉斯帕耶大道、雷恩街回来，多么感动，一路上，我们说起了"伟大的萨特"，哦！我们热切地期盼着我们的未来、我们的生活，此时此刻难以言说地温柔。

我睡在床上，真的为他、为我自己沉醉。

七月二十七日星期六

还是在大学城，他的房间里。我们工作，他研究布特鲁，我读卢梭，读得不多。而后我们去了沙班吃午饭，只是为了可以慢慢走路去索邦大学。我坐在院子里，这样在图书馆准备法语考试的他才能看到"我漂亮的面孔"——但有人来了，改变了一切：哦！原来是您，拉马，一瞬间，我和您，就我们两个人，面对面。看我穿着的漂亮裙子，您微笑了，您的微笑……您带我去了巴尔扎尔，在那

----

① 西蒙娜·若利韦，人称图卢兹，夏尔·杜兰未来的女伴。——原注

里，您说："过去我和您在一起时，您喝柠檬汁。""但是……您永远和我在一起。""这正是我想听到您对我说的话。"他说他还要回乌泽什，即使他要绕一个大圈，但他不是和他妻子一起。"我不想说我妻子的坏话，但我之所以去乌泽什，是为了见您。"我的拉马很伤感，去巴尼奥尔也没能让他恢复，这令我很难过。为什么萨特和拉马在一起的时候，萨特就会失去他的重要性呢？那一定是因为我对拉马的一腔热忱让我深陷其中，无法自拔。哦！他独自一人，我多么痛苦，无法将他据为己有。我们和他妻子约在丁香园见面。萨特说得对：她很惹人厌，一想到那就是他的生活，他伤心难过时的港湾，他的快乐所在，就让我伤心不已。幸好，他摆脱她，和我们一起去高师。我的心里涌起一阵巨大的悲伤。我和萨特在公园等他。而后我们三人坐上了出租车，可那么迅速……我的天！我对这个男人的依恋这么深！

我回到自己房间的时候，难过得喘不过气来。幸好，萨特晚上会来接我，我们去了圆顶咖啡馆，他在那里碰到了一个不太熟悉的同学，让我开心了一会儿。之后，我们的手臂挨在一起，我们在卢森堡公园里走走停停，说起了拉马，我们刚开始认识的时候，还有我们在索邦大学的关系，似乎已经很遥远，但还是那么有趣。他乖乖地带我回来，让我继续研读卢梭。我的心里满满都是柔情。

七月二十八日星期日

上了一堂莱布尼茨的讲解课，上得很好，见到了梅洛-庞蒂，他跟我道别。

十点钟，我和宝贝蛋下楼（上午，宝贝蛋和我、尼赞、萨特一起在克纳姆喝了点，聊得很投机），萨特接我们去圆顶咖啡馆，他

323

们在那里讨论得很热烈，后来又去了"音乐盒"，他让我们听索菲·塔克的唱片。美妙的一刻，坐在扶手椅里，身边是宝贝蛋，看着这个可爱的小男人抽着烟斗，留声机里传出悦耳的曲调，不禁让我们想起那些最美好的日子。和宝贝蛋去了卡里永。晚上在家。我读了《亚美尼亚人艾尔》①，我想到了他们，想到了如今这份生活的恩赐，是他们拽着我走进了现在的生活。

七月二十九日星期一

在家吃的午饭，为我庆祝。

我很快乐，和这些野蛮人在一起，我心想：我要去和萨特碰面，欣喜万分地跑向卢森堡公园。我很快乐，怀着美妙的、放松的心情等待他。我们肩并肩坐着，聊着天，无比惬意。我们要去听尼赞的讲解，然后和他一起坐车，去玛德莱娜·德·普朗蒂埃家。玛德莱娜人很好，但现在我对这一切都无所谓，包括这些人。哦！我的心只为了这个夜晚跳动。我开始对大公爵和他的妻子有点厌烦，他的妻子一直在拨弄钢琴，尽管尼赞还是一如既往的优雅完美，可当门铃终于响起，我强烈地感觉到亲爱的萨特是属于我的。

我们欢快地在圣伯努瓦街、塞纳街散步。装模作样地打闹，叫喊，玩一些我们喜欢的游戏。在韦普勒、夏特莱广场，我们开着善意的玩笑。大公爵令人赞赏，而他的妻子今天晚上真让人受不了。萨特唱起了歌，声音低沉，让我感动。他在圣米歇尔大道上拉着我的手，紧紧地握着。只要我们在一起就好。因此当其他人跟我们道别，我们继续往前走，拥抱对方。我们坐在圣叙尔皮斯广场的一条

---

① 萨特的作品。——原注

长凳上。他的手搭在我的肩上，我很激动，我跟他讲在梅里尼亚克的故事……他的眼神中充满了开心和柔情……我能这样待上十个小时。他十分激动地对我说："您是一个非常迷人的年轻女孩。"可我睡得不好，因为种种事情辗转难眠。

七月三十日星期二

上午，我要去大学城找他，内心忐忑不安。我不耐烦地说了句"我不喜欢别人把我弄得喘不过气来"，惹他生气了，像是重申回归秩序似的，其实本就如此。我们在蒙苏里大街的露天座上玩耍，我玩得很糟糕，我想向他表达我的温柔，却感到很笨拙……我坐在出租车里，有点难过，尽管他很好。我们在安德烈餐厅吃了饭，安德烈是那里的主厨，我跟他讲了关于卢森堡公园的故事，听他讲高师，我又变成了迷人的海狸。但后来围着索邦大学闲逛，让我难过。我们遇到了尼赞夫妇。我看到了波利泽①，我们几人一起在克纳姆（为了换换环境）喝了点，我还是觉得很难过，不知为何。在巴尔扎尔，我听到萨特坚持说不需要表态支持共产主义的时候，我才慢慢回过神来。波利泽很聪明，生机勃勃，可多严肃啊……萨特和拉马都没有这么严肃。

等待结果，无比地愉悦，因为和萨特、尼赞在一起，他们拿布瓦万和施沃布开玩笑，因为我被录取了，而且和萨特只有两分之差，因为要和他一起去"那位女士"（莫雷尔夫人）家，我非常喜欢她，也喜欢吉尔。我觉得我对他们很好，我尤其觉得萨特很自在，就是这里……我对他的柔情溢于言表。而且我对他说了，我们不吃

① 乔治·波利泽（Georges Politzer, 1903—1942），马克思主义哲学家，主持编写了一本小册子反对柏格森主义，《人道报》的合作者。——原注

晚饭就要去蒙日街的一家电影院看电影，跟他在一起我是如此幸福——这一切都太让人回味无穷了，但这一切马上就要终结，无论怎样我的心头常常有这种担忧。在拉塞佩德街上挽着他的手臂，坐在塞纳河边的长凳上……多么温情……他跟我谈起了以后，带着一种他永远都会在我身边的神情，他跟我谈起了我的婚姻，似乎这是一种万不得已的选择，但他认为就是这样，因为海狸过于诚实，不可能有婚外情……他站在公园边说了这些，旁边有只白猫在转悠。而后，他走在街上，开始思考我们相处的方式——我回答："我让您来负责"——他生气的表情——在电影院我突然生出一种忧伤：这个男人是谁？这种行为算什么？"难道他不是为了评判我而与我分离的吗？"——我的头埋在他的双手里，痛苦的小女孩，困在他毋庸置疑的柔情和从前的偏见中。哦！这嗓音多么温柔："怎么啦，亲爱的海狸？"哦！他很高兴看到我很喜欢这部电影。我又恢复了一些平静，我比任何时候都更爱他，我们去巴尔扎尔吃了煎鸡蛋，对于伤心的海狸来说，这煎鸡蛋真美味。他跟我谈起了我的未来——突然可以用其他的可能性来逃避从前那份我深信不疑的爱情——终究，我会继续生活。我们毫不掩饰彼此的爱意，一路从圣日耳曼大道，沿着塞纳河畔，走到荣军院，直到我家。他说："今晚，您让我无比愉悦……您是我认识的最温柔、最忠诚、最深刻、最真诚、最单纯的女孩……"在突如其来的一声"再见"中我与他告别，他觉得这样很有趣，我还是有些不安，但已经愿意接受了。

七月三十一日星期三

　　冈迪拉克来祝贺我。他中午来找我，我才刚起来。他灰头土脸的，很疲倦，我讨厌的家人。我告诉了萨特这一切，他两点在楼下等我，带我去了双叟咖啡馆。哦！美妙的下午……坐出租车去了奥尔良门，又坐了有轨电车，他觉得皇后镇很有趣，我在一家小咖啡馆等他，读着舍伍德·安德森，我们冒雨回家。在这列火车上，我感受到了我对他完全的信任，甚至是让我震惊的信任，多么让他感动。在这列火车上，透过车门，我们看到了大学城，看到了蒙苏里公园，他的手臂在我看来就像一个甜蜜的避难所。然后在火车站的马耶咖啡馆，那首关于冈迪拉克的歌①。在保罗表哥家吃晚饭，我多么渴望我深爱的那个人也在场。在莫雷尔夫人家，有人出现，令人捧腹。我在杜伊勒里花园星星点点的池塘边度过了一个小时。我们在河畔玩耍，他扮成里夏尔小姐。在小咖啡馆，我喝了杯中国茶，我对他说："让-保罗·萨特就是让-保罗·萨特——这能让您走很远"，可我能想到他会做一些自己都不认同的事吗？今晚，我似乎是"一个真正的奇迹"，而他也像每天夜晚那样，带着一如既往令人信服的声调，向我保证他对我的好感与日俱增，而且我一直在带给他惊喜。

坐在出租车里，我从未感受到如此的甜蜜，我静静地聆听着被他抱在怀里的兴奋心声，我完全信任他。

八月一日星期四　萨特

和烦人的冈迪拉克一起散步，吃午饭。去见了大公爵，马上要跟他道别。他们在与波利泽聊天，而萨特更喜欢跟我见面和敲弄钢琴。跟他在圆顶咖啡馆，有点闷闷不乐，但巴黎穿上了最美的告别礼服，高师的花园里阳光灿烂。他带我去了一些迷人的小角落，我们在阳光下说说笑笑，两个小时，他的举动再也不会让我受惊吓。

---

① 这首歌由萨特作词并配乐，歌词如下："不屑，不屑想象这些/冈迪拉克，勒巴图尼尔/笨蛋的首领……"——原注

我们一起去了莫雷尔夫人家。夜晚的温柔难以想象。在电影院，在我心中，我完全献出了自己。在街上，我因为他的真诚而欣喜不已，这份真诚让他变得更温柔。

八月三日星期六　梅里尼亚克

从第一眼起，我就重新找回了平静，找回了深深的喜悦。萨特不在身边的痛苦，比我想象中更难以忍受——远离我的小伙伴们让我感到无聊，我还清楚地记得去年我在等待什么，但我很平静。哦！最可靠、最纯洁、我最深爱的你，我是如何在这片你从未到过的树林中找到你的——是你，而不是其他人。三年前，在这些石头上，你就是生命，我带着怎样的焦虑害怕看到它被拒绝。现在，它或许也是君士坦丁堡，自由的爱，无数的东西……但带着美好、甜蜜的认可，只有你。

此外我们将拭目以待，这个假期是最终决定的前夜，我不知道我将与谁重逢，但我想真的会是你，在那令人目眩神迷的完美中重新出现，我确信这一点，却从未试图向他人保证。哦，最遥远的，但也是最渴望的，雅克，我向你献上这个假期。

就在昨天，八月二日，星期五，地铁把我带到了他的身边，我的眼里噙满了泪水，我们在不再属于他的那间卧室里度过了三个小时的亲密时光，那么温柔缠绵。我送他去车站。他对我说了许多动听的话……他爱的不是半透明的、虚假虔诚的人，而是健壮的、有肱二头肌的、理智的、有性格的、有活力的生命，他们有时会大笑着抗议，实际上却会毫不犹豫地牺牲自己，而且牺牲得如此优雅，让人以为他们毫不费力，他爱的是那些有激情又平和的小女孩，她们献出自己的全部，永不收回，那是些慷慨的灵魂。然后，我向他的火车告别……我打了一辆出租车，经过我们曾一起坐过的那条长凳。我去买东西，看到了惹人厌的拉马太太，我坐在火车上，带着执着的期待，带着难以排解的不安，思念萨特。

盘点他对我的意义，盘点他们给我带来的一切，将是未来几天的任务。但是，不管我有多担心，多烦恼，我都不会退缩。我相信这个人，我会相信我对他的柔情既不是对拉马的不忠，也不是对你雅克的不忠，所有这些事我都会讲给你听。

梅里尼亚克，我珍贵的自由……很容易被奴役，却很快从这些关系中解脱出来，这个小女孩。我只需要阳光灿烂的一天，我还要写信给萨特。我只要折叠躺椅上的一个小时，在草坪上，听着蝉的低语，听着远处传来的声音……于是，深深的激情又平和，这个小女孩忠于沉默的自我，在巨大的孤寂中被唤醒：是谁，除了他还有谁会看到高大的松树犹如一位老人，会看到明朗的天空中升起了第一颗星星？谁会为所有过去而悲伤，由此重新找回自我的连续性？让其他人都见鬼去吧！只有我的梦是珍贵的，只有我慢慢写下的这些话是珍贵的，那么轻而易举。或许是泡影。我对自己的爱是一回事，我的遗憾是另一回事，我的每一段人生都是如此。选择这一段，是因为它流淌在寂静中，显得庄严肃穆，这也许太简单了。总是有这样一种古老的想法：如果剥离了一切，自我就会更加纯粹，而自我用一切来完成自我构建。

我渴望在心中留住那梦想的脸庞，原封不动地，收集那些声音，聆听那纯净的情感，在那里，我的所有青春都会被铭记——哦！"童年爱情的绿色天堂"。这些离巴黎多么遥远，在这里却是必需的。渴望认识其余的一切，或许并不是为了言说，而是为了在坚持本质的时候不会说蠢话。我渴望对所有这一切进行思考，渴望工作，渴望写作。

雅克，只有对你我才能诉说这些沉甸甸的玉兰，诉说这种味道。从第一个晚上开始，一切都回到了原点，她既不是啃食自己脚的长颈怪兽也不是海狸，既不是用肠鸣声表达思想的怪兽，也不是参加教师资格考试的学生，而是那个十六岁时无视道德、奉献给生命的人。感谢他们，回到自由，感谢他们……之后还会再回到这一点上：应该从今天到八月二十日做一次认真的调整。

八月四日星期日

我想起这难得的几个星期。哦！我的拉马……我是多么软弱，迫不及待地让自己沉浸在一份切近的爱里，而不愿理会可能会带给我痛苦的强烈激情，但现在一个两个的都成了虚无，萨特不在身边，我只会觉得不自在，但您，马厄，带给我的却是烦闷不乐，只有您才能让我如此痛苦，带着一种绝望，在我十八岁时我也曾经历过同样的悲伤，只是没有现在那么强烈。想起您的时候，我的眼中才会满含泪水。只有对您我才愿意敞开心扉。我多么渴望您能给我写一封信。而且为什么要比较呢……每一个人的爱都是非常独特的。有趣的是，看起来最亲密、最接近情投意合的爱却更平静、更像一份手足之情。哦！没有理由为这一切而痛苦，这一切都是那么美好，拉马也不会因为我对萨特的柔情而埋怨我，萨特也同样不会因为我对拉马的爱而怨恨我。这些草地、这些树木在阳光下是多么平静。我的心得到了安宁……雅克的样子一天比一天清晰。

想到了高贵。两年前，梅洛-庞蒂用这个词来形容我的时候，我就反对过——同时我也认为应该去尝试。谎言。雅克从未让我变得高贵，只需要细腻，细腻和高贵是不同的，而我自己也从来不想穿这些难看的高领衣服，现在这些都已经被我扔了。

八月五日星期一

其实我和他们写多少徒劳的信都不重要，整个世界里，只有他们一直在那里，我的小伙伴们，萨特，我的拉马。我被他们包围，只有我和雅克之间悄然的默契才能让我身处他们之中时感觉更加稳固。安然的生活，时间一点点过去，不觉得空虚，也没有惊喜。比如像今晚，我坐在荞麦堆里，感受着泥土和潮湿青草的香气，令人陶醉的风景中，湛蓝色的天空尤为耀眼，我的膝上放着克洛岱尔的书，内心无比平静，也许这是我人生中第一次感到一切都有着它的意义。我可曾知道有这样的办法？既不是对乡村的狂热，也不是孤独带来的眩晕，既不是过于热情的心对阳光的遗忘，也不是匆忙，更不是慵懒，而是夏日的灼热，我不曾追求过的神圣智慧。

今天和玛德莱娜在乌泽什，既不是为了消磨时间，也不为此欣喜若狂，我在那里没有期待，没有回忆，也不感到厌烦，却充满了生机。这似乎是我人生之外的一段时光，不知从何而来，不知去往何处，却又不带来任何独特的东西。这是一种从未有过的安全感。或许是因为确信马上要在这里见到萨特，这种确信对我现在的精神状态来说是很重要的。我指望着他的到来，我比我想象中更需要他的到来……

八月六日星期二

我坐在闲适的一角，小溪的潺潺声把我与这个世界分隔开，就像曾经的那两周，我也坐在如此清新的石头上读本森[1]，也是同样

---

[1] 罗伯特·休·本森 (Monseigneur Robert Hugh Benson)，作品有《大地之主》(1907)，《精神信件》(1928)。——原注

的忘我……想念他们。一模一样，如同蓝色蜻蜓和星光点点；一模一样，但也更加丰富！

曾经那么渴望回来……可现在又害怕回来！

八月七日星期三

您会如何回应像四月八日那天那样充满激情的呐喊，亲爱的萨特——没错，在您面前，我可以说那些我觉得虚伪粗俗的东西，您不会要求我假装高贵，您会理解我。啊！我衷心地表达对您深深的感谢！（我甚至可以接受您嘲笑我。）

马厄！为什么我要重读我们曾在一起的日子里写下的手记？为什么不断地说您是第一个？我只能为您伤心难过，只能伤心难过。因为这是无法比较的……在这间房间里，夜里亮着灯……我想念亲爱的小男人。"平静而又深刻的激情"，他曾这么说，我心里有点不认同，但我内心的这份温馨证明他是对的。这一年认识的其他人，我不断地为他们付出、付出，试着接受他们给予我的，但这些对我来说毫无意义：令人失望的努力——在这里我得到满足，受到掌控，我只是担心害怕会失去一切，从如此美好的顶峰滑落下来。哦！不要让我变得庸俗，哦！强迫我去思考，去存在，我的小矮妖①。早年困扰我的过于敏感的东西已经褪去，我只感受到智性的力量是如此强大，如此丰富，如此为人所爱。我总能从我的内心摆脱出来，从过去，从承诺，从任何情感中摆脱出来，但是，如果有

---

① 借用爱尔兰作家詹姆斯·斯蒂芬斯（James Stephens，1882—1950）1912 年出版的《黄金罐》中的神话人物，小矮妖是一个潜伏在树根下的侏儒，他通过制作小鞋子来对抗不幸、麻烦和怀疑。西蒙娜·德·波伏瓦和萨特从中看到作家的化身，并习惯于用"我们的小鞋子"来称他们要写的书。——原注

谁能为我开启更广阔、更高尚的人生，我将全心全意地听从他的安排，并能为他做出巨大的牺牲。因此，即使我那么钟爱拉马，但也许我更依恋的是萨特，这是其他人无法比拟的。更重要的是，我感觉自己浸润在他的思想里。今晨我收到了他的来信，可拥有我的并不是这个叫让－保罗的迷人男人，而只是他这个人，他坚信自己的价值，而且坚强。他在爱情方面的弱点，在我看来是源于：他不需要……爱他，就是从他那里接受，被他征服。那么，如果我们有片刻逃离他，我们不会因为对奉献的巨大需求而回到他身边，这种需求使女人爱男人身上他所缺乏的东西，以证明这种爱是对的。必须要让萨特索取，对一个女人来说，亏欠一切却什么都不付出是很难的。

那一天，他关于爱情发表的看法中有一点是错的：人们或者说"我更喜欢你跟我说话"，或者说"我更喜欢你吻我"，但从不会说"我既喜欢你跟我说话，也喜欢你吻我"——你可以喜欢一个吻，也可以因为一些字眼而喜欢他，如果那些字眼让你反感，你就不再喜欢他了——爱可以超越尊重，但爱里必须要有尊重。很多男人都会情难自已，但要爱上这情难自已，就必须深深地低下头，然后偏爱。

八月八日星期四

不同凡响的一刻。脚下的田野弥漫着晒干的稻草和丰盈红土的味道，壮丽的利穆赞，而刚刚收到的信填满了我的心。

和去年收到雅克的信时一样激动，同样热切地渴望悲伤不要降临到这个众神的宠儿身上，同样的献祭……小女孩，这几个月你学到了多少东西。你今天之所以如此幸福，该感谢的不是你自己，而是这个男人，因为在所有被打上了恩赐记号的人面前，你只有给予温情，只有信任。你无法拒绝，也不可能回报自己。但或许能保护你的正是这份信任。或许你就应该这样敞开心扉，不设防备，让他们因为你的温柔而不愿意攻击你，才能保护好你不受到自己的伤害。

　　您的仁慈，拉马，保护我免受自己的伤害。如果说有时我会害怕，并不是因为您，而是因为我自己，并不是因为您没有对我提出要求，而是因为我热切地渴望别人对我提出要求——尤其是有一晚……您是知道的，拉马，没什么难以启齿。我不想只是成为您的小甜心，我不想成为任何一个人的人生，但我喜欢的是这样的港湾，这"立正的姿势"或者说我爱的人的避难所。他们两个人，两个人都让我心潮起伏，难以平静：拉马和你，雅克，你抛下了我，可我对你没有一声指责，因为你永远不会知道，你的沉默带给我多大的痛苦，多少心绪不宁。哦！我常常觉得，对于我的命运，拉马温柔、克制的分寸比萨特的勇敢更危险。拉马，当您到伦敦的时候，我将给您写信，诉说这一切，那时，我向您保证会把您放在第一位，只除了一个人，甚至把您放在我自己、我的作品、我的幸福、我的荣耀之前。很神奇，雅克，你突然让我泪流满面，我为你的软弱带给我的力量而痛哭。萨特一针见血，他说，我爱的就是这种男人，他会带给我不幸，我却无怨无悔地付出了一切。他也同样说过，我是这种值得最好的一切的小女孩，和我在一起，别人会黯然失色，但因为有了我内心所选择的那些人的恩赐，我奇迹般地觉得自己受到了保护，无需自己保护自己。但现在，我在六月八日所写的不再是真的了。你再也不是救赎，大地对我来说也不是封闭的。我曾偏爱你，但马厄，甚至萨特和你对我一样重要，我要求你为自己辩护。尽管有你们三人，我却独自一人面对自己的命运。

　　但因此，我的灵魂越发"优雅明亮"，我越发一点一点地认可你，爱着你。反正因为你的存在，我才深深地觉得这份认可、这份爱是必须的，当我最终被征服的时候，在最美好的危险中内心获得了安宁。啊！我多么幸福！麦琪·塔利弗[1]，我的姐妹……

我需要萨特，而我爱马厄。我爱萨特带给我的一切，爱马厄这个人。回到我身边，不顾一切。我的拉马……

八月九日星期五

写信给萨特和拉马。冈迪拉克到来，我带他游览了乌泽什，可心里只想着萨特。下午和他、让娜、宝贝蛋一起散步，还到了吉梅尔，那里的阳光很刺眼。全身心地沉静在节日的气氛中。冈迪拉克是最笨的笨蛋，但这些时光依然精彩，因为有优雅的宝贝蛋。

八月十日星期六

和冈迪拉克沿着韦泽尔河散了很久的步，我对拉马的思念尤深。在梅里尼亚克吃午饭。下午陪冈迪拉克去了布里夫，没有去年我和宝贝蛋单独来这里时开心。但我心里充满了喜悦……

八月十一日星期日

整个白天，我都在梅里尼亚克对面的山丘上看书，那里漫山遍野的蕨类。我如往常一样每天给萨特写信。

我很幸福。

---

① 乔治·艾略特的小说《弗洛斯河上的磨坊》中的女主人公。——原注

八月十二日星期一

玛德莱娜带着她的家人来了梅里尼亚克。白天，我们挨坐在草坪上看书。我讨厌她。但我还是那么幸福，甚至幸福到有些忘乎所以。

八月十三日星期二

今夜难以想象的温柔，我的白马王子拉马，我要把今夜献给您，难道今夜不都是您的吗？（啊！为了弥补这个夜晚，我还愿意忍受怎样的痛苦，怎样的令人激动的悲伤。）夜晚八点，泛白的天空柔和，空气中发生了最细微的变化。树木周围一片宁静，蝉儿开始歌唱，泥土和石南花的芬芳扑鼻而来。我站在这里，眼前飘过的是渐渐消散的云层，还有这无边无际的蓝色，当月亮升起的时候，变得更加明朗。蕨类显得醒目突出，星星在空中一眨一眨的。田野上传来阵阵喧哗，很快就销声匿迹。蕨类植物的叶子在暖风中摇曳，一只大黄蜂时不时地飞过，用它短暂的轰鸣声吟唱着时间的静止。我是这具散发着泥土和青草气息的躯体，是这个无怨无悔、无欲无求的灵魂。我被这一时刻的纯净所填满，被这一时刻的纯净记忆所填满，被这所有的软弱所填满，而这一切软弱都想成为壮阔华美的、完全确定的力量。

我：我的十六年，热切地献给生活，我的承诺，今天兑现。我：这片乡村始终如一，平静而深沉，温柔地唤起人们的记忆。您的脸，拉马。完全属于我的，完美的给予和接受，毫无危险。在经历了这些日子的小心翼翼之后，我终于敢在这里敞开心扉，向近在咫尺的过去敞开大门，我曾担心那会让我痛不欲生。在这里，我终于释放自我，毫无保留地想着您；在这里，一切都会回到我身边：您的微笑，您的优雅，您的温柔，以及我所知道的所有时光。您知道我找到了最纯粹的您。您不可救药地成了我的，没有其他任何能达到这种理想的结合。

白天的最后一束光照在这封我没有力气再读一遍的信上，每一个字都像神圣的幸福一样向我袭来——这些眼泪只代表着一颗满溢着喜悦的心。在或不在，再也代表不了什么。当我沿着田野往下走的时候，当蟋蟀在月下喃喃低语的时候，当我在散发着松钉清香的林荫道散步的时候，甚至直到此时，您都真实地存在着。我从未如此坚定地献身于您，欣喜地确信您是我的，时间和距离也从未如此无奈。我的柔情从未如此高涨。只有一个人的灵魂如此纯净，如此芬芳，让我如此深爱。同样深爱的，不会更多，是我的白马王子拉马，他于我不再是痛苦，而是快乐和彻底的放弃。

八月十四日星期三

为什么在我写了一封敞开心扉的信之后，在我如此思念巴黎的时候，在我想到巴黎总是浮现出他的面庞的时候，萨特却悄无声息了？我们在一起的夜晚，他的温柔，我的信任，我们的快乐——那些时刻一个个地散落，令人回味无穷，却也那么容易掺杂着苦涩的味道。如今我多么爱你，我多么渴望您在我身边，我觉得非常空虚，这让我很难过。

八月十五日星期四

还是没有音信。他在等我给他再寄一封信吗？空虚……

而后我收到了夏洛特的留言，她写了一句很阴险的话："我要去日耳曼娜姨妈家。"远远地，我可以好好地思念雅克，做选择，跟他说话，但一看到纸上他母亲的名字，我就失去了所有生活的趣味。我害怕，我害怕他带给我痛苦，我也害怕想象着他的面庞。今夜我梦到了他，我很难过。一个月后，从他到我，会有什么变化吗？面对这可怕的危险，我是多么害怕，多么恐惧。

八月十八日星期日

幸福的海狸？幸福。星期五收到了一封信，昨天在期待和烦闷中度过，暴风雨前的天空阴沉沉的，我所有的脆弱如一阵恶心般向我袭来。但今天下了一场雨，整片乡村又变得清香柔和，还收到了一封更好的信，一封代表了让-保罗所有柔情的信，他明朗而仁慈的柔情，在这里比往常更是一种完美的恩赐。

我走过弗热家，走过方尚德家，一直走到孔达。我想起了加斯东伯父，想起了那些美好却饥肠辘辘的早晨，我跟着他去打猎，想到了我过去的绝望和希望，想到了以后，想到了我自己。是的，有着女性命运的女人，正因此才会"我心向往之"。我满怀激情地完全接受了这些天让我害怕的所有风险。但愿我的心会为世间所有的汤姆[1]而痛苦，有什么关系呢，若在这世上有汤姆值得爱——哦，雅克，哦，拉马，你们对我来说不再是苦涩的，你们的恩赐对我也是有益的，有什么关系呢，如果我的生命中始终有这个见证，即使在君士坦丁堡，我的思绪也会知道如何找到这个亲爱的让-保罗，我的心里装着他，在如此宁静的幸福中，穿过湿漉漉的田野。最终，

---

[1] 和麦琪·塔利弗一样，汤姆也是乔治·艾略特的小说《弗洛斯河上的磨坊》中的主人公。——原注

田野的高处总会有一棵巨大的栗子树，而我这颗依赖他人的心太容易被人夺走了，这里的一切都只属于他一个人，雨中灰暗而温柔的乡村，以及等待流水归于平静的温柔而悲惨的英国小说。我不害怕，我只会害怕无用和无聊，而我的生活无比充实，对他们中的一个来说，我是力量，另一个，是温柔，还有一个是乐趣，能帮他排解烦闷。而他们的生命对我来说如此珍贵，与他们在一起的一个瞬间便足以为我的生命做出辩解。萨特要来了，他给我写了一封如此动人的信，我有好多事情要跟他说，我多么渴望他在我身边。我太激动，太高兴了。

八月十九日星期一

到达格里埃尔。

八月二十日星期二

萨特到了。无边的快乐。我有点害怕，让我显得有些做作。

八月二十一日星期三至九月一日星期日

萨特的短住

每天早晨，我七点钟醒来，会在床上赖很长时间，因为高兴，心怦怦直跳。我来到草地上，一直跑到圣日耳曼[①]，默默地念叨着我要跟他诉说的一切，我沐浴在早晨的清新中。前几次，一直到金

---

① 圣日耳曼勒贝尔小镇。——原注

球旅馆，在圣日耳曼广场上，好事者透过窗户窥视着一切。他坐在长凳上等我，穿着一件米白色的套头衫，这件衣服我在大学城也见过。二十五日星期日那天，爸爸和妈妈突然出现在草地上，吓了我们一跳，这一幕也成了我们众多回忆中最有趣的一幕。我坐在猪舍路的街角，等着他。而后我们又去了某片草地。星期日，在大草地上，他没有吃午饭，我给他带了一些苹果酒和香料蜜面包等。我们玩编故事。后来我们在通往火车站路上的一片大草地上坐下。我讲了许多故事，所有关于我的故事：在家里的时候——在索邦大学的时候——在德西尔学校的时候——等等。他很爱听，还在我讲述这些的时候，盯着我"拉长了的脸"看。下午，是我们第一次去巴加。周四，是去乌泽什的美好一天，我们在沙旺餐厅吃了午饭，之后在古老的街道上散步。他觉得这些路就是用来给一群小男孩生活的，在这里读书，这些是属于他们的街角。这样的散步真愉快，我们觉得彼此之间有那么多令人开心的事，后来我们又到了一片大草地，可以俯瞰整条韦泽尔河，我们继续讲故事，又突然沉默不语。水面上有一些小船，还有一位握着鱼竿的渔民，可能就是大公爵。他说起与一些小女孩的友谊，他爱她们更多是出于朋友之情，而不是男女之情。现在我已经慢慢接受被他抱着、感受到他的力量时那轻微的不安，不再那么局促。我对让-保罗的崇拜和信任是无以复加的，我对亲爱的小矮妖的爱是毫无保留的。我们去圣厄拉利的时候，他阐述了偶然性的理论。生动的哲学，我用心去理解。我们在安布鲁瓦兹餐厅吃了晚饭。坐在他对面，我甚至没有说话的欲望，而我原本有那么多话想对他说。我们坐火车回来，想起了在皇后镇的事，无比感动。当我们回来静静地坐在路边，在一片黑暗里一声不吭，我感到许久的心动，我依偎在他怀里，毫无保留地交托于他，我的整个身体也感受到他的局促和不安。

星期五，在猪舍路度过。开始在铁路边的草地上，临着小溪，我是那么无忧无虑的海狸，他跟我讲他与孔布女人[1]的故事，我自在地跟他开玩笑，肆无忌惮，自由又快乐，接着是一个长长的中转站，穆罕默德在那里拼命地敲击，接着是一家小旅馆，里面有绿色的蜡画布，粉红色的墙壁，瓷花瓶里插着淡紫色的大花束。我感觉那天他甚至比我更温柔。我的表坏了，我们弄错时间，所以回来得很晚，受到斥责。

星期六，还是这家我认为很可爱的小旅馆。

星期日，父母的闹剧过后，我们去了伯纳四十号。我们要了柠檬水和啤酒，我们坐在昏暗的一角，边喝边听他说他激情时期的故事。

星期一，去了小树林，在那里我第一次发现了他"街头艺人"[2]的一面：就是这张温柔又睿智的脸庞对着我唱"汉娜小姐"，正是这句"我乱七八糟的脸蛋"让他觉得格外动人，我温柔的脸庞，让他觉得太美了，还有他的微笑，发红的脸颊，微微合上的双眼。一个小男孩看着我们，我们跟他开玩笑。那天晚上，他吻了我，蜻蜓点水般的……

星期二，两个小时，我觉得格外疲惫，情绪很糟糕，因为我很累，也很热。他平静地在树下等待，我的小矮妖，等着海狸重新出现。在小旅馆里，是他的吻，他的肩膀，他的拥抱，让这个疲惫的小女孩又带着满心的柔情回来了。"您非常珍贵，也非常脆弱，亲爱

---

[1] 玛德莱娜·孔布是一位上了年纪的连载小说编辑，1925 年 11 月，她曾想雇用萨特为她的书当捉刀人，同时试图引诱萨特。萨特以长篇讽刺小说的形式，叙述了这个故事的滑稽情节。——原注
[2] 萨特当时喜爱的关于作家的另一个神话，借自辛格。街头艺人始终在游荡，用美丽而虚假的故事来掩饰生活的平庸。——原注

的海狸，"他对我说，"要毫无顾忌地交出自己，必须更小心些。我对您怀着一种钦佩。"

星期三，还是小树林，柠檬水，巧克力，他唱歌。他唱着："我的孩子，我的姐妹……"我心潮澎湃。我的街头艺人……所有这些爱意都是轻柔的、美好的，表达起来就像感受到一样容易，如此真诚，但又蕴藏在巨大的游戏中。

星期四，我们游览草地。

星期五，星期六，我们度过了最后几天。街头艺人和小女孩之间萌生了一种可怕的柔情——"我漂亮温柔的脸蛋……""您那么精致……""迷人、迷人的小女孩"。与玛德莱娜和宝贝蛋度过了一个愉快的夜晚，我们还用我的父母、表亲、姐妹和老伯母编造了多么迷人的神话。我给他讲了那么多故事！还有他……这么多可爱的想法：关于医生、历史、艺术、偶然性——令人赞叹的"偶然性之歌"。珍贵的笔记本[1]，里面记录了许多振奋人心的思想，我的让-保罗美丽而严肃的头脑，他向我揭示了一些东西：关于想象力，关于心理学，等等。

我多么喜欢他的建议，我们的计划，他说起我时那专注、专心的样子。多么美好的日子，我们在故事、思想、爱抚中穿梭。

多么让人回味无穷的故事，小伙伴们的世界就在眼前：拉马，大公爵，莫雷尔夫人，吉尔，还有被我们拿来开玩笑的阿隆和波利泽。在我们身后是多么伟大的过去，而未来又会多的壮丽。于是，心灵的自由，阳光下身体的自由，没有束缚，以及说出口之前

---

[1] 这是米迪药膏和栓剂送的笔记本，萨特在这些笔记本上按字母顺序记下他的想法：关于电影、评论、阅读的作品或听到的事情、诗歌以及各种言论。其中既有马罗的诗句，也有对康拉德的《吉姆爷》的分析，还有令他感到有趣的评论，如："这是一部美味的作品，像蛋白酥一样酥脆香甜。"——原注

要好好想一想、要考虑得更清楚才能说的话，这些日子就这样过去了。我爱我的小矮妖，他专注于把一切都变成乐趣。让-保罗，严肃，坚强，丰富，而对我的街头艺人，我那么了解他，除了这些他想要给予我的瞬间，我不会再要求更多。而藏在这个温柔的小女孩心中的女武神，带给他无限的乐趣，她知道自己很坚强，和他一样坚强。

而昨晚，这个街头艺人多么温柔，这颗心、这个身体那么激动，这些话依然灼烧着我："我亲爱的爱人""我爱你"。这两张脸庞，一张是温柔的年轻女人的脸，她带着世间所有的乖巧和聪慧，另一张是小女孩的脸，这几日爱情降临到她身上，而他说不应该质疑这份爱。"您不知道您的脸是多么温柔，亲爱的小女孩。""您不知道您的声音是多么拨人心弦，多么温柔。"他在草地上对我说。"我的爱从我的小女孩这张可爱的脸上落到她的身体上。""我也一样，我全身心地爱着您。"我对他说。唤醒这个躯体，唤醒这个女人，从未有人像对一个真正的女人那样对她说话。我忐忑不安，第一次听到这样的话，第一次躺在一个男人的怀里，温顺地，迷失在温柔中，渴望奉献自己的一切。

哦！无论将来如何，这些瞬间，他紧紧地抱着我，嘴里反复说着"我爱您""我们多么幸福"。啊！他在来的路上发出的陌生声音，他离开我时改变了的面孔，以及我对他的热情。然后，他离开了，我不顾一切，在黑夜中奔跑，带着一种喜悦，如同在那几个小时的甜蜜放纵之后获得了巨大自由。第二天的早晨，独自一人的快乐，完完全全属于我的快乐，我自由，坚强。

而后是内心的不确定，这颗心终于试图去思考十天来它疯狂地为之付出的一切。谁知道它有多爱萨特，谁知道它有多爱拉马，谁知道它有多爱雅克，爱他们每一个人的方式都不同？但谁又知道该

343

如何调和自己内心的所有这些爱呢?

九月二日星期一,九月三日星期二,九月四日星期三

美好的日子。一切都被理解、被深爱、被支持。我的女武神灵魂是孤独的、快乐的、强大的。我的思想觉醒了,想存在,想诉说。我的幸福如此完美,如此充满希望,如此充满确定性,以致必须回到四年前才能找到这样的幸福。这就是我在同样的九月夜晚翘首以盼的"生活"(今晚,刚割下的荞麦束映衬着血肉模糊的大地),这是我从未想到过的大"世界",这是我自由的身体,我被填满的心,我自觉活跃坚定的思想,随时准备投入工作。

与这一切都有关的萨特在我的心上,在我的身体里,尤其(因为许多其他人也可以在我的心上、我的身体里)他是我思想上无与伦比的朋友,我非常高兴能与他相逢,与他有这么不同寻常的默契(哦!比与拉马或雅克相逢更高兴)。这会是一种全然的激情,闻所未闻。远远不止这样,这与我之前对雅克的感情,那时的疯狂,那时的困扰,都无法相提并论,但这是幸福,这是我的全部,对他来说也是无限温柔。这是我们两个人的骄傲,是对他无可比拟的价值的肯定,是他细腻、慷慨、宽广的胸怀的存在,是他精神的恩赐。我从未体会过这样的平衡,这样的幸福,对自我和对世界的趣味,而这些都是他给予我的。这正是我一直渴望,一直追寻的,也是如此完整地赋予我的。

一切都很简单。已经一切就绪的这一年将是完美的,之后的事情将在一年后决定。我现在的梦想是去旅行,去冒险,永不停歇——拥有耀眼的人生。

然而,今天晚上,我独自一人坐在台阶上,旁边是铁桌的台

灯、扶手椅，我的眼前似乎总能浮现出同样的景象：你在我身边，雅克。那是你，不是别人，那粉红色的香脂树上奇异的光影，那是你，不是别人，我心中湿漉漉的甜蜜，还有从公园后面经过的阿尔玛伊德·德·埃特蒙。我只能等待。

我爱他们每一个人，就仿佛他们是唯一的，我将从他们每一个人身上得到他们给予我的一切，我将给予他们我能给予他们的一切。谁能指责我？

我不想去弄明白我对萨特的感情，也不想将其与爱情相提并论，因为这肯定不是爱情，或者说尚未到爱情的程度。还需等待。

一切都很简单。我从未如此享受阅读、思考，如此充满活力和感到快乐，并憧憬着如此丰富的未来。哦！让-保罗，亲爱的让-保罗，谢谢……

九月六日星期五，九月七日星期六，九月八日星期日

拉马的短住

就像一个持续两日的梦，我还是不敢相信。

一封信的到来吓了我一跳，我蒙了，很着急，只是因为晚上要与拉马碰面，在最温柔的等待之后，我终于在一节二等车厢里，看见了一位身着米色格子夹克、胡子未刮、又脏又累、看起来像拉马的人，他站在乌泽什火车站的站台上，肩上搭着外套，戴着帽子，提着两个行李箱（真像来旅游的）——等公共汽车，不知何时才来，我沿着昏暗的街道往前走，到了雷尼耶，惊喜地发现我在这里住进了一间陌生的房间，位于韦泽尔河畔的房间。拉马边唱着歌边

洗漱，等他是多么有趣的一件事。我们在沙旺餐厅吃晚餐，我把他和我的那一份都吃了。夜晚漫步在乌泽什，我是那么快乐，他倒着看天空，身体靠在教堂广场的石栏杆上。当他在我的房间里与我共度了一个小时之后，亲吻我的手，与我道晚安，多么迷人的一声晚安。

第二天，他大步流星地向四面八方走去。哦！"我们特地去了"埃斯帕蒂尼亚克，蜿蜒曲折的道路，市政委员会，柠檬水！他说起了高卢人"Omni Gallia divisa est"①、希腊人和罗马人，还有他在库唐斯的生活。他唱起了《如此湛蓝》，他是我的拉马（更像我的拉马，比以往更珍贵。您在怎样的高度上，让-保罗，才能让您……！！）

我们在沙旺餐厅吃午饭，在韦泽尔河畔的草地上一起寄出给大家的明信片，而后我们又去沙旺餐厅喝柠檬水，那里有点好笑，墙壁是绿色的，配有真皮长椅。我们互相说着蛮横无理的话，他格外诙谐，下嘴唇很滑稽，他讲了很多关于高师的假消息。我经常看到他这样，穿着衬衫，靠在长椅上。我们去圣厄拉利，又随意地从那里离开。我们沿着阿萨克河走，在那里我们和大公爵一起玩划船比赛，我们涉水，他爬树。我永远不会忘记"年轻、渊博的勒内·马厄"站在树枝上，挽起了灰色法兰绒长裤的裤管，头发挡住了脸，脚下是夕阳的颜色。令人难忘的回程，我的鞋子湿透了，我的袜子也破了，赤着脚，不知道该走哪条路，而他往水里扔鹅卵石。我们顺利地到了沙旺餐厅，马厄被当成了乔装打扮的王子，老板热情地接待我们。我们谈论萨特、我的生活、我的婚姻，小心翼翼，无比温柔。无论如何，这说明我们将永远是拉马和海狸。我一不留神喝

---

① "高卢整体分为三部分。"引自尤利乌斯·恺撒的《高卢战记》的开篇。——原注

了一整瓶一九二三年的夏布利酒，头晕目眩，他躺在我的床上，向我诉说着这疯狂的一年。他无法下定决心离开，我也无法开口让他离开，我看着他，仿佛陷入了幻觉，他那笨拙的样子和滑稽的表情。

到了夜晚，难以忍受……①

我多么喜欢早晨醒来听到他的声音："早上好，海狸"，他蓝色的睡衣，古龙水，还有他借给我用的香皂，他温柔的关心。去佩鲁兹草地②的路上，我身体不舒服，他温柔地挽着我，将近中午的时候，他带着怎样的柔情两次亲吻我的头发。我亲爱的拉马。吃了午饭，我恢复了些。他跟我聊起了伦敦，还画了张地图，我们玩巴西埃卡泰牌，后走到了乌泽什的城墙下，那里和所有的街区都一样，四面八方都有小房子紧紧靠着围墙。他介绍给我一些书，跟我谈论电影、历史、诗歌、莎士比亚，他在诗歌方面有着异于常人的天分，这个男人懂得如何最大限度地把他接触到的一切变得栩栩如生。吃完饭，坐车出发去火车站，火车里我们面对面坐着，他给我钱，从他手里接过，我的心头一片柔软，我们承诺会互相写信。再见了。再见了，如此干巴巴的柔情，一如我们之间的关系。我们的感情是一种美妙的恩赐，拉马是美妙的恩赐。这些天，拉马已经做到了极致——快乐，诙谐，似近又远，尖锐又温柔，那么熟悉。我完全清楚他是怎样的人，萨特是怎样的人。关于这一点，我晚点再说。再见了，精彩的一个月，来也匆匆去也匆匆的拉马王子，但我的心里满满都是幸福。

---

① 这是西蒙娜·德·波伏瓦第一次喝葡萄酒。——原注
② 韦泽尔河畔的公共大草坪。——原注

九月十日星期二

　　我由此知道了像大个子莫林那样的男人是什么样的，像萨特那样的男人是什么样的。前者帅气，让人忍不住驻足观赏，并乐于为他们服务，因为他们有着难以满足的欲望，因为他们的仁慈和温柔是今生难得的财富。见到他们会快乐，但也得随时准备因为他们而承受痛苦，为了证明这种快乐和痛苦是有道理的，人们不禁过度地美化他们。"永远不要评判我——相信我"，他们如此请求，如同在呼唤你的宽宏大量。但现在，我认识了一个永远可以被评判的人，一个永远可以为自己辩护的人，我不再在这个请求中看到曾经束缚我的紧箍。对这些人偏心是一件美妙的事，但是，当你看到对有些人你可以不偏不倚地欣赏他们的全部，并得到你的尊敬时，你怎么还能不意识到这种偏心呢？

　　我记得在法尔斯塔夫与萨特的谈话中，我区分了两种人：一种是"其他人"和被这种陌生感所笼罩的人，他们是不可侵犯的；另一种是我的同族人，他们并不那样看待我，我不太喜欢他们，但与他们在一起我感到安全，我理解我与他们一致。这总是对的，但现在的情况是，在这些同族人中，我发现了一个如此伟大的人，我的敬意因为他而延展到我的整个种族，我不再觉得自己在另一方的人面前毫无还手之力。正如我在梅里尼亚克所感受到的，我需要的正是他，而不是另一个人。我对其他人的钦佩或多或少有些偏颇，带着点诗意的成分。只有萨特给了我一种完全真诚的自由，一种不试图构建任何东西的简单。如今也因此，我理解了我的白马王子拉马。好吧！不，我并不是很尊敬他，因为想到他谈论起他的妻子、世界、社会——好享乐，钻营，有点虚荣，幼稚，还缺少宽容——我便觉得痛苦。从道德上讲，我并不尊敬他。从智性上讲，他也无法满足我，他对很多东西并没有兴趣，理解力也跟不上，无法把控所有问题。而且在平时的生活中，待在他身边也会让人觉得无聊。他对身边的小事缺乏感知力，不喜欢天马行空的故事，也无法全力以赴做一件事。而他精神上显而易见、彻头彻尾的贫瘠令我感到压抑。我在明白了所有这一切之后，想到了萨特，想到了他与我思考的方式如此相似：存在或不存在，他与女人的关系，与世界的关系，他的教养，他对思考的热情，这一切都让我毫无保留地崇拜他，尊敬他。我很懂他，我把他放在一个非比寻常的高度。然而……然而马厄是诗人，是艺术家，他天赋异禀，能通过强调物体本身此前并未呈现的鲜明特征，使他接触到的一切都栩栩如生。当他谈论历史的时候，就是如此。他以一种直接、肯定的方式感受诗意、艺术和美，而像我甚至萨特这样的人却永远做不到这样。他谈论莎士比亚的时候，就是如此。他年轻，虽然他不承认，但他是个机智、活泼和出人意料的诗人。他在玩中生活，他喜欢草木，喜欢赤脚走在溪流中。他有无与伦比的优雅姿态，他精致、迷人，他能被一种思想和印象所"迷住"（当他谈到英国时）。他热爱冒险，他有一种与生俱来的细腻，他的温柔看起来像仁慈。我对他的爱和在巴黎时一样深沉，更加熟悉，更加平静，同样高兴，同样投入。我深爱的拉马，我的白马王子拉马。这种情感如今已经进入了我的生活，占据了一席之地，不再要求更多，也没有丝毫危险。这是最稳固、最温柔、最耐人寻味的友谊。而且很美好的是，和这样一个性感的男人在一起，我们之间的一切与肉体无关，我们之间的柔情是简单的、纯粹的，而和萨特在一起，他虽然不性感，但我们身体的和谐意味着我们的爱情会更美。

　　这就是我和伙伴们神奇的浪漫故事，起始于今年三月。这就是我对拉马的友情：有好奇，有感动，是不安的友谊，稳固的友谊，也有不安的激情、难过，而如今是：带着激情的、稳固平和的友谊。

我和萨特的关系是怎样的，这是另一个问题。

这几天，我曾经如此担忧的这一学年行将结束。这是最美好、最充实的一年，我出乎意料地不断被唤醒。因为现在将是经历了一年的缺席之后，回归的一年。我和萨特在一起的生活，"毕业之后"的生活，一切都是未知数。新的一年又将开始，我充满了希望和欢乐。只是我还想要回顾一下过去的一年，以便能够看清它的全貌，理解它的全部。

九月十一日星期三

下雨。我在伯纳四十号小旅馆里躲雨。带着对萨特的挚爱和虔诚，从前我也曾这样对莎莎，对雅克，有一时也对拉马。对雅克的思念是一种欲罢不能的担忧。幸福！

九月十二日星期四

我将要见到他，无论如何，我将要见到他。谁知道我是带着怎样无尽的爱去见他？我永远也不会像爱他一样再爱上任何一个其他男人，完全不能相提并论，即使现在已经有了这样一个人，我的心，我的思想，我的身体通通都爱着他。曾经我爱他，爱到犹如这份爱不能重来，甚至很少人像我这样爱过。或许未来他对我而言一文不值，或许我想象着听到他对我说"您好，西蒙娜"，我会忐忑不安，或许我会经历这些。但我不知道在这两种可能性中，我想要的是哪一种。

今年总结

一九二八年九月至一九二九年九月

　　雅克不在身边。

　　必须排解忧伤：开始是斯蒂法在国家图书馆与我肩并肩地坐着，在广场和花园里和我一起吃午饭，把我带到她蓝色的房间里，与我共度美好时光。在这一个月里，我努力工作。十一月，十二月，是她一直陪着我，还有我生活中其他的一切，灰暗的索邦大学，去了德国的莎莎，窝在寒酸的学生宿舍里的若泽。和朋友们聊天，吃点心，晚饭后去看戏剧，再去蒙帕纳斯，同去的有乌克兰同胞，费尔南多，和里凯去斯特力克斯酒吧，在克纳姆吃午饭，一种自由的生活，甚至有些不羁，很开心，很开心，而在索邦大学，我认为和冈迪拉克的友谊很有意思，而且我还能时不时地见到梅洛-庞蒂。我开始学着认识外国人，学习德国文学，我对人、对世间的人所有不可思议的可能性比之前也了解更多了——这多亏斯蒂法。精彩的回忆：在作坊的夜晚，去比托叶夫、斯蒂法、梅洛-庞蒂家，斯蒂法和费尔南多的离开，巴黎的街头，我常常心情好到难以自制。索邦大学依然是一个令人敬畏的陌生人，但我很喜欢那里的课，我有许多工作，学生们都是好学的小笨蛋，我精彩的双面生活，罗宾的课很有意思，蓝天。

　　我给雅克写了两次信——在这样平静、焦急的等待和确信中，有我强烈的爱。我和重又见面的米盖尔一起出门。"不太像样的俱乐部"，圆顶咖啡馆，雷蒙·邓肯。一切都那么令人愉快。我读了很多书，特别是外国作品。我认识了许多人，我从智性的角度欣赏他们，把他们当作自己外出和消遣的装饰。我的快乐来自我自身，所有这些只是我创作我喜欢的歌曲时用到的音符。

一月份，加鲁瓦、梅洛-庞蒂，冈迪拉克。我发现我很喜欢加鲁瓦，对梅洛-庞蒂又恢复了柔情，同时渴望与冈迪拉克交朋友——觉得同学之间的友情很美好，再也不会感到羞涩：波伏瓦小姐绽放了。梅洛-庞蒂家的晚会，和加鲁瓦在国图的偶遇，我自己家的晚会，还有一段实习期——和列维-斯特劳斯、梅洛-庞蒂一起实习，在罗德里格斯家吃晚餐，和莫格一起吃点心，我变得更坚强，更自信。

二月和三月，还是如此，莎莎从德国回来，和她一起外出，去二十八号放映厅，在布兰斯维克家喝下午茶。但这一切也让我很疲惫，因为要从这些人身上有所收获，就必须一直在其中贡献点什么，因为他们是严肃的、沉闷的，离我很远，我故作高傲，不想让人知道我是孤独的，课程让我感到无聊，工作我也不太感兴趣，我努力地去关注里夏尔小姐、伊波利特等人，疲惫、缺乏骄傲，让我囫囵吞枣似的接受了这些人，和宝贝蛋一起出门也提不起兴趣，得了流感。还有些难过的事：若泽和梅洛-庞蒂，宝贝蛋和梅洛-庞蒂，他们的交心话，与若泽在一起的难过的夜晚，我伤心欲绝。想起雅克犹如一种丢失的骄傲，我无比渴望见到他。我用看电影来排解这样的情绪。但还是有几个夜晚很愉快，和斯蒂法、宝贝蛋还有新认识的杜布瓦。我在国图的消遣是跟一个匈牙利人有关，他教会我一些事情。我把自己交给他的那些时刻是多么脆弱。

复活节的时候心情极其低落。我给予别人一切，却没有收到任何回赠。我感受了他们的生活，可那毕竟不是我的生活，我付出了我自己，却并未因此变得更充实，我想要好好生活。在欧洲人音乐厅的一个个夜晚，让我深深地体味到对这一切的厌恶。

然后……从四月十五日到六月十五日，马厄。

长久的渴望——缓慢的靠近——日复一日被确认的希望。在国图时，坐在他身边：上午工作，中午一起吃饭，在王宫花园聊天，很开心，一直待到晚上，有时我陪他到他的家教学生[①]家。起初是友情，而后是温情，再后来我也说不上来是不是深爱的痛苦。重燃的骄傲，明媚的生活，整个春天……有一个人，我没什么可给予的；有一个人，在他身边甚至比在我自己身边，我都更能成为我自己，我爱他。完美的快乐，许许多多快乐。我终于摆脱了天主教，我重又开始蔑视，我学习拥有女人才有的温柔。慢慢地，世界在我面前敞开，而这个故事的精妙之处在于，他在我不知道的情况下寻找我，而我在寻找他，在索邦大学看见了却也不敢跟他打招呼。海狸，他亲爱的海狸……而他，对我意义重大。

我想念雅克，带着忧虑，我对他的沉默已经厌倦了，我从他身上学到了一件会令我痛苦的事，我试图克服，也知道这种痛苦有其存在的理由，但是他已离我远去。其次，对莎莎的强烈感情，我们的友谊到达了顶点；对梅洛-庞蒂的强烈感情，我们彼此慢慢靠近。我又重新找回了玛德莱娜·德·普朗蒂埃，若泽还是那么难过。其他人的生活。我偶尔也会与斯蒂法见面，我和她一起做做报刊，晚上在双叟咖啡馆见那位匈牙利人和费尔南多。彻底放弃悲情和道德的浪漫主义。晚上和冈迪拉克和小团体在湖边——有时也一起去斯特力克斯酒吧，但主要是看《汽车》《侦探》，欧仁和那张年轻有趣的脸……

六月至七月。小伙伴和考试。

许多许多。不再仅仅只是友谊，我发现了我能生活在其中的世界，发现了我热爱的思想，发现了我命定的一件事。终于！我终于

---

① 高师学生的行话，指那些开小灶补课的学生。——原注

遇到了比我强大的人，在他们身边我才是我自己。而且，还发生了一些有趣的故事。拉马回来了，我们晚上一起出门，我们在一起待了两周，一起工作或不工作，一开始在萨特和尼赞面前我羞涩紧张，他们只是马厄的朋友——我对马厄的爱越来越强烈，在一个个迷人的夜晚，在每一个安静又熟悉的时刻，不断延展，直到这份爱带给我痛苦，我尊敬萨特，他想跟我成为朋友——我默默地崇拜尼赞，我们一起喝东西、唱歌、玩日本台球，一起外出，我享受自由，享受成为海狸的幸福。我被接管了。

拉马离开的时候，我很激动——认识了阿隆、波利泽，和尼赞越来越熟悉，与萨特的友情与日俱增。又见到了斯蒂法。若泽、莎莎和梅洛-庞蒂之间的故事结束了——这一切都在远离我。

智性上的绽放——快乐，生机。我很少再想起雅克，但更懂他了。我掌控了这个今年我才慢慢适应了的世界。同时，我通过了毕业考试和教师资格考试。

七月——八月——九月。萨特。

世界的大门已经完全敞开。我知道我拥有一个女人的命运，而且我喜欢这样的命运。我知道什么是思考，什么是一个伟大的人，什么是宇宙。我摆脱了所有宗教和伦理的陈旧偏见，以及毫无根据的本能。我懂得了全然的真诚，思考的自由，用精神、心灵、身体去体验思想。无尽的启示——没有因此心烦意乱，因为对这一切我都已有准备。过去的已经过去，我要开启一个新的未来，不同于之前四年的未来。除此以外还有巴黎迷人的夜晚，新认识的人，精彩的发现，电影，喝东西的咖啡馆——信件——在格里埃尔的十天我终于了解他，爱上他。我们承诺彼此之间是强烈的爱，始终不变的友情。

再后来，拉马来了，充满柔情的信，对未来的期盼。

总结

毕业和教师资格考试。外国文学和法国文学。戏剧、电影、夜总会。

我遇到了许多外国人、学生和蒙帕纳斯的常客。我敞开心扉体验别人的生活，期盼雅克，在自己的生活中不忘令人愉快的消遣。

展示我各种能力的经历，无论如何都是快乐的。和世界不断接触，我逐渐成熟，获得了更多的经历。

我发现了我理应生存的世界，找到了真正的朋友。

海狸诞生了，长久以来，我一直徘徊于智性的波伏瓦小姐和热情的波伏瓦小姐之间。

充实的一年。几乎可以与一九二五至一九二六年相媲美。

我的生活总结（二）

我人生的伊始，去年我已在另一本手记中总结过，但今天必须重新明确地回顾过去发生的一切。

一九二六年暑假。经历孤独。确认自己的个人主义，有着叛逆的心态和生活的意愿。渴望完成一部作品。陷在痛苦的爱情里。隐隐约约感觉会有另一种可能的未来，但过于遥远。怀疑幸福的存在。却强烈地期盼能获得幸福。有信念，有自信。

不幸的、单纯的、值得尊重的小女孩。

十月。激情，即使隔这么久想起来还是会感到极其痛苦，完全孤独。我所获得的快乐，是作为上帝的我自己带来的：越来越决绝的个人主义。我对雅克的感情是一种巨大的共情，他什么都不能为我做，尽管我只活在他心里。我爱他，但这种爱不同一般，陌生、苦涩，他带给我的从来不是快乐。我并不崇拜他，而且常常需要努力去尊重他。我抵制这种把自己限制在他身上的想法。

兴奋的小女孩，但不如以前真诚，因为她想适应自己忍不住要去评判的激情。从一开始的失望、不安，到非凡的诗意，甚至今天感到的遗憾，而记忆可以证明一切。我激情四射，痛苦万分，极度孤独。但有些时刻，我依然是坚强的、清醒的。三年来，我囿于这个十月带给我的诗意无法自拔。

十一月。似乎一切都确定了，不再有争议。温情和幻想，十天，沉浸在完美的、幸福的安全感里（很久远了）。非常烦闷，在痛苦中偶尔有一些十分快乐的瞬间。为之臣服。悲剧的小女孩，但当她找回思考的力量时，她便会好好思考。

十二月，一月。情感上更加平静一些，很少外出与人见面，要说的事情不多，但都在无休无止的梦境和反复思考中延展。我紧紧抓住这份常常从我手中溜走的爱情。即便当我抓住它时，它也无法填补我空洞的心。夜晚，我辗转不安。痛苦。我主宰不了生活，我太年轻，但对我的年龄来说我又太老了。有时，我对这份令人沮丧的爱表示愤慨，对不懂得如何拯救我的雅克表示愤慨。但有些时刻，内心又无比柔软。雅克对我有着难以抵挡的魅力，一如他对我的爱意。

忧伤的小女孩。那么需要简单的温情，那么需要被抚慰。

二月，三月。乐事持续着——我们简单的友谊，许多快乐，我时不时地觉得自己得了一种令人厌恶的病，我试图摆脱。在全然纯粹的宁静与反抗愤慨中来回摇摆。

三月十五日，突然又坚决的反抗，就在意大利人大道。拒绝臣服，回归自我。重拾力量，铺陈人生：布洛玛，默西尔，讷伊，索邦大学，若尔热特·列维，米盖尔，阳光。一阵阵的爱意让我上头，却不再会摧垮我。渴望完成一部作品，不再需要任何人。

时而确定时而怀疑的爱情。但这份爱情对我来说不再那么重要。我体验了属于自己的孤独和力量，我已经不再会被一个梦所吞噬（四月二十八日）。有时，很快乐。

四月底，五月。渴望去相信、去行动——我不得不承认，我什么也不相信，什么也不渴望。然而有许多乐趣。一种快乐的力量能帮助我完成一部作品，或开始一段新的爱情。我的人生不再是已经被规划好的或者只能通向雅克。有时，我对雅克很冷淡。我从童年开始便对婚姻怀着一种恐惧，我也感受到和雅克在一起的生活会很沉重，我又开始像十月、十一月那样抵制、反抗。从这一天开始，我不再爱雅克，我做出判断——我如此清醒，竟然不明白那时的我怎会反反复复。我感到情感上巨大的平静，已然超越了爱情。从智性上说，雅克是我的障碍。我在智性上还不确定，在精神上又有很多忧虑。但我坚强、勇敢、清醒，再也不会自欺欺人。我又一次相信。

五月，六月。我再也不爱雅克，当重新见到他的时候，有一两次，我兴奋难抑，悔恨自己不再爱他。但我的人生与他无关。我的人生是积极的自我掌控，是有规划的人生，在外是消遣，意味着我希望向一切事物敞开心扉，是一种放松，而在内，我重视的是我的智性生活，而不是我的内心。智性上的失败，四面楚歌，为此痛苦到绝望。这么悲惨有点可笑。但我衷心赞成这种生命的意志，完成一部作品，达成一种成就。我知道如何在利用别人的同时保全自己。

七月。为孤独，为远去的爱而忧伤。思考的意愿。在这阳光下，痛苦的、形而上的绝望。与梅洛-庞蒂的友谊将我从这绝望、这孤独中拉出来，并使我对哲学的热爱有了结晶。激动。

一九二七年暑假。从去年开始便已经老了。不再沉浸在那美丽的梦境里，但尚未体验和主宰生活。我在思考中挣扎，带着对珍贵的梦的回忆。决心钻研哲学，让自己变得强大。我写了一大堆信，热情洋溢，但内心深处我很悲伤，为不再爱了而悲伤。我写了一页又一页。小知识分子，狂热，好学，这让小女孩得到了平静，但她也失去了思想的单纯和她的价值。思考的兴奋，若有若无的热情，对心灵和思想都是有害的。

一九二七年十月，十一月，十二月。工作与孤独。坚强，疲惫，思考的兴奋，模糊的神秘主义。内心备受折磨，但拥有着强烈的生存意愿。因为这份强烈，爱情被撇在了一边，直到十二月底，爱情才在无限的柔情中回来了。

一月，二月。寻求快乐。在思想中，在内心的狂喜中，在冒险中，在友谊中，在这份重新回到我身边的爱情中，在一切的一切中。追寻一种隐藏的真理。我挣扎，沉沦。小女孩太孤单了，时而感觉窒息，时而任凭自己的心碎成碎片。但远远地看待这一切，何尝不是一种考验！对于所有可能的未来，何尝不是一种保障！怀着热情生活，我知道无论快乐或伤心，这份生命的热情才是最重要的。

过分执着于内在的精神生活，这仍让我的心揪在了一起。

三月，四月。孤独，在孤独中坚强——太多的心理状态，而内心的空虚是这一切的原因。我需要有人来理解这一切并帮助我。没有人和我是相当的，我永远也不会遇到一个与我相当的人。

五月。太多的爱，快乐，简单。我却很少见到雅克，也很少想念他，但即使这样现在我只会觉得快乐，因为我对他不再要求什么。我真的变成了长颈怪兽，迷失在形而上学的直觉中。我甚至被天主教教义所吸引。

一九二八年六月，七月，暑假。我依赖这份爱情而活。我不再思考，再也不会忧虑。我付出爱，我伤心，神志不清，或者我坚强，工作。我甚至是快乐的。我静静地等待着他的回归带给我的巨大幸福。我打算好好放松一年，也就是说做一些具体的工作，不需要思考。

这就是一九二八至一九二九这一年，其实我并没有思考，并没有付出爱，我任由自己消磨时光，得过且过，只为了尽可能地让自己快乐。

一九二九年九月至一九三〇年十月　计划

现在我迫不及待地想要开学，迫不及待地想开始新的学年，我有那么多事情要做。

1）爱萨特。萨特将去他想去的地方（他或者死去，或者扰乱我的生活，或静静地持续现在的状态，慢慢变得模糊）。两个晚上在凡尔赛①，从六点到十点，有时和吉尔、阿隆一起，星期六整个晚上在巴黎。故事、玩乐，所有要讲给他听的过去，要准备的未来，做学问的方向。对他来说，就是我能给予他的一切。

十月初可以在巴黎待一周——复活节一周的假期，我们可以在一起，去盖朗德或者阿尔萨斯，也有一个月的假期可以去凡尔赛。

2）雅克。再见到他，和他一起出游，清楚我们到了什么地步，但不管怎样，复活节前不需要弄明白，明年之前不需要做任何决定。还是很大的未知数。

3）唉，拉马！我不太见得到他，大公爵、莎莎、宝贝蛋、"那位女士"、若泽，一月份还会见到斯蒂法，尽可能多认识有意思的人。

---

① 萨特以为是在那里服兵役。——原注

4) 一本书。好书或者烂书，每天保证工作三到四小时——和萨特一起准备。

5) 阅读——每天在国家图书馆或在家阅读三个小时左右：历史、文学，还有大哲学家的作品。

6) 外出：至少每周听一次音乐会（我不太懂音乐），碰到好的剧目就和宝贝蛋一起去看，如果累了或者有朋友结伴就一起去看电影。

7) 每天上两小时的课，赚一千五百法郎以维持这样的生活——每个月存一百法郎或一百五十法郎，用来度假。

8) 尝试好好穿搭，给小伙伴赏心悦目的感觉——学习独居情况下一些必不可少的生活小技能。

我每天的时间安排大致是：

九点到下午一点，工作；

下午两点到五点，阅读；

晚上五点半到七点半，上课；

在妈妈家吃晚饭。和宝贝蛋，或莎莎，或若泽，或一个人出门。一周大约两次。

其中三天：九点到下午一点，工作；

下午两点到四点，上课；

下午四点到六点，购物或会朋友或阅读；

晚上六点到十点，和萨特在一起；

晚上十点到午夜十二点或六点到十二点，和萨特在一起（这几天在妈妈家吃饭）；

星期日下午出门，晚上阅读，还有一些计划外的情况……

手记第六卷完